# QUE TIPO DE MÃE É VOCÊ?

PAULA DALY

# QUE TIPO DE MÃE É VOCÊ?

*Tradução*
Ivana Nascimento

1ª edição

Rio de Janeiro | 2018

Título original: *Just What Kind of Mother Are You?*

Capa: Sérgio Campante
Imagem de capa: © Alex Potemkin / Getty Images

Texto revisado segundo o novo
Acordo Ortográfico da Língua Portuguesa

2018
Impresso no Brasil
*Printed in Brazil*

CIP-BRASIL. CATALOGAÇÃO NA PUBLICAÇÃO
SINDICATO NACIONAL DOS EDITORES DE LIVROS, RJ

D159q

Daly, Paula
Que tipo de mãe é você? / Paula Daly; tradução de Ivana Nascimento. – 1ª ed. – Rio de Janeiro: Bertrand Brasil, 2018.

Tradução de: Just what kind of mother are you?
ISBN 978-85-286-2328-4

1. Ficção inglesa. I. Nascimento, Ivana. II. Título.

18-49625

CDD: 823
CDU: 82-3(410.1)

Meri Gleice Rodrigues de Souza – Bibliotecária – CRB-7/6439



Direitos exclusivos de publicação em língua portuguesa somente para o Brasil adquiridos pela:
EDITORA BERTRAND BRASIL LTDA.
Rua Argentina, 171 – 2º andar – São Cristóvão
20921-380 – Rio de Janeiro – RJ
Tel.: (21) 2585-2000 – Fax: (21) 2585-2084

Atendimento e venda direta ao leitor:
mdireto@record.com.br ou (21) 2585-2002

*Para Jimmy*

*Ele chega com tempo de sobra. Estaciona de ré, sai do carro e sente o frio esbofetear seu rosto com força, irritando sua pele. Ele tem cheiro de perfume caro.*

*Estacionou a algumas centenas de metros da escola, no mirante. Em um dia de céu limpo, há uma vista panorâmica ininterrupta do lago além das montanhas. Se o clima estivesse melhor, haveria um caminhão de sorvete, turistas japoneses tirando fotos. Só que hoje não. Não com as nuvens tão baixas, e não com a escuridão do outono se aproximando tão depressa.*

*A água do lago reflete as árvores. É de um marrom-café lamacento — em vias de se tornar cinza como uma lousa —, e o ar é de quietude.*

*Talvez devesse ter um cachorro, pondera ele brevemente. Algum que fosse amigável — um Spaniel, talvez, ou um daqueles branquinhos e fofinhos. Crianças adoram cachorros, não é? Talvez valha a pena tentar.*

*Ele procura algum sinal de vida, mas, por ora, ainda está só. Só tem ele, observando. Analisando a situação, pesando os riscos.*

*Avaliação de riscos faz parte do seu trabalho. Na maioria das vezes, ele apenas inventa coisas, colocando no papel o que o agente de segurança contra incêndios quer ler. Juntamente com uma coisa ou outra, porém, o bastante para dar a impressão de que ele se importa.*

*Agora é diferente. Agora, ele realmente precisa ter cuidado. Porque ele sabe que pode ser imprudente. Sabe que pode faltar-lhe o rigor necessário e que pode acabar pagando o preço disso mais tarde. Ele não pode correr esse risco agora. Não com isso.*

*Ele vê as horas. Séculos até que sua presença seja requisitada em outro lugar. Essa é a grande vantagem de seu trabalho: tempo de sobra para este outro... interesse.*

*É exatamente assim que ele vê, somente como um interesse. Nada sério. Ele está na fase de descobertas, vendo se gosta. Mais ou menos como se faz com aulas à noite.*

*"Faça já sua aula grátis de caligrafia."*

*"Conversação em francês não é para você no fim das contas."*

*Ele sabe que o seu interesse pode diminuir rapidamente, mas é isso que o torna bem-sucedido, pois as pessoas bem-sucedidas não ficam logo entediadas?*

*Quando era criança, disseram-lhe que não conseguia se apegar a nada, que não conseguia sentar e se concentrar em uma coisa de cada vez. Ele ainda pode agir assim; portanto, precisa estar decidido antes de arriscar. Ele quer ter certeza. Ele quer estar certo de que completará cada etapa antes de dar o primeiro passo.*

*Ele vê as horas. Três e quarenta. Logo estarão aqui — os primeiros a tomar o caminho de casa.*

*Ele entra no carro e aguarda.*

*O plano é medir sua reação. Ver se o que ele pensa que irá acontecer irá, de fato, acontecer. Então ele saberá. Então terá certeza.*

*Quando os avista, seus batimentos aceleram. Estão todos sem casaco, sem gorro, usando calçados inadequados para a estação. As primeiras a passar na frente do carro são duas garotas. Cabelos tingidos, expressões emburradas, pernas compridas e fora de forma.*

*Não, pensa ele, não é isso. Não é isso que ele quer, de maneira alguma.*

*Em seguida, vêm dois grupos de garotos. Catorze ou quinze anos cada, dando tapas na nuca uns dos outros, rindo por nada. Um deles olha para ele antes de fazer o um sinal rude com os dedos. Isso o faz rir. Bastante inofensivo, pensa.*

*É nesse momento que ele a vê.*

*Ela está sozinha. Caminhando, determinada. Postura ereta, a passos curtos e elegantes. Ela tem por volta de 12 anos, embora possa ser mais velha. Talvez ela só pareça ser mais nova do que realmente é.*

*Ela passa na frente do carro e, mais uma vez, os batimentos aceleram. Ele sente um prazeroso calafrio quando ela diminui o passo. Ela está logo atrás do grupo de garotos, sem saber o que fazer. Ele a observa, extasiado, conforme a expressão da garota muda, observa-a adquirir uma expressão decidida, e, de uma vez, tomar a audaz decisão de ultrapassar.*

*Meio saltitando, meio correndo, ela vai em direção ao meio-fio e retoma o passo. "Parece uma corça!", pensa ele, totalmente encantado. Seus finos tornozelos movem-se rapidamente à medida que se distancia do grupo.*

*Ele olha para baixo e repara que suas palmas estão suadas. E é aí que ele tem certeza. Sorrindo, conclui que não foi má ideia vir até aqui.*

*Ele baixa o quebra-sol e se olha no espelho. Ele é o mesmo cara de dez minutos atrás, mas está maravilhado com como se sente diferente. É como se todas as peças tivessem se encaixado, e ele entende, talvez pela primeira vez, o que as pessoas querem dizer com "isso parece ser a coisa certa a se fazer".*

*Girando a chave na ignição, ele se acomoda no assento aquecido e, ainda com um sorriso no rosto, parte em direção a Windermere.*

# DIA UM

## Terça-feira

# 1

ACORDO MAIS CANSADA do que quando fui deitar. Dormi cinco horas e meia e, depois de apertar o botão de soneca pela terceira vez, finalmente levanto a cabeça.

As razões do meu cansaço vão além da minha compreensão. É do tipo que você percebe e pensa: o que há de *errado* comigo? Deve ser alguma coisa no meu sangue. Ou, pior, devo ter contraído algo terrível, porque não é possível alguém se sentir tão cansado. Ou é?

Mas já tirei a prova. Os exames de sangue estavam normais. Meu médico — um velho astuto que, acho, já deve ter visto inúmeras mulheres se queixando de cansaço o tempo todo — me deu a notícia em primeira mão com um sorriso irônico:

— Desculpe, Lisa — disse ele. — Mas esta coisa da qual você está sofrendo... é apenas a vida.

Muitas vezes, sinto como se eu estivesse em um enorme experimento social. Como se alguma mente brilhante tivesse decidido juntar todas as mulheres do Ocidente em um grande estudo: Vamos educá-las! Vamos dar a elas bons empregos e tarefas importantes! Então vamos ver o que acontece quando procriam. Vamos ver isso *explodir*!

Você acha que estou exagerando.

*Eu* acho que estou exagerando.

Essa é a pior parte. Nem posso reclamar sem me sentir culpada, porque tenho tudo. Tudo o que alguém poderia querer. Deveria querer. E eu quero. Eu quero tudo.

"A que ponto cheguei?", penso, olhando-me no espelho do banheiro enquanto escovo os dentes. Eu era tão legal. Eu tinha tempo para as pessoas. Agora, vivo em um estado constante de irritação, de cansaço, e odeio isso.

Estou sobrecarregada. É a única palavra que consigo usar para me descrever. É essa palavra que vai estar escrita na minha lápide.

Lisa Kallisto: ela estava sobrecarregada.

Sou a primeira a se levantar. Às vezes, minha filha mais velha desce as escadas antes de mim se o cabelo dela estiver rebelde e precisar de uma atenção extra. Mas, normalmente, às seis e quarenta, sou apenas eu.

"Levante-se uma hora mais cedo", dizem as revistas. Abrace os momentos de quietude que antecedem a loucura do dia. Planeje o dia, faça uma lista de tarefas, beba água morna com uma fatia de limão. Desintoxique-se e você *sentirá* os benefícios.

Coloco o café para fazer e começo a encher as tigelas com ração. Temos três cachorros, todos vira-latas de Staffordshire bull terrier — não os que eu teria se pudesse ter escolhido, mas eles são bons cães. Limpos, carinhosos, bons para as crianças e, quando os deixo sair da área de serviço, onde dormem, passam por mim em uma corrida enlouquecida, sentando-se próximos às tigelas, na expectativa. "Vão em frente", falo, e eles atacam a comida.

Levá-los para passear de manhã geralmente é tarefa do meu marido, uma vez que Joe, normalmente, trabalha tarde. Está imaginando-o em um escritório, gravata folgada, cabelo bagunçado, prazo apertado? Eu mesma o imagino assim às vezes. Nunca pensei que me casaria com um taxista. Ainda mais um com "Joe Le Taxi" pintado em letras prateadas garrafais na lateral do carro.

Joe fez uma corrida para o aeroporto de Heathrow na noite passada. Um grupo de árabes ofereceu o dobro da tarifa se ele topasse ser seu motorista particular pelo tempo em que ficassem aqui pelos Lagos. Eles queriam o de sempre: idas à casa de Wordsworth, à fazenda de Beatrix Potter, passeios de barco em Ullswater, comer Kendal Mint Cake. Eu o ouvi deitando na cama por volta das quatro, perto da hora em que acordei em pânico por ter me esquecido de enviar um cartão parabenizando uma das minhas colegas do canil pelo bebê.

— Conseguiu uma grana boa? — murmurei, com o rosto afundado no travesseiro enquanto Joe ajeitava-se perto de mim, cheirando a cerveja.

Ele sempre mantém algumas latas no carro se o serviço vai até altas horas. Então, diz Joe, pode apagar no instante em que desaba na cama. Cansei de dizer que isso — um taxista dirigindo embriagado — não é nada bom, mas ele é a teimosia em pessoa.

— Ganhei cem libras de gorjeta — respondeu ele, dando um rápido beliscão na minha bunda — ... e estou pensando em gastar tudo em lingeries novas para você.

— Você quer dizer para *você* — bocejei. — Preciso de um escapamento novo.

Nos últimos oito anos, compro roupas íntimas para o aniversário de Joe — para mim. Todo ano, pergunto o que ele quer, e, todo ano, ele me encara, tipo, "*preciso mesmo responder?*"

Uma vez, ele disse que gostaria de ir comprar por conta própria. Mas descartamos a ideia após ele chegar em casa trazendo tudo o que havia na cor vermelha. Incluindo meia-arrastão.

— É melhor que eu mesma compre daqui por diante, Joe — falei.

— Ok — disse ele, parecendo chateado. Acredito que, no fundo, ele sabia que eu jamais compraria aquelas peças cafonas.

Os cachorros terminam de comer e correm para a porta dos fundos como uma matilha. Ruthie é a minha predileta, uma mestiça de Staffordshire com Setter irlandês ou Braco húngaro. Ela tem o pelo malhado de um Staffordshire, mas, em vez do marrom meio chocolate, meio folhas de outono, sua cor está mais para um castanho-avermelhado, ou bronze-acobreado. Além disso, tem aquelas pernas compridas que fazem parecer que trocou de corpo com outro cachorro. Ruthie chegou ao abrigo cinco anos atrás, com uma ninhada de filhotes enjeitados. A cadela reprodutora de um canil escapou por um dia e pariu sete. Ruthie foi a única que não conseguiu um lar, então, como geralmente fazemos, ela acabou ficando conosco.

Felizmente, Joe tem um talento natural. Ele tem aquela autoridade serena que parece atrair os cachorros. Ele os entende da mesma maneira que algumas pessoas entendem números ou circuitos. Mesmo quando trago um caso problemático para casa, o efeito zen de Joe faz com que o cachorro já esteja acomodado na hora de dormir.

Abro a porta dos fundos e os cães saem correndo, da mesma forma que o frio e os gatos entram rapidamente. O inverno chegou mais cedo. A neve já era prevista e houve uma grande nevasca à noite. O frio penetra meus ossos em um instante. Ouço o choro ao longe de um animal cortando o vale e fecho a porta depressa.

O café está pronto e me sirvo do que as cafeterias chamam de Americano — expresso com água quente; minha xícara é quase uma caneca de cerveja. Ouço uma movimentação no andar de cima, pezinhos no assoalho, a descarga do banheiro, um assoar de nariz, e me preparo. Li em algum lugar que crianças medem sua própria autoestima a partir de como você olha para elas e fiquei horrorizada quando percebi que estava cumprimentando meus filhos com um olhar vago. Isso porque tenho mil e uma coisas passando pela cabeça o tempo todo, mas eles não sabem disso. Tenho certeza de que devem ter passado os primeiros anos de vida imaginando se eu sequer os reconhecia. Sinto-me péssima por isso agora, então, muitas vezes, acabo exagerando um pouco. Meu filho mais novo ama a atenção. Mas os dois mais velhos, principalmente Sally, que tem 13 anos, passaram a me olhar com desconfiança.

Ela senta à mesa da cozinha, os lábios inchados de sono, cabelo preso em um rabo de cavalo que vai ajeitar mais tarde. Perto dela, está seu iPod Touch.

Ela põe uma colher de Rice Krispies na boca enquanto espanta um gato com o cotovelo. Eu a observo por cima da chaleira. Ela é morena como Joe. Os três são. Pergunte ao Joe de onde ele é, e ele dirá Ambleside. A maioria acha que ele é italiano, mas não é. Kallisto é um nome sul-americano — brasileiro — embora nós achemos que Joe tem ascendência argentina. Ele tem cabelos escuros, olhos escuros e pele morena, assim como as crianças. Seus cabelos são pretos, brilhantes e lisos, e elas têm os cílios absurdamente longos de Joe. Naturalmente, Sally se acha feia: pensa que todas as amigas são lindas, menos ela. Estamos tentando resolver isso, mas é claro que ela desconfia de tudo o que digo porque sou mãe dela. Que diabos eu saberia a respeito?

— Educação Física hoje? — Pergunto.

— Não. Tecnologia.

— O que você está estudando?

Nunca soube exatamente o que é Tecnologia. Parece que envolve carpintaria, costura, desenho; basicamente tudo.

Sally abaixa a colher e olha para mim como se dissesse "*está falando sério?*".

— Estamos estudando tecnologia de alimentos — diz ela, mantendo os olhos fixos nos meus. — Tecnologia de *alimentos*, tipo cozinhar. Não diga que se esqueceu de arrumar os ingredientes. A lista — diz, apontando para a geladeira — está bem ali.

— Droga — respondo baixinho. — Esqueci completamente. Do que você precisa?

Sally levanta, arrasta sua cadeira pelo piso de cerâmica. Enquanto isso, penso "*por favor sejam biscoitos, por favor sejam biscoitos*". Tenho aveia e posso arranjar o resto. Ou torta. Torta de frutas seria uma boa. Ela pode usar aquelas maçãs, colocar um pouco de alguma outra coisa do fundo da fruteira. Vai ficar bom.

Sally pega o pedaço de papel.

— Pizza.

— Não — respondo, devastada. — Sério?

— Precisamos de molho de tomate pronto, muçarela, algo para a base, como uma baguete ou um pão árabe, e nossa escolha de cobertura.

Pensei em frango picante e pimentão verde. Mas não me importo de usar atum, se só tivermos isso.

Não temos nenhum desses ingredientes. Nenhum.

Fecho os olhos.

— Por que você não me lembrou? Eu disse especificamente para me lembrar. Por que você não me lembrou quando eu disse...

— Eu lembrei.

— Quando?

— Sexta-feira, depois da aula — diz ela. — Você estava no laptop.

É verdade, eu lembro. Estava tentando fazer um pedido de lenha e o site não estava aceitando os dados do meu cartão de crédito. E eu perdi a paciência.

O rosto de Sally, agora, muda da satisfação de estar certa para um leve pânico.

— Tecnologia é no terceiro tempo — diz ela, levantando a voz. — Como vou conseguir as coisas até o terceiro tempo?

— Você pode dizer à professora que sua mãe esqueceu?

— Eu disse isso da última vez, e ela disse "última chance". Falou que era minha responsabilidade também. Que eu mesma poderia comprar os ingredientes de que precisasse.

— Você explicou para ela que vivemos em Troutbeck?

— Não, porque isso seria eu tentando me justificar.

Ficamos ali, olhando uma para a outra, eu esperando que uma resposta magicamente me viesse à mente e Sally desejando que eu fosse melhor nisso tudo.

— Deixe comigo. Vou cuidar disso — digo.

Estou pensando no dia por vir, colocando suco de maçã nos copos, quando os dois garotos sentam à mesa da cozinha. Temos catorze cães e onze gatos no abrigo no momento. Há espaço para os cães, mas uma das minhas cuidadoras temporárias de gatos mais confiáveis fará uma histerectomia amanhã, então preciso tomar conta de quatro gatos extras esta manhã. E há dois cachorros chegando da Irlanda do Norte dos quais eu havia me esquecido totalmente.

Os meninos estão discutindo sobre quem vai ficar com o último Rice Krispies — nenhum deles quer o Fruit & Fibre, esquecido no fundo do armário desde o verão. James tem 11 anos e Sam tem 7. Ambos são magros, com grandes olhos castanhos e zero bom senso. Eles são do tipo que as mães italianas dão muitos tapas corretivos na cabeça. Meninos amáveis, mas bobos, e eu os amo intensamente.

Estou aceitando o fato de que terei que acordar Joe e mandá-lo sair em busca dos ingredientes da pizza quando o telefone toca. São sete e vinte, então, seja quem for, não está ligando com boas notícias.

— Lisa, é Kate.

— Kate — digo —, o que aconteceu? Algo errado?

— Sim... Não... Bem, mais ou menos. Olha, desculpe ligar tão cedo, mas queria falar com você enquanto os meninos ainda estivessem em casa.

Kate Riverty é minha amiga há uns cinco anos. Ela tem dois filhos, quase da mesma idade de Sally, minha mais velha, e de Sam, meu mais novo.

— Não é nada grave. Só achei que você gostaria de saber para que pudesse resolver antes que fugisse do controle. — Eu fico em silêncio, deixo-a prosseguir. — É que Fergus veio para casa semana passada dizendo que precisava de dinheiro para a escola, e achei que não era nada demais naquele momento. Você sabe... Eles sempre precisam de dinheiro para alguma coisa. Então dei, e foi só quando conversei com Guy sobre isso ontem à noite e fiquei sabendo que Fergus pediu dinheiro *a ele* também que pensamos em questioná-lo.

Não faço ideia de aonde isso irá chegar, mas isso é comum com Kate, então tento soar interessada.

— Então para o que você acha que ele quer dinheiro?

Acho que ela vai me dizer que os professores abriram uma cantina. Algo com o qual não concorda. Algo que vai *contra os princípios* dela.

— É o Sam — diz Kate sem rodeios. — Ele está cobrando das crianças para brincarem com ele.

— Ele está o quê?

— As crianças estão pagando para brincar com ele. Não tenho certeza de quanto porque... ele parece ter um tipo de tabela variável em operação. Fergus está um pouco chateado com isso, na verdade. Ele descobriu que está pagando bem mais que outros meninos.

Viro e olho para Sam. Ele está usando pijamas do Mario Kart e está dando leite da sua colher do cereal para nosso velho gato ruivo.

Suspiro.

— Você não está zangada por eu ter ligado, está, Lisa?

Eu me encolho. Kate está tentando soar agradável, mas sua voz assumiu um tom estridente.

— De modo algum — digo. — Estou feliz que tenha ligado.

— É só que se fosse eu... se fosse um dos *meus* fazendo isso... bem... eu gostaria de saber.

— Com certeza — digo a ela. Então uso a minha fala padrão, a que pareço dizer a qualquer um e a todos, não importa a situação:

— Deixe comigo — digo com firmeza —, eu cuido disso.

Pouco antes de Kate desligar, a ouço dizer:

— As meninas estão bem?

E respondo:

— O quê? Sim, tudo bem — porque estou abalada, envergonhada, e não estou pensando direito. Estou pensando em como vou enfrentar o problema do novo empreendimento de Sam.

Mas quando desligo o telefone, penso: "*Meninas*? O que ela quer dizer com isso?" E, então, deixo para lá, porque Kate geralmente me deixa com um pé atrás. Ela me confunde com o que está realmente tentando dizer. É algo com que tive de me acostumar.

# 2

MORAMOS EM UMA fria casa alugada em Troutbeck.

Troutbeck fica a leste do Lago Windermere e é o tipo de lugar que se encontra em livros com títulos como "Vilarejos Ingleses Pitorescos". Supostamente, há 260 casas aqui, mas não sei onde todas essas pessoas estão escondidas, pois quase não vejo ninguém.

Obviamente, muitas são alugadas para férias. E, em muitos dos chalés, moram pessoas que se aposentaram aqui, de modo que elas nem sempre fazem parte dos acontecimentos do dia a dia — creio que seja porque não têm filhos vivendo no vilarejo. Ou netos que busquem na escola alguns dias na semana. Ou levem às aulas de natação ou ao parque.

Eu achava que beirava a tragédia a maneira como as famílias perdem o contato, a forma como as pessoas cortam laços, preferindo viver em um belo lugar a estarem juntas. Mas, agora, percebo que é disso que as pessoas gostam. Elas nem sempre querem estar juntas.

Minha mãe tem um apartamento no vilarejo de Windermere. Ela e meu pai nunca se casaram — nós éramos a segunda família dele, a *outra* família — e, por causa de uma desgraça que aconteceu quando eu era criança, algo sobre o qual nunca falamos, nós nunca o vemos. Eu ligaria para minha mãe ir buscar os ingredientes de que Sally precisa para a culinária, mas ela não dirige, então pedi ao Joe. Coitado, ele está exausto. Dormiu pouco também.

Saio com o carro com Sam no banco do carona e aceno para os dois mais velhos enquanto esperam pelo micro-ônibus.

Não sei se isso é nacional ou se é apenas em Cúmbria, mas se você mora a mais de cinco quilômetros da escola mais próxima ou se não há uma calçada decente para caminhar, seus filhos têm direito ao transporte gratuito. E como nenhum ônibus passa aqui em Troutbeck, esse transporte é como se fosse um táxi — bem, um micro-ônibus. (Não Joe. Joe trabalha por conta própria. Geralmente, ele apenas leva senhoras a consultas médicas, feiras de jardinagem e clubes de bridge.)

Eu poderia mandar Sam em um desses micro-ônibus também se quisesse, mas tenho medo que um motorista desonesto o sequestre e o bote em uma balsa para Zeebrugge antes que eu descubra que ele não chegou à escola (eu pesquisei, e os motoristas não têm os antecedentes criminais checados). Então levo Sam para a escola a caminho do abrigo, o que é útil, pois é um dos poucos momentos em um dia normal de trabalho que passamos juntos.

Conversamos sobre tudo. Sam ainda está na idade em que acredita no Papai Noel e pensa em Jesus como um super-herói. Para ele, Jesus obviamente tem superpoderes, porque "como mais poderia fazer tudo aquilo?".

Sam passou por uma grande fase de Jesus ano passado e só falava sobre ele — não vi mal algum nisso. Mas Joe, à mesa de jantar, enfurecido, batia com o garfo no prato e dizia "aquela escola está *corrompendo-o*".

Eu me viro para dirigir pela nossa rua. É um trecho estreito e esburacado, sem lugar para ultrapassagem. Tenho que calcular exatamente a hora em que saímos ou me deparo com o micro-ônibus vindo na direção contrária. E sou sempre eu quem tem que dar marcha à ré, porque o motorista tem um problema no pescoço e só pode usar os espelhos. Para ser justa, ele dirige um veículo muito maior que o meu.

Sam está usando chapéu e capuz por causa do frio dentro do carro, então não consegue ouvir nada do que digo. E meu escapamento está furado. Precisava ter sido trocado um mês atrás e está ficando pior a cada dia. Pareço um corredor toda vez que piso no acelerador. Pergunto a Sam sobre a escola e se não há nada que ele queira me contar.

— O quê? — diz ele.

— Perdão — corrijo.

— Perdão? O quê?

— Há algo acontecendo na escola que você queira me contar?

Ele dá de ombros. Olha pela janela. Então se vira e fala com entusiasmo sobre uma criança que levou uma lâmpada de lava para a aula. E um: quando poderemos ter uma lâmpada de lava? E dois: por que ele nunca pode levar algo para a aula?

Internamente, estou xingando essa mãe, quem quer que seja, por me dar mais uma coisa para fazer. Levar coisas para a aula. Brilhante.

— Levar coisas para a aula — explico pacientemente — é coisa de americanos. É como gostosuras ou travessuras. Ingleses simplesmente não fazem isso.

— Todo mundo participa de gostosuras ou travessuras, menos nós.

— Não, não participa.

— Participa, sim.

— De qualquer forma — digo rapidamente —, o que é isso que ouvi sobre você fazer as pessoas pagarem para brincar com você?

Ele não responde. Não consigo ver seu rosto escondido atrás do capuz, e agora tenho que me concentrar porque estou na estrada principal, de onde não tiraram a neve muito bem. Um trabalho feito às pressas.

Sinto um pânico momentâneo quando imagino o motorista responsável pelo micro-ônibus das crianças fazendo uma curva rápido demais e derrapando para fora da estrada, caindo vale abaixo.

Imagino o veículo capotando, indo parar perto de uma enfardadeira John Deere. As janelas do ônibus estouraram e meus filhos estão sentados, imóveis, como *bonecos* de teste de colisão.

Sinto um arrepio.

— Perdão? — diz Sam, em resposta a minha pergunta sobre cobrar para brincar.

— Você me ouviu.

Relutante, ele explica — "Eu não faço *todos* pagarem" — e percebo que ele está mais decepcionado do que arrependido. Provavelmente, pensou que poderia passar a vida toda ganhando dinheiro assim e sentiu, pelo meu tom, que sua empreitada chegou a um fim prematuro.

— O que não entendo é o porquê dessas crianças estarem dispostas a pagar. Por que dão dinheiro a *você* quando poderiam facilmente brincar sozinhas ou com outra pessoa? — questiono.

— Sei lá — diz ele inocentemente, mas me lança um olhar malicioso. Um que diz: "Eu sei. Eles são, tipo, idiotas ou o quê?"

Cinco minutos depois, estacionamos do lado de fora da escola. Olho para ver se o carro de Kate está no lugar de sempre, próximo ao portão, mas ela ainda não chegou. Gosto dela, mas me irrita ela insistir em entrar na escola todos os dias, porque não há razão para isso.

Seu filho, Fergus, tem quase 8 anos. Ele é mais do que capaz de tirar o casaco e as botas, colocar os sapatos da escola e ir até a sala de aula. A escola tem apenas oitenta crianças. Ele não vai se perder. Mas Kate é uma dessas mães que gostam de conversar com a professora. Ela gosta de observar Fergus tirar as botas calmamente, revirando os olhos para as outras mães enquanto bate palmas, dizendo "Vamos, ande logo. Rapidinho! Dê as botas para a mamãe!". Kate não tem um emprego propriamente dito. Ela e o marido têm renda estável por alugar chalés para férias. Então tudo o que Kate tem para fazer quando chega em casa é ligar a máquina de lavar e escrever notas de agradecimento para pessoas de quem não gosta.

Invejo a vida de Kate.

Pronto, falei.

Demorei um pouco para chegar a esse ponto. Antes, não conseguia admitir. Eu reclamava com Joe. Culpava-o indiretamente por eu ter que trabalhar em tempo integral, culpava-o por estar esgotada todos os dias e...

Meu telefone está tocando.

Eu o tiro do bolso e vejo que é Sally. Talvez o micro-ônibus não tenha aparecido. Talvez o motorista não tenha conseguido dar partida no tempo frio.

— Oi, Sal, o que foi?

Sally está chorando. Soluços e engasgos. Ela não consegue pôr as palavras para fora.

— Mamãe? — Consigo ouvir barulho ao fundo, mais choro... o som do trânsito. — Mamãe... algo muito ruim aconteceu.

# 3

A DETETIVE JOANNE ASPINALL está chegando à delegacia quando recebe a ligação sobre a menina desaparecida. Treze anos. E muito ingênua. Joanne se pergunta se isso sequer existe. Que diferença faria se ela fosse uma garota esperta? E se ela *estivesse* acostumada a andar sozinha por aí? Isso mudaria alguma coisa? Seria menos urgente?

Desaparecida é desaparecida. Não deveria fazer diferença.

Mas quando Joanne vê a fotografia, sente um frio na espinha. É importante dizer que a garota parece *mesmo* mais jovem que a idade dela. Surpreendentemente jovem, na verdade. E Joanne tem de admitir, mesmo que só para si, que as garotas de 13 anos que saem por aí usando sutiãs Wonderbra e botas de cano alto costumam aparecer mais cedo ou mais tarde. Geralmente, voltam para casa envergonhadas, tristes e assustadas, arrependidas por terem feito os pais passarem por tamanha aflição. Porque tudo o que elas queriam era provar alguma coisa.

Joanne não era diferente quando jovem. Saindo de casa, gritando com a mãe, dizendo que era crescida o bastante para cuidar de si, desesperada para ser levada a sério como uma adulta. Quando, na verdade, *adulta* era a última coisa que era.

Joanne pensa na estranha confiança que as meninas nessa idade parecem ter, e decide que essa confiança, essa ousadia, surge mais tarde nos garotos. Por volta dos 16 anos. É quando a arrogância deles cresce e ela começa a ver garotos que nunca tinham se envolvido em encrencas subitamente começarem a dar problema.

Eles receberam um memorando no escritório semana passada. O exército estava à procura de garotos cuja vida pudesse ser "transformada com o tipo certo de orientação".

Dizia: "Eles podem ter muito a oferecer ao Exército Britânico." E Joanne pensou: "Sim, aposto que sim. Lamentavelmente, falta instinto de autopreservação nos jovens; eles irão para a batalha alegremente, consideram-se infalíveis, indestrutíveis. Não é de se admirar que o maldito exército os queira."

Após receber um breve resumo sobre a garota desaparecida, Joanne dirige-se ao endereço. Ela conhece a casa, que, há anos, abrigava o antigo presbitério, antes de a igreja vendê-la. Grande e cara demais para o clero pagar a conta do aquecimento.

A família não é conhecida pela polícia; poucos residentes de Troutbeck são. Não é *esse* tipo de lugar.

Joanne lida com pouquíssimos delitos sérios dentro dos limites do Parque Nacional. É uma das áreas mais seguras de viver na Grã-Bretanha. Você vê as mesmas pessoas todos os dias, então é difícil se esconder caso faça alguma besteira, engane alguém ou cometa um ato ilícito.

As pessoas se mudam para cá à procura de uma vida melhor, uma vida melhor para seus filhos. Então costumam viver de forma discreta. Fazem o possível para não se indispor com os vizinhos. Sentem-se privilegiadas por viver aqui e se esforçam para que continue assim.

Mas nem sempre é fácil *ficar* aqui.

O preço das casas é fora da realidade, e a indústria é inexistente. Então é melhor que quem se mude para cá tenha uma boa maneira de ganhar a vida ou não vai durar. Quem chega pensando em abrir uma pequena cafeteria, floricultura ou ateliê acorda para a vida quando não consegue pagar a hipoteca.

Joanne percebeu que os recém-chegados dizem orgulhosamente que são "daqui" depois de apenas alguns anos em Troutbeck. É como se fosse uma medalha de honra ao mérito. Para Joanne, isso nunca fez muito sentido. Ela é daqui. Viveu aqui toda a vida. Apesar disso, não tem certeza se isso merece tanta atenção.

Sua mãe e sua tia Jackie se mudaram de Lancashire para os Lagos quando eram adolescentes para trabalhar como camareiras, e Jackie zomba da ideia de ser aceita como se fosse daqui.

— Daqui? — desdenha ela. — Por que eu iria querer ser classificada como um deles? Eles não têm senso de humor...

Joanne desacelera o carro conforme se aproxima da garagem dos Riverty.

A filha deles não é do tipo que desaparece. Joanne sabe disso agora. Não, Lucinda Riverty definitivamente não faz esse tipo.

A detetive arruma o sutiã e sai do carro, pensando que, quando usava farda, pelo menos tinha roupas de graça. Agora, tentar encontrar roupas adequadas para o trabalho tomava quase tanto tempo quanto a papelada. E como seu tamanho de sutiã é um cruel 48, é difícil achar blusas que não a façam parecer um barril.

Ela fecha o zíper do agasalho e segue até a porta, pensando que, pelo menos agora, pode tocar a campainha sem se preocupar em ser confundida com uma stripper.

Não que isso fosse acontecer aqui hoje.

— Senhora Riverty?

A mulher balança a cabeça negativamente.

— Sou irmã dela, Alexa. Entre, estão todos aqui.

Joanne mostra o distintivo, mas a mulher não olha. Ela nem mesmo pergunta quem Joanne é, porque ninguém se importa em momentos como esse. Deixam você entrar logo, não querem perder tempo.

Já estão se punindo pelos minutos que perderam até agora. Quando perceberam que havia algo de estranho, que algo estava errado, quando o universo estava dizendo para eles que havia algum problema.

A mulher gesticula para Joanne seguir pelo corredor e virar à direita. Joanne adentra o saguão e limpa os sapatos. Ela dá uma olhada à frente:

cores foscas das tintas Farrow & Ball, carpete de fibra natural na escada, um caminho de retratos em preto e branco de muito bom gosto das crianças. Joanne vê uma garota de cerca de 5 anos vestida de bailarina, segurando algumas tulipas e uma bolsinha, e imagina que deva ser Lucinda.

A sala já está cheia de pessoas, o que também sempre acontece nessas horas. Todos vêm rapidamente. Cada familiar, cada amigo. As pessoas aparecem para ficar juntas, para esperar.

Joanne está acostumada a isso. Está acostumada aos rostos — esperançosos, mas confusos. "Quem é esta mulher de agasalho preto? Por que ela está aqui?"

— Sou a detetive Aspinall — diz Joanne.

Sempre é melhor dizer o título. Mulheres, especialmente, tendem a não reconhecê-la se não disser. Dê a um cidadão uma policial feminina em roupas comuns e ele não saberá o que fazer com ela.

"Ela está aqui para consolar a família? Fazer chá? Contato da família com a polícia, é isso? Ela é mesmo uma policial de verdade?"

Eles não têm certeza. É melhor dizer quem é e por que está aqui logo de cara.

Todos os olhos vão de Joanne para uma mulher loira desolada, sentada no meio de um sofá afundado cinza-escuro.

Esta sala é das crianças. Nela fica a mobília antiga, as coisas que não importam mais, aquelas que ninguém se importa se derrubarem bebidas ou sujarem com caneta.

Há uma TV de quatro anos no canto e, sob ela, uma pilha de videogames: Playstation, Wii, Xbox. Joanne sabe os nomes dessas coisas mesmo que não consiga distinguir um do outro por não ter filhos.

A loira está prestes a se levantar, mas Joanne diz:

— Por favor, não se levante. Você é a senhora Riverty?

A mulher faz que sim com a cabeça ligeiramente, entornando a caneca de chá que segura. Ela a entrega ao homem sentado ao seu lado.

Joanne olha para ele.

— Senhor Riverty?

— Guy — responde ele tentando, sem sucesso, sorrir.

Ele se levanta. Seus olhos estão angustiados, seu rosto, cheio de tristeza.

— Você veio nos ajudar? — pergunta ele.

— Sim — responde Joanne.

Sim, é por isso que ela está aqui. Joanne veio ajudar.

É a segunda menina desaparecida. Foi por isso que Joanne foi enviada diretamente para cá. Se Lucinda tivesse sido a primeira, outros policiais trabalhariam nesses estágios iniciais. Mas o departamento de Joanne está trabalhando com Lancashire neste caso, e após uma série de casos de raptos fracassados no sul, estão todos em alerta máximo.

Há duas semanas, uma jovem desapareceu em Silverdale, bem na fronteira de Cúmbria com Lancashire.

Molly Rigg. Outra que parecia mais jovem do que era. Outra menina que *não deveria ter desaparecido*, disse seu chefe.

Molly Rigg apareceu na hora do chá, a trinta quilômetros de casa, quando entrou em uma agência de viagens em Bowness-on-Windermere.

A chuva de novembro castigava a cidade, e o lugar estava lotado de gente querendo escapar da escuridão — talvez em um *all-inclusive* para a República Dominicana. Joanne viu isso anunciado na janela da frente: £355 por pessoa (bebidas importadas à parte).

Molly estava despida da cintura para cima e não sabia que lugar era aquele. Não tinha nem ideia de qual era a cidade. Ela havia escolhido a agência de viagens porque imaginou que os funcionários ali seriam "gentis".

Eles foram.

O gerente tirou todos da agência com o mínimo de alarde, enquanto as duas beldades que cuidavam da recepção cobriram Molly com algumas de suas próprias roupas. Quando Joanne chegou, elas estavam abraçadas à Molly tão fortemente, de uma forma tão protetora, que foi difícil Joanne fazê-las soltarem a menina.

Uma delas, Danielle Knox, havia contado como viu, por cima dos itinerários de voo, Molly, de pé, em silêncio, com a água da chuva escorrendo por seus jovens ombros e colo desnudos, braços cruzados, tremendo.

Ela contou como ficou boquiaberta quando Molly a pediu, calma e educadamente:

— Por favor, pode ligar pra minha mãe? Preciso falar com minha mãe.

Molly disse mais tarde que foi levada para uma quitinete e violentada mais de uma vez por um homem que falava como as pessoas em *The Darling Buds of May*. Sua mãe era fã do seriado e assistia às reprises no ITV3 nas tardes de domingo enquanto Molly fazia o dever de casa em frente à lareira.

Joanne se pergunta o quanto Kate e Guy Riverty sabem sobre esse caso. Ou mesmo se deram atenção à pobre Molly antes de se encontrarem nessa situação, terrivelmente similar, com sua filha, Lucinda, agora desaparecida.

Kate Riverty pergunta à Joanne se ela acha que o mesmo homem pode ser responsável por ambos os casos, e Joanne responde:

— Não vamos pensar assim agora. Não há nada que sugira que é a mesma pessoa neste momento.

O que, certamente, não é o que ela pensa. Mas Joanne sabe que, independentemente da firmeza que a senhora Riverty demonstre, nenhuma mãe está preparada para ouvir essas coisas.

Joanne também é cuidadosa para não especular se Lucinda foi realmente sequestrada ou não.

Uma criança não volta para casa? Os pais pensam logo em sequestro.

Esqueça as estatísticas. Esqueça os que fogem de casa. Se você chega insinuando que o filho deles não foi raptado, eles surtam.

Joanne olha ao redor para os rostos desesperados na sala. Ela não quer surtos.

# 4

ESTOU SENTADA AQUI com as mãos na cabeça há dez minutos. Ou seria meia hora? Não sei quanto tempo ao certo, quando ouço alguém bater na janela do carro.

— Você está bem? — pergunta a mãe de Jessica. Não sei o nome dela e ela provavelmente não sabe o meu, mas é do tipo maternal que sempre para quando vê alguém aflito.

Faço que sim com a cabeça.

— Tem certeza? — insiste ela. Seu rosto está coberto de preocupação. Devo parecer perturbada mesmo.

Aceno a cabeça novamente, com mais firmeza agora, porque não posso compartilhar isso com ninguém. Não agora, não ainda.

Ela sai, mas antes dá mais uma olhada para conferir se estou bem — porque é isso que as mães fazem. Elas tomam conta. Elas se certificam mais de uma vez. Elas se asseguram de que tudo esteja bem.

E eu não fiz isso.

Eu estava tão envolvida com... *o que exatamente*? O que eu estava fazendo? Porque, quando penso em ontem, não me vem nada à mente. Nada mesmo.

Olho ao redor. O carro de Kate ainda não está aqui. Claro que não. Ela não virá à escola hoje. Ela não vai trazer Fergus, não vai conversar com a secretária da escola sobre a arrecadação que organizou para a professora assistente que vai embora no Natal. Ela não vai arrumar os achados e perdidos, entregando moletons da escola para os respectivos donos. Ela não vai dizer a Fergus "Se apresse! Ande logo, tire suas botas, raio de sol".

Coloco minhas mãos no volante. Preciso sair daqui, da frente do portão da escola. As pessoas estão começando a olhar.

Ninguém sabe ainda.

Ninguém sabe o que fiz.

Começo a chorar. Preciso de Joe. Preciso dele daquela forma como se precisa da mãe quando você é pequeno e está desesperado. Quando o céu está desabando. Preciso dele, mas estou com medo de ouvir sua voz.

Finalmente, ligo para o celular dele. Ele atende no oitavo toque, tosse algumas vezes, então grita:

— Estou de pé! Estou de pé! Estou a caminho do Booths, não se pre ocupe, não esqueci.

— Joe? — falo. Logo ele percebe que não liguei para brigar com ele por causa dos ingredientes da pizza.

— O que houve, querida? Aconteceu alguma coisa?

— É Lucinda — digo, esforçando-me para manter meu tom de voz. — A filha de Kate, Lucinda. Ela desapareceu.

— Ah, meu Deus, Lise. Quando? Onde ela estava? Você falou com Kate? Ela já foi à polícia?

— Joe, é pior que isso — digo, engasgando com as palavras. — É pior que isso, porque a culpa é minha. Ela desapareceu por minha culpa.

— Como isso pode ser culpa sua? — pergunta ele. — Isso não faz o menor sentido.

Esse é Joe. Ele sai em minha defesa mesmo quando não sabe todos os fatos. Não importa o que eu tenha feito. Não importa se sou culpada ou não. Joe lançará um contra-ataque em quem quer que esteja me atacando mesmo que eu esteja errada.

Mas, hoje, isso é inútil.

— Lucinda deveria ter dormido lá em casa ontem à noite — digo. — Ela deveria ter ido lá para casa com Sally depois da escola para trabalhar em um projeto. Não sei o que era. Geografia, talvez, não consigo lembrar. Mas Sally não... — luto com as palavras — Sally não...

— Sally não foi para a escola ontem — completa ele por mim.

— Isso mesmo — digo baixinho. — Ela não foi. Ela disse que estava passando mal e eu não tinha tempo para discutir, então a deixei ficar em casa. Quando Sally entrou no micro-ônibus hoje de manhã e Lucinda não, ela entrou em pânico por causa do projeto e ligou para o celular dela. Quando Lucinda não atendeu, ela ligou para Kate...

— E Kate perguntou "ela não está com você?".

— Sim.

O horror que estamos passando me atinge com tudo pela segunda vez enquanto a ficha de Joe começa a cair. Posso imaginá-lo sentado na beirada da cama, não tão acordado como fingiu estar, mas de cueca e de cabeça baixa.

— Então ela está desaparecida desde... quando? — pergunta ele. — Desde ontem à tarde?

Não falo nada.

— Droga — diz ele, ao se dar conta. — Ela está desaparecida desde ontem de manhã?

— Não sabemos ainda — digo. — Mas foi a noite toda, Joe. Ela está desaparecida desde ontem à noite e tem apenas 13 anos. Treze! Ela só tem 13 anos. — Estou chorando agora. — O que será que aconteceu com ela? Jesus, Joe, parece que está acontecendo com a gente, só que é pior porque não foi nossa filha que eu perdi, não foi *nossa* filha... mas a de Kate.

— Lise, por que você não disse a eles que Sally estava doente? — diz Joe o mais suavemente possível.

— Eu disse para Sally enviar uma mensagem para Lucinda avisando que não iria, mas eu mesma devia ter feito isso, devia ter ligado para Kate...

— *Kate* — diz ele enfaticamente. — Meu Deus, a *Kate*. — Diz novamente.

Imagino sua expressão.

— Joe — digo cuidadosamente —, você está querendo dizer que seria mais fácil se fosse o filho de outra pessoa sem ser Kate? É isso que está dizendo?

— Não — responde ele com firmeza. — Você sabe o que quero dizer... não sabe? — admite.

Sei, mas não me permito pensar assim. Fecho os olhos. Sinto como se tivesse levado um tiro no estômago. Não consigo me mexer.

— Me ajude, Joe — choro. — Me ajude. Não sei o que fazer.

— Vou ajudar, querida — diz ele gentilmente. — Eu vou. Onde você está? Irei buscá-la. Não dirija. Vou até aí.

Como nós, Kate e Guy Riverty moram em Troutbeck, só que do outro lado do vale. Deixamos meu carro do lado de fora da escola de Sam e vamos até lá no táxi de Joe.

Sam pulou do meu carro e entrou na escola enquanto Sally me dava a terrível notícia. Acho que sequer me despedi dele. Sally não estava bem. Não faço ideia do que fazer com ela; se a levo para casa ou a deixo na escola. Ela disse que a polícia estava na escola tomando depoimentos e não sabia se poderia ir para casa antes de falar com eles.

Minha mente está em branco, e meu corpo, pesado. Olho para Joe.

— Não sei o que dizer para Kate e Guy. Que diabos vou dizer a eles?

— Diga que sente muito. Diga isso. Kate precisará ouvir isso.

Ele está certo, é claro. Mas estou tão assustada.

— E se ela gritar comigo? E se me mandar embora?

— Então você terá que aceitar. Você não tem escolha. — Ele olha para mim com o rosto aflito. — Não a deixarei machucá-la, se é isso que a preocupa. Ficarei ao seu lado.

Viro o rosto, com nojo de mim mesma.

— Escute só o que estou dizendo... Com medo de encará-la, quando sua única filha *desapareceu*. Quão horrível é isso? Eu deveria estar pensando em como dar apoio.

Joe coloca sua mão sobre as minhas firmemente apertadas.

— Não é culpa sua, Lise — diz ele.

Não respondo. Estamos quase na casa de Kate e Guy e se eu disser o que quero, se eu gritar "é claro que é minha culpa! Você *sabe* que é culpa minha" e permitir que a histeria que estou guardando venha à tona, não serei capaz de sair do carro.

Fecho os olhos e controlo a respiração. Em vez disso, digo:

— Obrigada por ter vindo, Joe.

Ele olha para mim com o olhar triste:

— Sempre — diz ele simplesmente.

# 5

A DETETIVE JOANNE ASPINALL dirige o Mondeo cinza. Deram a ela as opções de cores "céu da meia-noite" ou "céu lunar". Basicamente, dois tons de cinza. Mas Joanne não se importava com a cor; para ela, o que interessava era o motor.

Nos últimos anos, diminuíram as especificações do à paisana. A justificativa era que detetives não participam de muitas perseguições a carros; na maioria das vezes, o departamento de trânsito é quem dá conta dos drogados fugitivos e dos carros roubados. O que era uma pena, porque Joanne gostava de uma boa perseguição.

Na delegacia, diziam que Joanne tinha duas velocidades: parada e já foi.

Às vezes, ela se perguntava se entrar para o departamento de investigação criminal fora um erro. Carros lentos. E ela certamente estaria ganhando mais agora usando farda; seria sargento. Era mais difícil subir de patente como detetive. É por isso que a força tinha poucos deles. Isso afastava os oficiais mais jovens, especialmente os que tinham famílias para sustentar.

Joanne dá uma olhada na casa e avalia a situação. Naturalmente, seu primeiro instinto é desconfiar da família. As estatísticas não mentem. Crianças são quase sempre sequestradas por alguém conhecido.

É uma das abordagens mais complicadas para o detetive — reunir as informações necessárias com a família, mantendo, simultaneamente, uma atitude de total empatia e observando os pais em busca de qualquer coisa fora do comum.

É claro que Joanne foi treinada para nunca fazer suposições. Não nesse trabalho: é perda de tempo. Isso atrapalha o julgamento e deixa possibilidades de lado. As palavras do antigo professor de química de Joanne vêm a sua mente sempre que pensa nisso: "Nunca suponha", ele costumava dizer durante os experimentos, "porque senão vai fazer papel de idiota".

Joanne sorri brevemente enquanto pega o bloco de anotações. Ela olha a lista nele e, sem entender muito bem o porquê, sublinha o nome Guy Riverty. O pai da garota desaparecida. Ela percebe que já o escreveu mais forte que os outros nomes. Já tinha forçado o "G" algumas vezes sem perceber enquanto interrogava o casal.

O que tinha ele? Não havia antecedentes; ele era um homem decente, acima de qualquer suspeita. Mas, mesmo assim, algo não se encaixava para ela. Joanne olha ao redor para o vale coberto de neve enquanto pensa. Havia algo de estranho, de desconfortável, com Guy Riverty. Balbuciando, mas sem realmente dizer nada. Richard Madeley veio à mente.

Balbuciar em si não era um problema para Joanne. Após um incidente, principalmente algo preocupante, as pessoas tendem a falar sem parar ou ficar em silêncio; não há meio termo. Ou elas precisam contar para Joanne *absolutamente tudo*, começando no momento em que nasceram até o que os colocou na hora e no local do incidente, ou elas não dizem nada, ficam mudas.

Joanne era boa com os mudos. Especialmente os culpados. Ela não usava truques. Nada de policial mau e policial bom. Nada do "confie em mim" habitual, como Kaa, a cobra hipnótica de *Mogli: O Menino Lobo*, que apavorava Joanne quando criança. Não, Joanne era metódica e meticulosa. Ela começava pelo início e ia até o fim, até conseguir o que era necessário.

Se isso a tornava chata, ela não ligava. Se isso irritava seus colegas, idem. Ela trabalhava assim porque era a única forma de *trabalhar*. Se você age como um metido arrogante durante uma investigação, só há um resultado: acaba parecendo um canalha. E Joanne havia trabalhado com tolos o suficiente nos últimos anos para saber que ficar se gabando não garantia resultados. Muito pelo contrário.

Joanne batuca com a caneta no volante e pensa sobre a menina desaparecida.

Lucinda Riverty.

Treze anos, frágil, pequena, cabelo castanho claro cortado logo abaixo do queixo. Ela gosta da escola, está no quinto ano de piano, não é chegada a esportes, não é o que chamaria de extrovertida. Tampouco introvertida. Apenas uma garota comum.

Mas, para os pais, uma *menina extraordinária*. Uma menina extraordinária que desapareceu.

— Quem a raptou? -- pensou Joanne em voz alta.

# 6

SEMPRE, JOE DIZ.

Joe e eu, sempre juntos.

Foi o que ele me disse quando dei à luz seus filhos. O que ele diz quando estou vomitando no banheiro depois de beber vinho demais. Ou quando há uma linda mulher no *pub* e fico enciumada, me viro para ver se Joe está olhando para ela, e ele não está, está olhando para mim e sorrindo por causa da minha insegurança. *Sempre*, diz ele, e eu volto a ficar bem. Isso me conserta.

Se piso na bola, não importa. Porque, para Joe, nunca dou uma mancada muito grande.

Não me entenda mal: ele é tão mal-humorado, cabeça quente e irritante quanto qualquer outro homem. E nós certamente já tivemos nossos momentos. Mas são apenas momentos. Nada diferente do que qualquer casal enfrentou depois de ter filhos, tendo que *ser* melhor, que *fazer* melhor, do que achávamos possível. Dia após dia após dia após dia.

A casa de Kate surge, repentina, à frente e vejo que já há muitos carros estacionados do lado de fora. De repente, perco o fôlego:

— Ah, meu Deus, Joe, acho que não consigo entrar lá. Encoste o carro, por favor?

Ele faz o que peço e desliga o carro.

Estamos em um trecho a menos de cinquenta metros da casa de Kate. A casa parece tão imponente. Mais do que antes. É uma casa sofisticada, construída inteiramente em pedra cinza-chumbo de Lakeland. Hoje, parece sombria e desprotegida. Há uma árvore de Natal na área da frente, mas as luzes estão apagadas.

— O que você quer fazer? — pergunta Joe.

— Eu sei que tenho que entrar. Mas só queria ir para casa e me enfiar na cama. Quero cobrir a cabeça e me esconder.

Olho para ele e minha voz falha.

— Não quero ver o que *fiz* com ela, Joe.

Ele assente, compreensivo:

— Mas você não tem escolha. Seria pior se não aparecesse. Eles estão esperando você.

— Eu sei — respondo.

Por um minuto, ficamos em silêncio. Eu pensando no que preciso dizer, e Joe me dando algum espaço. Sinto um gosto ruim, podre, na boca. Fico engolindo para que ele suma, mas não adianta, minha boca está seca.

Quando Joe percebe que talvez eu esteja começando a sacar as coisas, ele fala:

— O que acha que Kate e Guy estarão pensando agora? Será que estão imaginando... sabe, o pior?

— O quê, que ela está morta? — digo.

Joe hesita.

— Bom, existe *essa* possibilidade — diz ele —, mas eu estava pensando mais em algo na linha da jovem que apareceu em Bowness. Lembra? A que foi estuprada?

Levo as mãos ao rosto. Eu havia esquecido aquela pobre menina. Largada na rua, sem ter ideia de onde estava.

Quando li sobre ela, pensei imediatamente em Sally. Sobre quão envergonhada ela é, a ponto de virar as costas para mim ao se despir. Se vamos às compras, ela tem um jeito de experimentar blusas, um jeito de se cobrir para que eu não veja a frente do sutiã. Quando li a história da menina, uma imagem de Sally me veio à mente: Sally nua da cintura para cima. Sally entrando naquela movimentada agência de viagens pedindo ajuda depois de passar pelo inferno, morrendo discretamente por dentro.

— Por favor, não — choramingo para Joe. — Por favor, não deixe isso acontecer a Lucinda. Ela é tão nova.

Joe coça o queixo. Ele ainda não fez a barba, e está começando a coçar:

— Há alguma chance de ela ter feito isso intencionalmente? — especula ele.

— Como assim?

— Você conhece a menina melhor do que eu, Lise. Não presto muita atenção nas amigas de Sally... Tento ficar de fora.

Olho para ele severamente, surpresa com essas palavras:

— Sim, mas *você conhece* Lucinda, Joe. Ela não é apenas uma das amigas de Sally, é? Ela entra e sai lá de casa constantemente há anos. Como você pode dizer que não a conhece quando...

— Seria *estranho* eu ter um grande interesse nela, é o que estou tentando dizer — interrompe ele. — *Você* conhece Lucinda. Você sabe o que está acontecendo com ela. Você vê Kate com bastante frequência... o quanto vocês conversam sobre as meninas?

— O básico, acho. Ela nunca disse estar preocupada com algo, não que eu lembre, pelo menos.

— E Sally não comentou se Lucinda estava infeliz? Ou se ela tem um namorado? Ou se Kate enche tanto a paciência dela ao ponto de fugir de casa?

— Você acha que Kate enche a paciência dela? — pergunto.

— Todas as mães irritam suas filhas adolescentes, não?

— Creio que sim, mas... — detenho-me — Jesus, Joe, não deveríamos estar discutindo isso. Não mesmo. Kate está destruída lá dentro e nós estamos aqui debatendo se a filha dela estava de saco cheio dela.

— Mas é possível — diz ele.

— Sim. E também é possível que a *nossa* filha fugisse, mas você acha mesmo que ela faria uma coisa dessas?

Ele não responde. Apenas olha para a casa e solta o cinto de segurança, indicando que é melhor irmos logo, antes que alguém nos veja.

Deixamos o táxi no acostamento e andamos na direção da casa de Kate, nossa respiração criando um suave vapor ao encontrar o ar gelado. Estamos a caminho da porta, quando ela se abre e um policial de farda sai. Ele leva dois laptops, e essa visão gela meu sangue. Sinto como se estivesse assistindo ao noticiário, vendo o desenrolar dos acontecimentos na vida de outra pessoa. Não na de Kate. O policial é jovem e agradece com a cabeça ao darmos passagem para ele. E, então, ele olha duas vezes ao ver Joe:

— Como vai, Joe? — cumprimenta.

— Rob — responde Joe.

Mas é só isso, é tudo o que dizem. Não pergunto de onde Joe o conhece porque estou quase entrando na casa e meu estômago está revirado. A porta, brilhosa, vermelha como uma caixa de correio, foi deixada entreaberta. Não toco a campainha. Seria uma agressão ouvir esse som alto e agudo agora. Em vez disso, bato levemente e entro — algo que nunca fiz antes em todo o tempo em que conheço Kate.

Ouço o murmúrio e paro no corredor, recompondo-me. Joe vem atrás de mim, sinto sua mão no meu ombro. "Vai", ele me encoraja em silêncio. "Vai, pode ir, você vai ficar bem". Mas não estou bem.

A porta à direita, a sala de estar — ou *lounge*, como chamamos em casa — está trancada. Estão todos no escritório.

Eu entro. O cômodo está cheio. Não vejo o rosto de Kate de imediato, pois ela está sentada. Minha visão está bloqueada por alguns fazendeiros do vale que estão dizendo a Guy por onde começarão as buscas. Mas sei que ela está lá e congelo, incapaz de avançar.

A irmã de Kate, Alexa, está há poucos metros e, quando me vê, aperta a mandíbula. O marido dela, Adam, está com ela e, por um momento, penso que irá se aproximar. Mas percebo que disseram a ele para não o fazer. Constrangido, ele desvia o olhar.

Os dois fazendeiros saem da frente de Kate e, de repente, lá está ela.

Ela olha para mim e desaba. Como se tivesse sido desossada. Aberta como uma galinha preparada para grelhar. Ela não consegue falar, pois está chorando.

Eu me agacho na frente dela e pego suas mãos. Sua pele está fria.

— Kate, eu sinto tanto — digo. — Sinto muito por ter feito isso com você. Sinto muito por ter deixado isso acontecer.

Ela balança a cabeça chorando, porque ela sabe. Ela sabe que não sou má pessoa. Sabe que não sou relaxada, insensível ou descuidada.

Ela sabe que, mesmo que eu nunca seja a mãe que ela é, faço o melhor que posso.

Seguro suas mãos, mas há um tremor vindo de dentro dela que chega até as extremidades de seus membros. É como se eu estivesse segurando um passarinho, e meu instinto é baixar a cabeça, levando seus dedos aos meus lábios.

Tive tanto medo de que ela me culpasse em público. Tão apavorada com sua reação. Agora, percebo que ela está assustada e inconsolável demais para gritar. Tudo que ela consegue fazer é ficar sentada.

— O que posso fazer, Kate? — pergunto. — Diga o que posso fazer para ajudar. Preciso fazer algo...

Ouço passos atrás de mim:

— Você não acha que já fez o bastante?

É Alexa.

Fecho os olhos por um momento, sabendo o que está por vir.

Kate começa a falar:

— Alexa... não.

— Não o quê? Não diga o que todos estão pensando?

— Não piore as coisas — Kate tira suas mãos das minhas.

— Não tem como ficar pior. Como isso pode ficar pior?

A sala ficou silenciosa. Onde, antes, havia vozes abafadas, acordos sendo feitos, planos para o melhor curso de ação, não há nada.

Levanto-me e viro para encarar Alexa.

Ela está petrificada de raiva. Suas mãos estão coladas às laterais do corpo como se não pudesse garantir que não partiria para cima de mim. Uma veia enorme surgiu em sua testa.

Não há para onde ir. Devo encarar isso. Eu quase quero isso. Preciso ser punida, ou a culpa que jogarei em mim mesma me soterrará.

Encaro os olhos fulminantes de Alexa e digo da maneira mais firme que consigo:

— Isso *é* culpa minha. Você está certa em gritar. Você está certa em me culpar. Eu mereço sua raiva.

Ela me dá um tapa com força.

Cambaleio para trás.

— Sua estúpida, vadia estúpida! — grita ela. — Acha que porque veio aqui admitindo que foi sua culpa está tudo bem?

— Não — digo, colocando a mão na minha bochecha, que arde. — Não, não foi essa a minha intenção.

— A filha de Kate desapareceu! Você entende isso? Você compreende o que sua incompetência causou a esta família?

Estou chorando.

— Sim, sim, é claro que entendo. Mas não sei o que dizer, não sei o que fazer. Não posso consertar isso, não importa o que faça e...

Guy está caminhando a passos largos pela sala agora, e eu recuo, me encolhendo do ataque que certamente virá dele também.

Onde está Joe? Olho pela sala rapidamente, mas ele não está aqui. Preciso dele. Cadê ele?

— Alexa, já chega — fala firmemente Guy. — Olhe para Kate.

Viramos para Kate no sofá e vemos que ela caiu de lado. Todo o seu corpo treme em uma série de lentas convulsões. Seus olhos estão abertos e sua boca, contorcida como se gritasse em silêncio.

Aproximo-me dela.

— Saia daqui — ordena Alexa. — Apenas dê o fora daqui.

Permaneço ali, impotente.

— Vou chamar uma ambulância — diz Guy.

Olho em volta e vejo que todos na sala me observam.

Sem saber mais o que fazer, cubro o rosto com as mãos, porque não consigo suportar. Não aguento essa condenação.

A força das minhas pernas se foi e, agora, estou caindo. De repente, Joe surge ao meu lado, e sinto seus braços ao meu redor.

— Vem, querida, vamos — sussurra ele, e eu choro em seu peito. — Venha — diz ele novamente.

— Sim, Joe — exclama Alexa. — Tire-a daqui.

Joe me leva para fora, mas, quando alcanço a porta, não resisto e viro para olhar Kate uma última vez. Parece que ela parou de convulsionar, mas continua deitada de lado, seus olhos vidrados na minha direção.

— Kate — sussurro para ela, meu rosto em súplica.

E ela me dá um fraco aceno em resposta:

— Encontre-a — balbucia.

# 7

ESTAMOS DE VOLTA ao carro e estou gritando com Joe:

— Onde diabos você estava? Como pôde me deixar enfrentar isso sozinha?

Ele me olha, estupefato:

— Fui procurar Guy — responde de forma sucinta. — Onde achou que eu estava? Escondendo-me para que pudessem ir para cima de você? — Ele balança a cabeça. — Eu não sabia que Alexa iria voar em você assim, tá?

Estou chorando tanto que mal consigo respirar.

— Pensei que o certo seria falar com Guy — prossegue ele. — Dizer a ele como você está mal, dizer que faríamos tudo possível... Não o encontrei na cozinha, então fui falar com Kev Bell. Ele está reunindo alguns homens para iniciar uma busca.

Joe balança a cabeça novamente como se não acreditasse que estou acusando-o de me abandonar.

— Não é um pouco cedo para uma busca? — pergunto. — E se Lucinda aparecer?

— E se ela não aparecer?

— Você ouviu o que Alexa me disse?

— Não tudo.

Remexo meus bolsos procurando um lenço, não encontro nenhum e tenho que me virar com um trapo que Joe usa para limpar o vapor do para-brisa:

— Ela disse que minha incompetência destruiu a família.

— Então ela não mediu as palavras — responde Joe.

Ele não está olhando para mim. Está olhando fixamente para a frente.

— Joe...? — choramingo.

— O quê? — responde ele, sua voz ainda tensa.

Ele liga o carro e coloca a mão na marcha. Percebo que ele está tremendo muito, o que, mesmo nessas circunstâncias, não é algo normal para Joe. Quando ele se dá conta, agarra a marcha.

— Lise, eles estão transtornados — diz ele, finalmente, suspirando. — Estão desesperados... É de se esperar que isso aconteça... culpar você, culpar alguém. É a natureza humana. O que você esperava?

Sei que ele está certo, mas dói ouvir isso. O que preciso agora é do velho Joe, aquele que me apoia não importa o que aconteça.

Tento imaginar como seria se estivesse acontecendo comigo. Se eu estivesse no lugar deles. Eu colocaria a culpa em alguém com tanta facilidade?

Viro para ele:

— Joe, sei que estamos falando sobre isso como se eu fosse a responsável, e sei que *sou* a responsável, mas acha mesmo que é tudo culpa minha? Ou estou sendo...

Não termino a frase. Estou tão abalada pelo ataque de Alexa que não sei mais o que estou pensando.

Joe começa a mexer no aquecedor direcionando o calor dos nossos pés para cima, na direção do painel. Quando percebe que realmente espero uma resposta, ele para e vira-se para olhar-me nos olhos:

— Honestamente? — pergunta ele. — Quer que eu seja totalmente honesto com você?

— Sim — respondo firmemente, mas o medo em meus olhos diz para ele ir com calma.

— Você deveria ter ligado para avisá-los que ela não dormiria lá em casa.

Fecho meus olhos bem apertados.

— Mas você não acha que Kate deveria ter confirmado ou algo do tipo? — insisto. — Você não acha que é em parte culpa dela ter passado todo o dia de ontem e a noite e a manhã de hoje sem conferir se estava tudo bem com Lucinda? Nem uma vez?

A expressão de Joe não muda:

— Não se ela pensou que Lucinda estava com você.

Não consigo falar. Porque enquanto Joe me dá seu ponto de vista, lembro que Kate conferiu sim, não é? Ela o fez esta manhã quando ligou para falar sobre Sam. "As meninas estão bem?", ela perguntou, e eu disse que sim.

O rosto de Joe suaviza, ficando triste:

— Podemos ir? — pergunta, e eu assinto.

Ele sai na direção da estrada. Está prestes a virar à direita e descer o vale na direção de casa, mas, enquanto desacelera, o motor engasga. O carro dá um grande solavanco. Dá dois trancos e morre logo na frente dos correios.

— Jesus, Joe! — Grito, assustada. — Qual é o seu problema?

Dirigimos o resto do caminho em silêncio.

Ao chegarmos em casa, rastejo para a cama. Cubro o rosto com as cobertas e dobro os joelhos para ficar em posição fetal. E é nessa hora que os pensamentos ruins de verdade surgem. Essa nova desgraça se mistura com o velho desprezo que sinto por mim mesma. Com outro erro do passado, carregado de culpa, do qual ainda não me libertei. Aconteceu há quatro anos.

*"Na verdade", pensa ele enquanto espera do lado de fora da casa com acesso ao lago de três milhões e meio de libras, "é tudo uma questão de ponto de vista".*

*Por exemplo, a idade de consentimento na Espanha é 13 anos. Não que ele esteja usando isso para justificar suas ações. Ele apenas acha interessante que um país desenvolvido, não muito distante do Reino Unido, tenha uma abordagem tão diferente. Junto com o Japão. A idade de consentimento por lá também é treze anos. Para encontrar esse tipo de liberdade na Inglaterra, você teria que voltar — o quê? — cerca de duzentos anos, quando as meninas podiam casar-se aos 12 anos.*

*Não que ele queira se casar com uma garota de 12 anos — isso seria absurdo. Ele está apenas dizendo que, se quisesse, poderia ter feito isso naquela época, só isso.*

*Ele olha o relógio. O corretor de imóveis está seis minutos atrasado. Por que eles têm que ser tão incompetentes? Ele tamborila os dedos no volante, e, então, como um hábito recente, limpa as digitais com a manga do casaco.*

*Para passar o tempo, ele foca na vista através do para-brisa e sorri. É o sorriso que vem treinando na frente do espelho nas últimas semanas. Seu sorriso natural beira o bajulador, mostra demais os dentes, então ele treina para sorrir direito. Assegura-se que seus olhos tenham aquele brilho que as mulheres adoram.*

*Sorria para uma mulher como se estivesse reparando nela e ela vai se derreter por você. Não é nenhum bicho de sete cabeças.*

*Sem querer, sua mente volta àquilo que ele não consegue parar de pensar, e seu sorriso treinado vira um sorriso malicioso. Ele está sorrindo como um idiota, e sabe que tem de parar antes que o corretor chegue.*

*Quem poderia imaginar que seria tão fácil?*

*Embora a verdade seja que não correu exatamente como o esperado, totalmente como o planejado. Mas e daí? Isso não deixa tudo ainda melhor? O elemento surpresa — o inesperado acontecendo, algo emocionante para animar as coisas?*

*Não era por isso que executivos entediados faziam esportes radicais? E banqueiros gordos e babacas transavam com as vagabundas dentro do armário da limpeza? Claro que sim.*

*Só que isso não é um esporte radical. Ele sabe. Ele não pode se fazer de esquizofrênico e fingir que não sabe o que está fazendo. Ele sabe exatamente o que está fazendo.*

*Seu sorriso desaparece ao admitir isso para si e, ao olhar o relógio mais uma vez, pensa que talvez deva dar um fim nisso. Ela estava assustada. Mesmo dopada, ela estava muito, muito assustada.*

*Ele tinha dentro de si uma pequena esperança de que ela pudesse meio que curtir.*

*Porque isso pode acontecer, certo?*

*Mas não. Não foi assim que aconteceu. Então talvez fosse melhor deixar para lá, encontrar outras coisas para fazer.*

*Mas, então, um pensamento lhe ocorre.*

*E se a próxima curtir? E se ela estiver esperando algo assim? Alguém como ele? Pode acontecer. É possível.*

*Uma BMW Z3 prata estaciona ao lado dele, e uma mulher aparentemente estressada, na casa dos 40 anos, salta e aproxima-se do carro dele pelo lado do motorista.*

*Ela carrega uma pilha de papéis na frente de seu blazer aberto, tentando esconder que sua barriga indecente está esticando a saia a ponto de quase arrebentá-la.*

*Ele abre a porta, olha nos olhos dela e sorri. Ela desvia o olhar, tentando se acalmar:*

*— Desculpe por tê-lo feito esperar, senhor...*

*— Imagine. — Ele dá de ombros para mostrar que não foi incômodo algum e estica a mão. — Me chame de Charles — diz, tentando encantar a mulher displicente.*

*Mas é difícil.*

*Difícil porque sua mente ainda está nas meninas e ele está pensando: é claro que pode ser que a próxima aja de um jeito diferente.*

*Tudo é possível, certo?*

# 8

QUATRO ANOS ATRÁS, fomos convidados para um jantar na casa de Kate. Algo que jamais tinha acontecido antes e nem voltou a acontecer. Éramos seis — Kate e Guy, Alexa e Adam, Joe e eu. Não fazia muito tempo que Kate havia transferido os filhos novamente para o ensino público e, apesar de nós meio que nos conhecermos através dos anos, Kate fazia essas coisas que pessoas como ela fazem — expandem seu círculo social para incluir os pais dos novos amigos de seus filhos.

Eu estava ansiosa para ir, do jeito que se fica quando se é convidado para algo novo e diferente. Ninguém que eu conhecia oferecia jantares. Com certeza, não os outros pais da escola, que, assim como Joe e eu, provavelmente não conseguiam lidar com a ideia de arrumar e limpar a casa toda em uma sexta-feira à noite *e ainda* cozinhar, e isso depois de uma semana inteira de trabalho. Ou, talvez, todos estivessem oferecendo jantares e apenas não nos convidavam. De qualquer forma, eu nunca tinha ido a um, então estava animada e ansiosa ao mesmo tempo.

Eu estava numa boa com Kate na época e conhecia Guy de cumprimentar na escola e pelo vilarejo. Alexa me intimidava. Confidenciei isso a Joe enquanto caminhávamos até a porta, e, em vez de me acalmar e me dizer umas palavras de apoio (como era de se esperar), ele olhou para mim com um olhar aflito e sussurrou:

— Por que estamos aqui, querida?

Antes que eu pudesse responder, Guy atendeu a porta, garrafa de vinho em mãos, e imediatamente desanimei. Meus ombros caíram, queixo para a frente em uma postura patética.

— Olá, Kallistos! Entrem, entrem! — Ele nos recebeu de forma exuberante, quase gritando.

Seu rosto era perfeitamente cordial e receptivo, disfarçando com elegância o que logo percebeu como nossa primeira grande gafe: nossos trajes.

Joe estava usando seu único terno, um Burton preto barato que ele vestia quando tinha que levar alguém a um funeral. Ele também usava uma camisa branca nova e uma gravata de bolinhas. Estava uma graça, como sempre fica com camisa branca por causa de sua pele morena, mas Guy usava jeans desbotados e uma blusa de mangas compridas e gola redonda.

Eu estava com um vestido novo que havia comprado mais cedo na Next. Não tinha alças e ficava acima do joelho, feito de tecido vermelho brilhante com grandes rosas negras espalhadas por ele. E, sei lá por que, fiz uma sessão de bronzeamento artificial.

Estava morrendo de medo de ver o que as mulheres estavam vestindo.

Lancei um olhar de pânico para Joe enquanto Guy nos convidava para entrar e ele respondeu "Bem, estamos aqui agora", tocando delicadamente meu ombro desnudo por um breve momento, guiando-me, encorajando--me a seguir em frente.

Eu era como o meu avô — ele já estava morto, mas, nos últimos dez anos de sua vida, sofreu de Mal de Parkinson. Quando tinha que passar por uma porta, ele congelava. A parte superior de seu corpo inclinava-se pronta para ir, mas a parte inferior parecia fincada, como se seus sapatos estivessem colados no tapete. O único jeito de fazê-lo andar era fazê-lo marchar seguindo o ritmo da canção "Avante, Soldados de Cristo".

Surpreendentemente, comecei a sussurrá-la e funcionou para mim também.

Kate e Guy haviam se mudado há pouco tempo, então havia um cheiro de madeira e óleo de linhaça no ar. Eles estavam instalando assoalho de carvalho pela casa toda, e eu não sabia se tirava os sapatos — supondo que estragar um piso de oitenta libras por metro quadrado com sapatos de salto alto vagabundo seria a pior coisa do mundo. Mas Guy não disse nada, então fiquei com eles. Apenas tentei andar na ponta dos pés.

Havia música vinda da cozinha, uma artista feminina com voz angelical que eu não conhecia. Ao entrarmos, vi Kate e Alexa ao lado do fogão, provando e mexendo a comida, ambas usando roupas de linho claras parecidas, ambas com pouca maquiagem, ambas com um coque solto, como se estivessem em um comercial da Nivea ou da Neutrogena. Eu me senti uma completa idiota quando elas se viraram, os sorrisos largos sem combinar com os olhares surpresos quando repararam, primeiro, em mim e, então, em Joe. Em seguida, falando mais ou menos juntas:

— Uau, Lisa, você está... fantástica! Amei seu vestido, de onde é...? Joe! Que bom *ver* você!

Constrangida, murmurei uma resposta, entregando as garrafas de vinho que trouxemos para Kate, dizendo algo como "obrigada por nos convidar". Então, rapidamente, puxei uma banqueta da bancada da cozinha na tentativa de me esconder.

Joe disse um rápido olá, deu beijinhos nos rostos delas e disse o obrigatório "como a casa está ficando bonita, Kate", enquanto Kate fez sua melhor expressão zangada, suspirando dramaticamente, respondendo "Bem, estamos *quase lá*", como se não estivessem reformando uma casa, e sim construindo uma escola na Namíbia e lutando para encontrar um reservatório de água limpa.

— Vou abrir outra garrafa — disse Kate, andando pelo aposento.

Virando-se, ela disse:

— Joe, vá se juntar aos rapazes. Deixe as moças fofocarem. Adam trouxe uma seleção enorme de cervejas para vocês beberem.

Alexa tinha se virado e estava experimentando um pouco mais da panela no fogão:

— Kate — disse ela, sua voz crítica e arrogante —, estas cebolas não estão totalmente cozidas, não pode servir o tagine assim, vai ficar horrível.

Kate, ao lado da geladeira, não disse nada.

— Você devia fazer como eu — continuou Alexa. — Cozinho uma tonelada de cebolas, às vezes chalotas, de uma só vez. Então congelo em porções e uso quando preciso... Economiza tanto tempo...

— Vou me lembrar disso — disse Kate, forçando o sorriso.

— Também faço isso com pimentões e berinjelas — acrescentou Alexa. — Congelam muito melhor do que você imagina.

Calmamente, eu disse para Kate:

— Como qualquer coisa, estou morrendo de fome. Não como nada desde o café da manhã.

Foi uma loucura no trabalho. Sextas-feiras são sempre o dia com mais adoções. Depois, tive que ir direto para Ambleside para buscar a mãe de Joe, que cuidaria das crianças. Joe ainda estava no trabalho a essa hora, então não pôde buscá-la. Tive que alimentar todo mundo, porque, mesmo sendo mais que capaz, a mãe de Joe não usa nosso fogão porque diz que não está acostumada com ele. E é melhor deixar assim do que causar problemas.

— Meu Deus — disse Alexa, deixando o tagine e sentando-se de frente para mim —, você é muito atarefada, Lisa. Ainda trabalha no abrigo de animais?

Assenti. Tomei um belo gole do vinho branco que Kate havia servido na minha frente:

— Delicioso — falei para Kate. — Exatamente o que eu precisava.

Alexa tomou um gole do seu, dizendo:

— Eu também estou trabalhando, na galeria na esquina do cinema.

Assenti novamente.

— Tudo o que possa ajudar com as despesas escolares! — brincou ela.

Isso era bobagem, pois todos sabiam que a sogra de Alexa pagava a escola das crianças, já que a sogra dela contara para todo mundo. Dorothy Willard, mãe de Adam, era uma dessas mulheres irritantes que falam alto. Era voluntária na loja de caridade algumas manhãs na semana e amava falar para todos sobre seus netos talentosos. Sobre como eles estavam indo bem na ótima escola que ela e seu marido pagavam.

— Bem, é o que fazemos pela família — dizia ela, enquanto eu jogava um casaco de inverno pouco usado no balcão ou uma pilha de romances de banca que minha mãe gostava de ler. Eu sorria para ela, dizendo "Você deve estar tão orgulhosa", e ela usava de falsa modéstia, respondendo "Eu não devia me gabar, mas..."

Acho que Alexa gostava de trabalhar para passar o tempo ou só para sair de casa, mas tinha vergonha de admitir tal futilidade para alguém como eu — o tipo de pessoa que trabalha porque tem que se alimentar, e assim por diante. Eu não tinha nada contra ela. Não havia porquê. Os Lagos sempre foram repletos de dois tipos de mulheres completamente diferentes: as que nunca trabalham... e as que só trabalham.

— Quantos dias você trabalha na galeria, Alexa? — perguntei, porque não conseguia pensar em nada mais interessante para dizer.

— Ah, só duas ou três manhãs. Encaixo de acordo com o meu MA.

— Seu MA?

— Meu Mestrado — respondeu ela. — Estou fazendo Mestrado em Estudos Culturais.

— Parece... difícil — falei.

— E é. Está tomando muito mais do meu tempo do que previ. Adam vive reclamando que me perdeu para o mundo acadêmico *de novo.*

Percebi que Kate não falava nada sobre os estudos de Alexa e, sentindo que sabia por quê, não disse mais nada.

Além de ocupar o tempo com um trabalho bobo e inútil, Alexa amava estudar. Não faço ideia do que Mestrado em Estudos Culturais é de verdade, mas consigo imaginar por que ela está fazendo isso. Para que pessoas comuns como eu pensem: "Nossa, você não é só lindíssima, é muito, muito inteligente também! Como isso é possível?"

Ela não é a única mulher atraente que conheci com essa aflição. Gostaria de dizer para elas: "Parem. *Por favor*, apenas parem. Vocês já têm tudo o que gostaríamos de ter. Vocês *têm beleza*, já têm o passe livre. Já basta."

— Você será doutora quando terminar esse curso, Lex? — perguntou Kate.

— Não — respondeu ela. — Deus, imagine só! Dois doutores em casa! — E, no momento certo, os homens chegaram, bebendo cerveja, procurando comida.

O marido de Alexa, Adam — o doutor Willard — estava vestido casualmente, com roupas parecidas com as de Guy. Quando ele entrou no aposento, imediatamente me senti constrangida de novo.

— Lisa, já conhece Adam? Não? Ah, Lisa, este é Adam. Adam, Lisa — diz Kate.

Eu o cumprimentei, acenando educadamente com a cabeça, e ele sorriu para mim. Eu o descreveria como tendo uma aparência gentil. Não era bonito, mas seu rosto tinha uma ternura atraente.

— Oi — disse ele. — Prazer em conhecê-la. Você é a moça do abrigo de animais, não é?

— Isso mesmo — respondi.

— Aposto que é um trabalho duro lidar com o público dessa forma.

Eu estava prestes a contar alguns casos para ele, mas, antes que pudesse responder, Alexa interrompeu:

— Ah, não é terrível? Você não acreditaria nas bobagens que as pessoas perguntam na galeria. E por que todos acham que conseguem um desconto? Culpo esses programas de TV sobre barganhas. Foram-se os dias em que estavam dispostos a pagar o preço justo pelo que quer que fosse.

Adam a ignora e mantém o olhar em mim:

— Qual o maior problema que você enfrenta em um lugar daqueles?

— Dinheiro — disse. — Bem, a falta dele. As contas de veterinário podem ultrapassar vinte mil e há os custos com comida e...

— De onde vem o dinheiro? — perguntou Alexa.

— Doações privadas, em sua maioria. Algumas senhoras de idade ricas e generosas nos deixam seu espólio. O resto, conseguimos através da captação de recursos e um pouco vem de uma instituição beneficente para animais, que nos paga para aceitar cães e gatos de outras filiais.

Joe sorria enquanto eu falava. Ele parecia estar orgulhoso. Ele não havia feito o que pensei que faria — tirar o paletó e a gravata, e abrir o botão de cima da camisa. Ele ficou da mesma forma de quando chegamos, e senti amor imenso por ele. Ele sorria para mim envergonhado, o que significava que estava tentando esconder que já havia entornado pelo menos três cervejas. Ele faz isso quando não está muito à vontade.

Na verdade, ele faz isso se a cerveja for colocada na frente dele. É como uma criança que não consegue dizer não.

Cerca de uma hora depois, o tagine com cebolas malcozidas havia sido comido, o vinho havia nos relaxado o suficiente a ponto de a conversa fluir facilmente. A estranheza forçada de mais cedo havia sumido.

Eu estava contando o enredo básico de um drama da BBC que estava acompanhando, dizendo para todos "é a química entre os dois detetives que deixa tão realista...", quando Alexa pigarreou e me cortou, informando que "*nós* não assistimos TV, Lisa. A maioria de nós aqui é de leitores, não é?" E eu senti a energia na sala mudar.

Ninguém contestou Alexa. E, naturalmente, me senti burra e grosseira, mas, quando olhei em volta, todos evitaram meu olhar e eu não sabia se estive passando vergonha todo esse tempo (e todos foram educados demais para falar), ou se foi o comentário de Alexa que os deixou constrangidos.

Olhei para Joe, mas ele não poderia ajudar. Ele tinha aquela expressão indiferente e diabólica que me revelava que ele estava tão bêbado que estava prestes a cantar ou a cair de sono. Olhando meu relógio, vi que ainda eram apenas nove e meia. Sabia que não tinha como ele aguentar até o fim da noite.

Kate deixou as coisas mais leves por um momento servindo sorvete de torta de morango do Delia's, que todos afirmaram ser um sucesso. Serviram mais vinho e Guy levou as crianças, que estavam assistindo à TV no escritório (não eram leitores, afinal) para a cama, no andar de cima.

Tudo foi ladeira abaixo depois disso.

Alexa, talvez percebendo que acabara com a conversa mais cedo, assumiu um ar fofoqueiro, apoiou-se na mesa e começou a falar sobre um casal que todos conheciam e que estava tendo dificuldades conjugais:

— É claro, Tammy não vai admitir, mas todo mundo sabe que ela está saindo com outro homem em segredo. E a vi comprando lingeries novas no vilarejo... Um claro sinal de que ela anda aprontando. Especialmente quando ela é o tipo de mulher que não usa nem mesmo rímel. Eu disse a Pippa que *aposto* que ela...

— Não tem como você ter certeza — interrompeu Kate inesperadamente, o rosto impassível.

— *Todo mundo* sabe, Katy...

— Você não pode ter certeza de que ela está tendo um caso — encerrou Kate.

Alexa revirou os olhos para ela, como quem diz "não seja tão ingênua", o que fez Kate gritar:

— Pense nas crianças! Não comece a espalhar boatos quando não há evidência. Pense nos filhos de Tammy.

A mesa ficou em um silêncio desconfortável novamente. Foi o tom de Kate. Tão incomum. Nunca a tinha ouvido falar desse jeito antes.

Alexa a encarou, ofendida:

— Pensar *o que* sobre as crianças, Kate? Se eles não estão felizes, então a última coisa que Tammy e David deveriam fazer é ficar juntos por causa das crianças.

Kate colocou a taça na mesa:

— Como você pode falar isso?

— Porque é verdade — respondeu Alexa.

— Não é verdade! Isso é o que todos dizem, que tudo bem ir embora quando der vontade. Eles dizem "as crianças ficarão bem!", "é melhor para elas serem criadas com pais divorciados do que em um lar infeliz". Bem, *você* deveria saber, Alexa, que *não* está tudo bem. Você, de todas as pessoas, deveria saber disso.

— Isso de novo não — suspirou Alexa, como se estivesse profundamente entediada.

— Senhoras, senhoras... — começou Guy, entrando no cômodo.

— Cale a boca, Guy — repreendeu Kate.

Inclinei a cabeça, olhando discretamente ao redor da mesa. Joe tinha um largo sorriso — ele adora quando as pessoas ficam bêbadas e começam a discutir, especialmente famílias. O marido de Alexa, Adam, estava sentado, fingindo que nada acontecia e terminando de tomar o sorvete.

— Se duas pessoas querem ter um caso, deixe-as — continuou Alexa. — Deus, Kate, a vida é curta demais, o amor é raro. As pessoas precisam aceitar o amor onde e quando o encontram. Se Tammy tem um romance na vida dela, deixe-a tê-lo e não seja hipócrita do caralho. — E continuou. — Você perde sua beleza quando fica tensa desse jeito, Kate. Não é nada bom para você.

Kate agora tremia. Calmamente, ela disse:

— Não acredito que você está fingindo que esqueceu como foi.

— É a vida, Kate. Supere.

Eu me levantei.

— Alguém quer algo da cozinha? — perguntei.

Alexa me lançou um olhar.

— Sente-se, Lisa — disse ela.

Então, dirigindo-se à Kate novamente:

— Não somos as únicas pessoas com pais divorciados, sabia? E você não pode sair odiando todo mundo que faz os filhos passarem por isso.

— Eu não os odeio — respondeu Kate. — Odeio que ajam como se fossem exemplares. Odeio o jeito como levam estranhos para dentro de casa, agindo como se estivesse tudo bem, quando você sabe que não está. Não lembra como foi para nós? Sair do banheiro aos 13 anos de idade e encontrar um homem no corredor? Era uma tortura, Alexa, você sabe que era. E se quiser fingir que não, tudo bem. Mas eu não consigo.

Ela deixou escapar um pequeno soluço e levantou-se, saindo da sala.

Por um tempo, ninguém falou nada. Então, finalmente, após um minuto, Adam olhou para Alexa, dizendo:

— Precisava?

E ela jogou vinho nele.

— Ah, vá se foder, seu babaca — gritou ela, e saiu enfurecida também.

Os homens suspiraram e recostaram nas cadeiras. Eu não sabia o que fazer.

— Devo ir atrás delas? — perguntei. — Devo ver se estão bem?

— Não se não quiser perder os dentes — respondeu Guy.

Ele encheu novamente as taças:

— Por experiência, eu diria que é melhor deixar que elas se resolvam. Se for lá agora, vai apenas piorar as coisas. Acredite em mim, Lisa, você não vai querer ficar entre elas.

Joe interrompeu, balbuciando:

— São irmãs, Lise. Você é filha única. Não entenderia.

E ele estava certo: eu não entenderia. Mas esse comentário, ainda assim, deixou-me um pouco magoada, provavelmente porque estava bêbada e levemente irracional. E também porque *magoa* quando alguém diz que você é incapaz de compreender algo por falta de experiência.

— Ah, como se você entendesse, Joe — respondi.

Joe se dava muito bem com a irmã, principalmente porque nunca se viam. Ele encolheu os ombros, o rosto avermelhado do álcool, então, lançou-me um olhar:

— Talvez se seu pai não tivesse fodido tudo quando...

— *Joe!* — exclamei, encarando-o.

Nós não falávamos sobre isso. Nunca tratamos disso na frente dos outros. Especialmente, na frente de pessoas assim. Mas Joe tinha ultrapassado as fronteiras daquela região que eu chamava de "completamente bêbado". E, apesar de ser um bêbado gentil, quando a marca de oito cervejas é atingida, ele se torna hostil e brigão.

Fiquei desconfortável. De repente, a dinâmica havia mudado. Eu era a única mulher, sozinha à mesa, com meu marido taxista bêbado, um rico e educado empreiteiro e um dermatologista. Tudo errado e constrangedor. Se Adam não tivesse me dado um sorriso consolador, um sorriso dizendo "não fique chateada", acho que teria ido embora.

E deveria ter ido. O que eu deveria ter feito era procurar Kate e Alexa e ver se estava tudo bem. Olhando para trás, essa era a coisa certa a fazer. Mas não fui. Fiquei e continuei bebendo. E, pela hora que Alexa voltou, cerca de 45 minutos depois, todos meio que havíamos esquecido ela e Kate. Joe apagou (como imaginei que aconteceria) em uma adorável poltrona listrada. E fiquei um pouco amistosa demais com os dois homens.

Eu havia tirado os sapatos e estava dançando de meia-calça ao som da MTV, segurando minha taça. Estávamos rindo e falando alto. Alexa parou na porta da sala:

— Seu vestido está caindo, Lisa. Você deveria se sentar.

E eu, estupidamente, ri, dissimulada, para ela. O que não foi uma boa ideia, porque ela ficou furiosa. Compreensível, mas é que foi tão engraçado ela mandando em mim.

Olhando irritada para mim, ela gritou:

— Você está parecendo uma puta, Lisa! Sente-se!

Isso me fez parar.

Então ela virou-se para o marido:

— Estamos indo. Pegue seu casaco lá em cima e chame um táxi. Kate está bem agora, obrigada a todos por perguntarem.

Guy se aproximou dela, seus braços estendidos:

— Ah, não fique assim, Alexa — disse ele. — Estamos apenas rindo um pouco.

Ele tentou abraçá-la, mas ela o empurrou e foi até o canto pegar sua bolsa.

Eu me afastei da porta:

— Com licença, preciso usar o toalete — disse, indo em direção às escadas, pensando que poderia me esconder até que ela se fosse embora. Eu me senti uma adolescente em uma festa em casa quando os pais voltam e acendem as luzes.

Segundos depois, entrei no banheiro, brigando com a fechadura, antes de afundar no chão e me encostar na banheira.

O cômodo era lindo. Todo esmaltado e cromado, com mármore e espelhos. Olhei ao redor, sonhadora, desejando que eu pudesse pagar ao menos pelo sabonete líquido, sem importarem as toalhas espessas e felpudas empilhadas ordenadamente nas prateleiras embutidas. Deus, eu morreria por este banheiro, pensava, quando a maçaneta começou a girar lentamente.

Adam inclinou a cabeça para dentro.

— Posso entrar?

Meus olhos estavam arregalados.

— Não — sussurrei, automaticamente arrumando o vestido —, claro que não.

— Por favor — insistiu ele. — Só quero falar uma coisinha. Só vai levar um minuto.

— Tudo bem, mas seja rápido. Sua mulher está esperando — respondi.

— Guy a acalmou com uma bebida.

Ele entrou e fechou a porta. Eu não tinha certeza se deveria tentar me levantar, mas, para ser honesta, estava bêbada demais. Meus membros estavam fracos e não eram confiáveis.

— O que foi? — perguntei.

— Eu a odeio — disse ele sem rodeios. Não consegui segurar e caí na gargalhada. Tive que tapar minha boca com a mão para parar.

— Não é engraçado — continuou. — Eu realmente a odeio.

— É um pouco, sim — falei, ainda rindo. — Desculpe, desculpe, vou parar de rir agora.

Ele se ajoelhou, perto demais para eu conseguir focar. Eu mexia minha cabeça para a frente e para trás, tentando deixar sua imagem nítida.

— Desculpe — falei novamente, e, sem aviso, ele encostou seus lábios nos meus.

— Pare. Você não pode fazer isso — falei, horrorizada.

— Deixe-me... por favor.

— Sou casada.

— Eu também.

— Sim, mas...

Ele me beijou mais intensamente, e eu estava chocada demais para impedi-lo. Eu não estava beijando de volta, mas não estava afastando também. Estava meio anestesiada. Entorpecida e confusa. Era como se eu estivesse assistindo à cena de outro lugar no cômodo sem tomar parte dela.

Então ele parou e olhou para mim.

— Estou muito, muito bêbada — falei sem defesa, e ele me calou, colocando o dedo sobre meus lábios.

— Você é linda.

E eu quis dizer "não sou, não". Mas não disse. Gostei de ouvir suas palavras, mesmo sabendo que ele não queria realmente dizer aquilo.

Em vez disso, perguntei:

— E sua mulher?

E ele sacudiu a cabeça como se o relacionamento deles fosse causa perdida.

— Você a viu, viu como ela é — disse ele. — Ela a atacou porque não suporta não ser o centro das atenções.

— Ela me atacou porque acha que sou uma tola. E ela está certa. Sou uma tola se comparada à gente como ela.

Ele me beijou novamente, sussurrando:

— Você é muito melhor.

E essa é a parte que mais me envergonha. Essa é a parte, quando lembro, que odeio mais. Odeio quem eu era naquele momento.

Porque eu deixei.

Eu o deixei me beijar. Eu o deixei levantar meu vestido e baixar minha calcinha por cima da meia-calça, até meus tornozelos. E eu poderia mentir e dizer que foi porque a mulher dele me fez sentir um lixo imprestável e a odiava por isso. Seria verdade, mas não a única razão. Na verdade, foi porque olhei para Joe, bêbado e largado no canto, e olhei para Adam e Guy, expressivos e charmosos, e não conseguia acreditar que Adam pudesse me *desejar*. Desejar a mim e estar disposto a arriscar ser pego. Ele era inteligente e engraçado e bonito, e, nossa, ele tinha dinheiro. Ele era tudo o que nunca, nunca me importou. Tudo o que eu jamais poderia ter.

Antes que eu percebesse, ele estava dentro de mim se movendo e eu estava suspirando. A coisa toda foi obscena e excitante e desesperada. E, então, quando abri os olhos em uma doce angústia, havia um rosto à espreita na porta, observando-me. Observando-nos.

E, então, sumiu.

# 9

SÃO QUASE ONZE horas da manhã. Liguei para o abrigo de animais e disse que não chegaria antes das... Na verdade, não dei nenhuma certeza. A porta do meu escritório ficará trancada e não haverá adoções hoje.

Tenho que autorizar todas as adoções. Faço visitas aos lares para ver se não estamos mandando nossos cães e gatos para o inferno. E, pessoalmente, tenho uma regra que, se você nos devolveu mais de um cão, não pode levar outro. Não ligo se as circunstâncias mudaram, não ligo se você tem mais tempo agora, se você se arrepende de ter desistido do último animal. Duas tentativas, e você terá que procurar outro lugar.

Joe coloca uma xícara de chá na mesa de cabeceira e me dá um rápido beijo na cabeça. Eu me sento e levo a xícara até meus lábios, mas minhas mãos tremem demais para que eu consiga tomar um gole.

Ele acabou de receber uma ligação dizendo que um policial nos fará uma visita para contarmos o que sabemos. Eu me opus. Disse a Joe que não sabíamos *de nada*. Não seríamos mais úteis procurando Lucinda?

— Eles precisam falar conosco. Não se preocupe; não será tão ruim — disse Joe, enquanto acariciava meu rosto.

Como sempre, ele sabia o real significado das minhas palavras. Ele sabia que, na verdade, eu estava dizendo "não me interrogue e me culpe. Não me culpe de novo".

— Vamos lá — disse Joe. — É melhor descer. Não vão querer falar com você enquanto estiver na cama.

Descemos para a cozinha e a campainha toca.

Joe atende rapidamente, e ouço uma voz de mulher:

— Sr. Kallisto? Olá, sou a detetive Aspinall.

Joe murmura algo e, segundos depois, ela está na cozinha. Os três cães logo estão em volta das pernas dela, cheirando e fazendo bagunça. Eu ia me desculpar, mas antes de ter a chance de enxotá-los, ela diz:

— Está tudo bem. Cães não me incomodam.

Joe diz que a chaleira acabou de ferver e pergunta se ela gostaria de uma bebida quente. Ela aceita. Chá forte, uma colher e meia de açúcar.

— Como vocês têm passado? — pergunta ela, porque percebe pelo meu rosto que estou destruída. Chorando mesmo sem perceber. — Disseram que o Sr. e a Sra. Riverty acharam que a filha deles passaria a noite aqui. É isso mesmo?

Triste, confirmo com a cabeça, enquanto sento e indico que ela faça o mesmo. A mesa de pinho polido ainda tem vestígios do café da manhã de hoje. Grãos de açúcar, marcas de fundo das canecas e copos. Apoio o cotovelo em algo grudento e logo o mudo de lugar.

— É minha culpa — digo, e ela não responde nada. Nada de "poderia acontecer com qualquer um" ou "não seja tão dura consigo mesma". Nada do que eu certamente diria a alguém na minha situação.

Ela é uma mulher corpulenta e atarracada, com seu agasalho e suas sapatilhas. É só quando tira o casaco que percebo que seu busto a faz parecer muito maior do que é. Seus cabelos escuros estão presos em um rabo de cavalo na altura da nuca. Alguns fios de cabelo estão soltos ao redor do rosto. Eu diria que temos uma idade próxima, uns 37 anos. Não há aliança de casamento.

Joe entrega o chá a ela:

— Devo ficar? — pergunta ele. — Ou você quer falar conosco separadamente?

Nenhum de nós lidou com a polícia antes, e ele está agitado.

— Fique — responde ela gentilmente.

Ela pega um bloco de anotações, folheia as páginas.

— Kate não está muito bem — digo.

— É de se esperar — responde ela.

— Eles precisaram chamar um médico. Por isso, fomos embora. Por isso, decidimos que seria melhor se...

Paro de falar. *Eu* estou agitada agora, dizendo coisas que ela não precisa saber. Tentando explicar por que não estamos lá fazendo algo para ajudar.

Mudo o rumo da conversa e pergunto se foi ela quem interrogou a família mais cedo.

— Você viu a Kate? — pergunto.

A detetive Aspinall começa a escrever no bloco de anotações enquanto fala:

— Vi o Sr. e a Sra. Riverty de manhã — diz, sem levantar a cabeça. — Então, fui para a Windermere Academy falar com os professores e descobrir até que horas Lucinda ficou lá. Estamos refazendo os passos dela até o momento em que desapareceu.

— Minha filha estuda lá — falo sem pensar. — Falou com ela? Ela se chama Sally, ela disse que a polícia iria...

— Meu colega está interrogando os estudantes.

Sinto que estou fazendo tudo errado. Quero passar a imagem de sensata e capaz, não de uma mulher tola focada nas coisas erradas.

Ela levanta a cabeça:

— Ok, vamos começar.

Estou esperando que ela repasse os acontecimentos de ontem, esperando que queira horários exatos, planos, ligações feitas, mensagens enviadas. Estou esperando que ela queira *os mínimos detalhes*, então quando pergunta "Que tipo de mãe você diria que Kate é?", por um segundo, perco o chão.

— Perdão? — gaguejo. — Não entendi.

— Kate? — repete ela. — Que tipo de mãe você diria que ela é?

— A melhor. Ela é o melhor tipo de mãe — respondo, sem hesitação.

Relembro os problemas de saúde de Fergus, seu filho de 7 anos:

— O filho dela está sempre doente, desde que os conheço — digo para ela. — Ele teve algum tipo de problema ocular que ninguém parecia conseguir resolver. E, enquanto eu estaria louca, sem saber lidar e me preocupando com tudo, Kate transformava as viagens a Londres para ver especialistas em aventuras. Ela fazia com que Fergus esperasse por elas ansiosamente.

Eu me lembro de Kate deixar Fergus se vestir de super-herói ou cavaleiro ou guerreiro. Ela criava mapas, jogos e missões para eles completarem juntos no trem. Nunca a ouvi reclamar nem uma vez de como isso atrapalhava; nunca agiu como se isso fosse uma obrigação.

Olho para a detetive Aspinall:

— Kate é o tipo de mãe que você quer ser, o tipo que você queria ter.

— E o Sr. Riverty? — pergunta ela. — Você diria que ele também é um pai dedicado?

— Com certeza.

Ela me encara antes de virar a página do bloco.

Dou uma rápida olhada para Joe, e ele levanta as sobrancelhas. Ele está pensando a mesma coisa que eu, que talvez ela suspeite de Guy. O que é ridículo.

Não conheço Guy *tão* bem — exceto aquela única vez que fomos jantar, não somos o tipo de casal que socializa. Você conhece esses tipos — os homens se reúnem e falam sobre o que quer que homens falem, e as mulheres ficam na cozinha reclamando que os maridos quase não fazem nada em casa. Joe e eu costumamos ter amigos diferentes. Vejo Kate socialmente e na escola, mas Joe e Guy nunca saíram para tomar uma cerveja juntos. Agora, pensando nisso, pergunto-me o porquê. Sinto uma ponta de irritação, embora não saiba exatamente o motivo.

— Quão bem você conhece o Sr. Riverty? — pergunta a detetive Aspinall.

— Quão bem você conhece qualquer um? — respondo, e logo percebo que filosofar não é o jeito de lidar com ela.

Ela não diz nada e aguarda que eu responda à pergunta direito.

— Não muito bem — digo —, mas bem o bastante para poder avaliá-lo, se é isso o que está perguntando.

— Estamos apenas tentando entender como é a família neste momento.

— Você não acha que ele está envolvido, acha? — digo, e imediatamente Joe me adverte.

— Lisa! — diz ele com severidade

— O quê? É o que eles fazem, não é? A polícia? Primeiro, investigam a família.

A detetive Aspinall olha para Joe e, depois, para mim. Ela fala pausada e cuidadosamente:

— Um número enorme de crianças desaparece todos os anos — diz ela. — A maioria foge de casa, então precisamos determinar o mais rápido possível se a criança tem alguma razão para desaparecer por vontade própria. É por isso que analisamos as relações dentro da família: é importante conhecer a dinâmica do lar antes de começar.

— Então você está me perguntando se acho que Guy pode ser responsável por Lucinda fugir de casa?

Ela inclina a cabeça levemente para o lado, como se dissesse "isso seria possível?".

— Sem chance — respondo.

— Como pode ter tanta certeza se, como você diz, não o conhece muito bem?

— Porque conheço Kate e... — Paro, sem ter certeza se digo o que quero dizer. — Não sei como dizer isso, então vou apenas contar... Vamos dizer que Guy seja algum esquisitão que deixa os filhos desconfortáveis. Kate perceberia isso em um segundo. Ela fica de olho naquelas crianças constantemente, toma conta de tudo, sabe o nome de todos os colegas de turma de Fergus, conhece todas as famílias das amigas de Lucinda: onde moram, o que fazem. Ela faz disso seu trabalho. Não deixa nada passar. Aquelas crianças são a vida dela. Elas vêm antes de qualquer coisa.

— Ok — diz a detetive Aspinall, tomando um gole de chá. Ela acena com a cabeça para Joe. — Bom chá.

— Ela me ensinou bem — diz ele com um sorriso.

— Vamos voltar a ontem, então — diz ela. — Era comum as meninas dormirem uma na casa da outra no meio da semana?

— Sim — respondo. — Elas são grandes amigas, são... — Então paro. — Na verdade, não é normal.

Confusa, viro para Joe:

— Isso já tinha acontecido antes, Joe? Lucinda dormir aqui em dia de aula?

— Não faço ideia — responde ele, dando de ombros. — Ela vem bastante aqui, então não dá para dizer que presto tanta atenção.

Olho para Aspinall, sem ter ideia:

— Não sei.

— Quem combinou isso? — pergunta ela. — Consegue lembrar?

—Foi Sally. Ela disse que ela e Lucinda precisavam fazer um dever juntas. Acho que era um trabalho em grupo. Kate saberia. Enfim, Sally perguntou se Lucinda poderia passar a noite aqui para estudarem juntas. Não posso dizer que pensei muito a respeito, pois, como Joe disse, ela passa muito tempo aqui.

— E sobre ir para a escola na manhã seguinte? — pergunta ela. — A Sra. Riverty supôs que você levaria as meninas?

— O quê? Ah, não. As duas vão de condução. O micro-ônibus busca e leva todas as crianças de Troutbeck para a escola todos os dias.

— Qual é a empresa?

— South Lake Taxis — respondo, e ela anota rapidamente. — Posso perguntar uma coisa?

— Vá em frente — diz ela.

— *Quando* Lucinda desapareceu? Ela foi à escola ontem? Ou está sumida há 24 horas?

— Temos quase certeza de que ela sumiu no fim do horário escolar. Fizeram a chamada no começo da última aula e ela recebeu presença.

Mas estamos checando isso com os próprios alunos. Você diria que é comum a Sra. Riverty falar com a filha quando ela dorme fora de casa?

— Eu diria que sim, conhecendo Kate.

Teria Kate tentado ligar para Lucinda, que não atendeu? Isso aconteceu várias vezes com Sally. Nas primeiras vezes, ficamos furiosos, mas, depois, como creio que a maioria dos pais de adolescentes faça, com o tempo, deixamos para lá.

Escolho meus confrontos com Sally cuidadosamente; desisti desse há algum tempo, provavelmente na mesma época em que desisti de reclamar sobre a bagunça no quarto dela.

— Kate enviou uma mensagem para Lucinda, mas não recebeu resposta — diz a detetive Aspinall. — E imaginei, como pai ou mãe, se isso seria preocupante o suficiente para ligar? Tentar entrar em contato com os pais da amiga?

Pensei sobre isso. Será que ela poderia estar mesmo colocando alguma culpa em Kate por não ter ligado depois da mensagem?

— Houve vezes em que Sally foi dormir na casa de Lucinda e não respondeu as minhas mensagens. Meninas ficam eufóricas, se empolgam com qualquer coisa que estiverem fazendo. Sabe como é.

Aparentemente, a detetive Aspinall não sabe, porque não faz nenhum sinal de que concorda.

— Mas, para ser sincera — digo —, por saber que ela está com Kate, nunca me preocupei muito quando fica na casa de Lucinda. Talvez se Sally estivesse na casa de outra pessoa, talvez se estivesse com uma amiga que eu não conheça tão bem, aí eu ligasse para saber dela.

Isso parece ser satisfatório, porque a detetive Aspinall interrompe essa linha de interrogatório e segue me perguntando sobre que tipo de garota Lucinda é. Ela poderia estar escondendo algo dos pais? Quando sinto que terminamos, pergunto o que queria saber desde que ela entrou:

— O que *você* acha que aconteceu com ela?

— Impossível dizer — responde ela.

— Mas se você tivesse que dizer. Se você tivesse que dar sua opinião de qualquer jeito, diria que pensou que Lucinda...

— Nesse ponto, estamos investigando todas as possibilidades.

Assinto. Uma grande parte de mim tinha esperanças de ouvir a detetive Aspinall dizer que achava que Lucinda tinha fugido. Então minha culpa não seria tão avassaladora. Mas é óbvio que Lucinda não foi embora por vontade própria. Por que diabos faria isso?

— Uma última coisa — diz a detetive Aspinall, de maneira pragmática, enquanto se levanta —, precisaremos saber onde de vocês dois estavam... por volta das três horas da tarde de ontem.

*— Então, Charles... — A corretora de imóveis pisca para ele. — Você quer ver imóveis como este aqui? Próximos ao lago? Ou está aberto a tudo?*

*— Prefiro algo com acesso ao lago se possível. Na verdade, gostaria mesmo de uma casa-barco, mas creio que, se o lugar certo aparecer, ficarei feliz em topar qualquer coisa...*

*— Entendo — diz ela, assentindo. — Mas tenho certeza que você vai amar essa. É excepcional.*

*Ele aguarda enquanto ela destranca a porta da frente e desliga o alarme. Não há ninguém na casa, ele percebe. Ao adentrar o saguão, ela se vira, sorrindo, esperando que ele pareça encantado. Esperando que ele se derreta com os painéis de carvalho e as características originais, como se ela mesma tivesse tido alguma participação na construção da casa.*

*— Impressionante — diz ele para agradá-la, mas a verdade é que não acha isso. Seja lá quem for o dono, não tem um pingo de bom gosto. O carpete da escada é vagabundo, e o vitral na varanda é cafonérrimo.*

*— Deixe-me mostrar a cozinha — diz ela. — É incrível.*

*Seus sapatos de salto alto movem-se rapidamente pelo chão de parquet. Ele a observa andar e vê que a bainha da saia dela está descosturando. Um fio de algodão preto soltou e está pendurado em sua panturrilha.*

*— É um cômodo maravilhoso, bem-iluminado — diz ela. — Um cômodo perfeito para a família, não acha?*

*Ele nem se dá ao trabalho de responder àquilo. Parece que está em um daqueles irritantes programas de TV de mudanças onde as mulheres declaram a cozinha o "coração da casa". O tipo de mulher que quer um "espaço útil onde todos possam ficar juntos", e seus filhos adolescentes olham como se não fosse possível imaginar nada pior.*

*A corretora caminha até a parede de janelas atrás da sala de jantar e pergunta:*

*— Onde você está morando no momento?*

*— Grasmere — responde ele.*

*— Jura? É que não reconheço seu nome, então imaginei que você não fosse da região.*

*Ela é desajeitada em sua missão de descobrir se ele pode realmente pagar pelo lugar. Ela sorri, esperando que ele revele mais informações. Ele não o faz.*

*Ele a examina: toda aquela banha espremida dentro de algo que era para ser um traje profissional. Olhe no rosto desta mulher e você verá a vida dela. Ele a imagina saindo correndo de casa de manhã, enfiando um doce na boca, fingindo que não está usando as calcinhas de ontem, e entrando no carro, que está cheio de migalhas.*

*Eles voltam para a cozinha e ela passa a mão pela bancada de granito rosa:*

*— Em que linha de negócios você trabalha? — pergunta casualmente.*

*Antes que ele responda, percebe que a aliança de casamento na mão esquerda dela está cortando a carne.*

*— Imóveis comerciais, hotéis — diz ele.*

*— Ah... — responde ela, sorridente — Quais?*

*— Prefiro não dizer neste momento, porque estou pensando em vender e não quero que isso se torne de conhecimento público. Geralmente, os hóspedes não gostam da ideia de ficar em um lugar que está à venda.*

*— Garanto que eu nunca discutiria assuntos dos clientes fora do...*

*Ele sorri.*

*— Ainda não sou um cliente, não é? — diz ele docemente.*

*— Cliente em potencial, então.*

*De repente, ela o olha meio de lado como se o estivesse paquerando.*

*— Há algum outro hotel em que pretenda investir?*

*— Estou tentando sair do ramo hoteleiro, na verdade. É muito trabalho. Não consigo encontrar gerentes decentes, e há o problema do público britânico em geral... Não, estou pensando em tentar entrar em um negócio online, importando bens que já têm bom retorno nos Estados Unidos.*

*Séria, ela balança a cabeça concordando e, não pela primeira vez hoje, ele se maravilha com como as pessoas estão dispostas a acreditar em qualquer coisa que você diga. Elas querem mesmo acreditar, mesmo que seus instintos gritem dúvida. Ele está se divertindo agora e baixa um pouco a guarda.*

*— Você tem um imóvel para vender? — pergunta ela.*

*Ele ergue a cabeça.*

*— O q-quê? — gagueja.*

*— Uma casa? Você está morando de aluguel agora ou tem algo para vender antes de se mudar?*

*Por que ele não preparou uma resposta para isso? Por que não olhou alguns endereços antes de vir?*

*Ele balança a cabeça, desvia o olhar. Sua mão começa a coçar.*

*— Posso dar uma olhada naquilo? — Ele aponta para o folheto que ela trouxe sobre a casa.*

*— Ah — diz ela —, você não tem um desses? Desculpe, achei que já tivesse visto.*

*Ela vai até ele e coloca o folheto aberto na bancada. À medida que se aproxima, ele sente o cheiro dela e seu estômago embrulha.*

*O cômodo está quente e, conforme ela se inclina, seu casaco se abre um pouco, espalhando no ar um odor azedo de suor acebolado, bronzeador artificial e hálito de cigarro velho.*

*O que ela pensa que está fazendo chegando assim tão perto?*

*Ele se move um pouco. Suas palmas coçam intensamente agora. É uma sensação profunda, que rasteja por baixo de sua pele. Ele tenta se afastar, mas ela não percebe. Ela está passando seu indicador gordo, aquele com uma mancha de esmalte perto da cutícula, pelo texto. De repente, ela começa a falar rápido demais sobre financiamentos de propriedades, encanamento e drenagem privada. Ele está confuso e mal consegue respirar com essa mulher nojenta tomando todo o oxigênio.*

*Ele engole seco.*

*— Por favor, afaste-se de mim.*

*— Perdão?*

*— Afaste-se.*

*Ofendida, ela obedece.*

*— Tem alguma coisa errada? Posso assegurar que esta casa está com um preço muito competitivo. Se olhar outros imóveis à beira do lago, perceberá uma diferença muito pequena entre...*

*Ele levanta a mão, sinalizando que ela pare. Fecha os olhos e dá um longo, lento suspiro:*

*— Obrigado — diz ele —, mas já terminei aqui.*

*E começa a andar em direção à porta. Antes que a alcance, porém, ela fala, e o que ela diz o faz parar.*

*— Você não pode pagar por esta casa.*

*Ele se vira, tenta entender o que a mulher diz.*

*Ela continua:*

*— Você me fez perder tempo. Jesus! Não é como se eu já não tivesse o suficiente para fazer. — Ela aperta o maxilar e olha para ele de cima a baixo, com desdém.*

*O que, infelizmente, deixa-o sem opção.*

*Ele anda na direção dela e, recuando o braço, fecha o punho. Fazer isso não dá nenhum prazer a ele; violência não é do seu feitio, mas, quando a acerta bem no meio do rosto, a força a joga no chão a três metros de onde ela estava. Ela vai parar ao lado da geladeira de duas portas.*

*Está atordoada demais para emitir qualquer som e talvez não conseguisse mesmo que quisesse, porque seu nariz está destruído. Sua boca grotesca está tão cheia de sangue agora que é possível que se afogue nos próprios fluidos.*

*Ela leva as mãos ao rosto em horror, engasgando-se com as secreções em sua garganta.*

*Ele balança a cabeça.*

*— Você não é a pessoa certa para esse trabalho. — diz ele resignadamente, e sai, sua mão ensanguentada enfiada no bolso do casaco.*

# 10

OLHO PARA O RELÓGIO. É só meio-dia e vinte, mas parece que já vivi cinco vidas esta manhã. Joe saiu para participar da busca. Os moradores organizaram três grupos diferentes. Um em Troutbeck, cobrindo a área entre a escola e a casa de Kate. São alguns quilômetros quadrados, mas eles estão usando quadriciclos, daqueles que os pastores usam para lidar com ovelhas nas colinas. Outro está cobrindo os arredores da escola, quadras esportivas e a área do bosque, que vai da escola até a margem do Lago Windermere. O último cobre a área entre a escola e o vilarejo de Windermere em si. Muitos estudantes voltam para o vilarejo a pé depois da escola para ir ao Greggs, ao mercadinho, à biblioteca (se não têm internet banda larga em casa). É pouco mais de um quilômetro e meio, e a ideia é que Lucinda poderia ter ido por esse caminho se tivesse mesmo decidido fugir de casa.

Mas sei que é tudo inútil.

Lucinda não matou aula e foi para Windermere. Lucinda foi sequestrada e estuprada. Assim como Molly Rigg.

Penso em Lucinda e sinto minhas entranhas revirando. Ela nunca fugiria e faria seus pais passarem por isso. Nem em um milhão de anos. Sally costuma reclamar por Lucinda ser tão boazinha. Isso a chateia, o fato de Lucinda nunca ser repreendida, nunca chegar despreparada para as aulas, sempre ganhar o prêmio de uniforme mais arrumado.

Lucinda nunca iria embora por vontade própria. Nunca.

De repente, sou tomada por um pânico cego e uma profunda necessidade de ter meus próprios filhos onde eu possa vê-los. Corro para o andar de baixo, coração acelerado, procurando freneticamente pelas chaves do carro. Preciso buscar meus filhos e deixá-los em casa comigo. Seguros, onde ninguém possa tocá-los. Dane-se a escola; eles deveriam estar aqui.

Arremesso papéis, luvas, chapéus e contas não pagas do armário próximo à porta. Finalmente, encontro-as no bolso do casaco, e só quando saio e vejo que o carro não está, eu me lmebro de que ele ficou do lado de fora da escola de Sam. Desde que Joe me buscou mais cedo esta manhã.

No momento, estou impotente. Volto para dentro e ligo para minha mãe. É só o que consigo pensar em fazer.

Está chamando, e ela atende.

Há uma pausa enquanto ela dá um longo trago no cigarro antes de falar.

— Alô? — diz ela, e então tosse.

— Sou eu. — Como era de se esperar, minha voz falha.

Ela sabe o que aconteceu. É uma cidade pequena, e as notícias correm. Minha mãe limpa o Banco NatWest pela manhã, antes de abrir, e, dali, vai direto para uma das faxinas que pagam na hora. Ela poderia limpar três casas a menos por semana se não fumasse dois maços de cigarro por dia. A justificativa é que esse é seu único prazer e, sem eles, não consegue nem ir ao banheiro. Então não pego muito no pé dela quanto a isso.

Falo com minha mãe sobre precisar trazer as crianças para casa, sobre estar com medo de que alguém as sequestre, e...

— Lisa — diz ela com firmeza —, deixe as crianças na escola. Não fará bem a elas ficar em casa com você. Não com você nesse estado. Ninguém vai sequestrá-las hoje. Não enquanto todos estão em alerta máximo.

Ela sempre foi boa em momentos de crise. Acho que é porque ela teve que ser, já que éramos a segunda família do meu pai, sua *outra* família.

Ele vivia em Wigton, no norte da cidade, e o víamos uma vez a cada três ou quatro semanas. Vivíamos basicamente na pobreza, com minha mãe fazendo bicos para pagar as contas, meu pai dando o pouco de dinheiro que lhe sobrava. Mas ele tinha outros quatro filhos para sustentar em Wigton, e não havia muito que fazer.

Era um inverno rigoroso, e um grupo de crianças da fazenda fazia uma corrida de trenó na calçada do lado de fora de nossa casa. Ninguém tinha trenós na época, apenas bandejas e sacos de lixo. Lembro-me de uma criança que trouxe um colchão inflável de piscina.

Estávamos na fila, esperando nossa vez na corrida de trenó, quando um carro virou a esquina. Era um táxi, um daqueles Rovers imensos antigos, construídos como se fossem tanques. Ele parou ao nosso lado e uma mulher saltou.

Ela estava bem vestida. Elegante. Usava um sobretudo de lã caramelo com um broche de camafeu na lapela, e seu cabelo estava cuidadosamente preso em um coque no alto da cabeça. Ela carregava uma bolsa de couro de grife em forma de trapézio, o tipo preferido de Margaret Thatcher e da Rainha, e, enquanto lançava um olhar sobre a gentinha maltrapilha agrupada a sua frente, chocou a todos dizendo:

— Qual de vocês é o bastardinho do Harold?

Alguns dos garotos mais velhos riram dessa escolha de palavras. Ela se referia a mim, claro. Eu não sabia exatamente o que "bastardo" significava, mas já haviam se referido a mim assim, e eu sabia que boa coisa não era.

Quando ninguém falou, ela passou por nós, seguindo pela neve na direção de nossa porta. Minha mãe atendeu, e a mulher desapareceu lá dentro.

E, então, começou a nevar. Flocos de neve do tamanho de pequenas laranjas e, por estar usando apenas um fino agasalho, algo que se vestiria em uma criança em um dia chuvoso de junho, fui para dentro.

A mulher estava sentada na beira do sofá na sala de estar — o único cômodo além do banheiro que tinha aquecimento — e, quando entrei, ela pulou, batendo palmas.

— Lisa! Estou tão feliz em conhecê-la! — cantarolou satisfeita.

Olhei para minha mãe buscando orientação, mas ela parecia tão desconcertada por essa mulher quanto eu.

— Sou a esposa do seu pai — disse ela, ainda sorrindo.

Então disse para minha mãe:

— Devíamos tomar um chá, Marion. Que tal um chá enquanto dou uns presentes à criança?

Minha mãe concedeu e foi para a cozinha. Um pouco depois, lembro--me de ouvir a porta dos fundos bater enquanto ela corria na casa ao lado para conseguir leite, ou açúcar, ou chá, ou xícaras... o que quer que não tivéssemos naquele dia. A esposa do meu pai tirou da bolsa dois pacotes de bala e um chocolate grande.

Então, enquanto eu mastigava alegremente em frente à lareira, ela abriu novamente a bolsa e sacou um estilete Stanley. Ela o brandiu algumas vezes com floreio, dizendo:

— Lisa, quero que você se certifique de que contará a seu pai *tudo sobre isso.* — E concordei com a cabeça seriamente, pensando que ela estava falando sobre os doces, sem saber para o que era o estilete.

Em seguida, ela fez o impensável. Cuidadosamente, levantou cada manga de seu sobretudo cor de caramelo até o cotovelo, revelando braços muito brancos, e começou a fazer cortes muito, muito profundos nos pulsos.

Eu estava apavorada demais para me mexer, e, quando minha mãe voltou para perguntar como ela gostava do chá, a esposa de meu pai estava caída no sofá, seu sangue acumulando no joelho como um cobertor.

— Vá para a casa do vizinho. — Foi tudo o que minha mãe disse, calma e sucinta. Então ela acrescentou, falando sozinha: — Eu disse a ele que isso aconteceria. Eu sabia que chegaria a esse ponto.

Nunca mais vimos meu pai. Minha mãe lidava sozinha com qualquer problema que enfrentássemos. E ela o fez da mesma forma que está lidando comigo agora; direta, sem confusão, sem drama.

— O que devo fazer? — perguntei, minha voz histérica, minha cabeça latejando.

— Sobre o quê? Eu disse para deixar as crianças na escola.

— Sobre Kate. Tenho que fazer algo. Não posso simplesmente ficar aqui enlouquecendo.

— Joe está participando das buscas — diz ela. — O que mais você *pode* fazer?

— Eu disse a ela que a encontraria.

Ela dá outro longo trago.

— Bem, foi bem estúpido de sua parte dizer isso. Por que raios prometeu isso?

— Porque Kate disse "encontre-a". O que eu deveria fazer? Dizer não?

— É melhor começar, então.

— Estou sem carro.

— Você tem pernas, não tem? Use-as.

Saio de casa com a ideia de ir para o lado do vale onde fica a casa de Kate e fazer minha própria busca. É um pouco vago e não tenho muita esperança de encontrar qualquer coisa. Mas, como disse minha mãe, não posso ficar sentada sem fazer nada.

Devo levar cerca de 25 minutos para atravessar o vale até a casa de Kate. Estou usando botas de caminhada, porque não há mais aderência na sola de minhas galochas, e estou agasalhada o máximo possível para manter a capacidade de me mexer. Se não estivesse totalmente devastada com a situação toda, me sentiria estranha saindo sem os três cães. Como se estivesse traindo-os ao sair para caminhar sozinha.

Escorrego algumas vezes quando chego na estrada principal. O asfalto está brilhante e oleoso. O sol, tão baixo no céu, reflete nos cristais de gelo na superfície da calçada, fazendo-a cintilar. Minha sombra estica-se diante de mim. Parece que tenho seis metros de altura e minha cabeça é do tamanho de uma bola de tênis.

Foi por volta dessa hora que Lucinda desapareceu ontem, e me pego pensando se ela estava vestida adequadamente para esse tempo. Na maioria dos dias, travo uma batalha para fazer Sally e James usarem casaco para ir à escola. "*Ninguém* usa casacos", chiam eles, do mesmo modo como James agora se recusa a usar qualquer coisa da Gap.

— *Gay and proud**, mãe, é isso o que significa.

— Não é — argumento, mas a essa hora ele já está saindo do quarto, e minha opinião é irrelevante.

Ele tem 12 anos, mas posso imaginar o adolescente que está prestes a se tornar. Agora, ele anda sorrateiramente pela casa para evitar conversas. Entro na cozinha, e ouço-o subir discretamente para o andar de cima. Lembro-me do medo que senti pouco antes de seu nascimento, a paralisante certeza de que não havia como amar esse segundo filho como amava Sally. Como eu poderia gerar esse nível de amor duas vezes? Mas, então, lá estava ele. E lá estava o amor. Não tive nem que me esforçar. Agora me esforço, sim, para dar esse amor a ele, mas ele fica arredio. Não precisa dele agora. Não precisa de mim.

Minha mente volta para Lucinda e me pergunto se ela saiu sem casaco ontem. Não dá para sobreviver uma noite nessa temperatura sem agasalho. O clima de Lake District costuma ser ameno e, a menos que você faça alguma burrice, como escalar Great Gable ou Scafell de chinelos, é provável que sobreviva a uma noite ao ar livre. Você não morreria por exposição ao frio.

Mas não nesse tempo. Não na noite passada.

De repente, me vem a imagem de Lucinda morta, largada junto a uma parede de pedras. Despida até a cintura como aquela outra garota.

Mas, diferentemente de Molly Rigg, Lucinda está morta. Essa garota ele decidiu matar antes de atirá-la para fora do carro e ir embora.

Estou às sombras do vale agora, caminhando para o outro lado, na direção da casa de Kate e Guy, tentando tirar essas imagens da cabeça. Está mais frio e, apesar de o dia estar claro, está escuro deste lado. Assustador.

Minha mente está me pregando peças. Fico vendo *flashes* de cores entre todo o branco. Fico virando a cabeça ao som das gralhas nas árvores, esperando ver Lucinda lá, sorrindo e acenando.

---

* Gay e orgulhoso (N.T.)

No alto da estrada, viro à esquerda e, de repente, ouço barulho. Comoção, vozes. Rapidamente, caminho pela estrada e, depois da curva seguinte, vejo a causa disso.

Há vans. Carros. Jornalistas. Há câmeras e antenas parabólicas no topo dos veículos. A rua ao redor da casa de Kate está quase bloqueada.

"Jesus Cristo, acho que a encontraram!" E disparo a correr.

Mas não encontraram.

Não encontraram nada. Kate e Guy estão dando uma entrevista coletiva na frente da casa, perto da grande porta vermelha.

Guy está falando; ele está sendo o porta-voz. É ele quem dá as informações, e Kate está ao seu lado, em silêncio. Ela tem aquele olhar no rosto. Assombrada. Como se ela também tivesse desaparecido. Não há vida por trás daqueles olhos, nenhum movimento, nem mesmo uma contração dos músculos da face. Ela está vazia.

Eu me retiro para não atrair atenção. Alexa me vê e me encara com raiva, furiosa por eu estar aqui.

Guy fala e fala, mas não consigo ouvir suas palavras. Sua boca move-se rapidamente, como se estivesse narrando algo, e ele gesticula e aponta para o vale. Como se isso, de alguma forma, fosse dar ao público uma ideia de onde sua filha poderia estar. Então ele olha para o rosto da mulher e para, incapaz de continuar.

É a pior coisa a que já tive que assistir.

Pior que assistir a um veterinário sacrificar um cão maltratado, porque é mais humano matá-lo do que mantê-lo vivo. Pior do que assistir à mulher do meu pai cortar os pulsos bem na minha frente.

Não há nada pior do que um filho desaparecido. Nada mesmo.

*Ele atravessa os corredores tentando passar a impressão que está dando uma olhada, como todo mundo aqui. Fazendo hora na loja de ferramentas. Ele não consegue decidir se chamaria menos atenção comprando o que precisa agora ou se deveria arriscar ir à loja em Windermere.*

*As duas opções têm desvantagens. Aqui, há câmeras. Lá, funcionários intrometidos e tagarelas.*

*Ele não teria esse problema em uma cidade grande. Ninguém dá a mínima se você precisa de bobinas de polietileno quando se mora em Newcastle ou Liverpool.*

*Ele dá uma volta por fora e finge comparar os tamanhos de sacos de cascalho ornamental enquanto decide. Não quer ficar muito tempo em um lugar só, porque as pessoas percebem.*

*E ele tem uma admiradora.*

*Uma ruiva de olhar triste, com uma jaqueta jeans e botas de salto fino, está seguindo-o. Até agora, ela colocou soda cáustica, removedor de mofo e um pacote de quatro flanelas no carrinho. Ele suspeita que ela não precise de nenhum desses itens e está tentado a se demorar no cascalho um pouco mais. Só para ver como ela se vira carregando um saco de trinta quilos.*

*Voltando a entrar, ele decide dividir suas compras entre duas lojas. Os produtos de limpeza ele comprará aqui, a lona plástica ele comprará na loja de materiais de construção. Acabou de lembrar que os funcionários de lá não têm o menor interesse no que está sendo comprado.*

*Ele repassa a lista mentalmente. Alvejante. Panos. Sacos de lixo. Poderia também pegar um esfregão e um balde para agilizar o trabalho.*

*Sua mulher gosta daqueles esfregões Vileda. Diz que o chão seca mais rápido do que com aqueles de pano velho, então é melhor arranjar um desses.*

# 11

KATE ME VÊ parada na estrada e me olha com um olhar vazio. Estou prestes a me virar e voltar por onde vim, porque é óbvio que cometi um erro. Foi burrice aparecer aqui.

Acho que tive alguma ideia malconcebida de que se me vissem participando da busca, se pudessem ver o quanto quero consertar as coisas, poderia, de algum jeito, ajudá-los a perdoar.

Estúpida. Estúpida e egocêntrica. Estou envergonhada por ter vindo.

Eu me viro para ir embora, dou alguns passos e ouço:

— Com licença?

Uma mulher está vindo em minha direção. A princípio, começo a ir até ela, mas percebo que é uma repórter. Ela é refinada, claramente não é da imprensa local — deve ser de algum noticiário nacional para estar vestida assim: paletó de caxemira azul-marinho, cabelo e maquiagem impecáveis.

— Você conhece a família? — pergunta ela.

— Sou uma amiga — respondo.

— O que pode nos dizer sobre a menina desaparecida? Que tipo de menina ela era?

Eu a encaro.

— Ela *é* — corrijo. — Você quer dizer que tipo de menina ela *é*.

— É claro. Desculpe — diz ela rapidamente. — Você conhece bem a família Riverty?

Assinto, mas me sinto bastante desconfortável. Eu não deveria estar falando com esta mulher. Olho para a casa e vejo que Kate e Guy voltaram para dentro.

— Sinto muito — digo para ela, tentando ir embora —, mas tenho mesmo que ir.

— Por favor, só mais um minuto, não vai demorar muito.

Seus olhos estão cheios de ternura. Seria fingimento? Não consigo dizer.

— Não tomarei mais do que o necessário do seu tempo, mas a mídia tem um papel crucial em encontrar crianças desaparecidas. Podemos levar informações ao público rapidamente. Isso pode *realmente* significar a diferença entre a criança ser encontrada viva... e...

Ela não termina a frase. Não precisa. Ela sabe que me pegou.

— O que quer saber? — questiono.

Ela tira um gravador da bolsa.

— Diga e soletre seu nome, por favor.

Estou soletrando K-A-L-L-I-S-T-O quando vejo Kate na janela da sala de estar.

— Sinto muito, não tenho certeza se deveria fazer isso — digo e o rosto da repórter logo endurece.

— Tudo bem, mas poderia apenas confirmar algo? — Ela não espera uma resposta. — É verdade que Lucinda Riverty tem um namorado mais velho? Um namorado muito mais velho? Pode confirmar isso?

— O quê? — exclamo, chocada. — Não.

— Não, *não é verdade* ou não, você não pode confirmar, porque não sabe?

Gaguejo algo sobre isso não ser verdade, mas, para ser honesta, estou desconcertada. De onde ela tirou isso? Quem está dizendo essas coisas à imprensa?

Olho para ela com seriedade, porque agora estou irritada.

— Já viu uma foto de Lucinda?

— Sim, uma foto da escola. Poderíamos usar outra, na verdade.

— Então se já viu uma foto dela, sabe que não é o tipo de garotinha vadia que você está sugerindo...

— Não sugeri nem por um segundo que ela era uma vadia.

— Sugeriu sim. Lucinda fugindo por aí *com um namorado muito mais velho.* Você publica uma porcaria dessas e as pessoas logo param de se importar. Elas pensam "claro que ela é *aquele tipo* de garota. Provavelmente, vai aparecer morta".

Ela tenta interromper, defendendo seu trabalho, mas eu continuo.

— É isso que os jornalistas fazem. Vocês escrevem "Sr. Fulano, que foi vítima de um assalto *em sua casa de oitocentas mil libras...*". É a mesma coisa. Você está dizendo às pessoas o quanto elas devem se compadecer das vítimas em vez de apenas informar. Vocês me enojam.

— É isso que a imprensa é... senhora... — Ela pausa, e eu a lembro:

— Kallisto.

Um leve sorriso surge em seus lábios.

— Ah, sim. Não seria a mesma Sra. Kallisto que devia estar tomando conta de Lucinda Riverty, seria?... Na hora em que ela desapareceu?

Atônita e calada, olho para ela.

— Não foi isso que aconteceu — digo finalmente. — Não foi assim que... — Mas ela coloca novamente o gravador digital próximo a minha boca.

— Que tal você me dizer, com suas próprias palavras, exatamente *o que* aconteceu?

Olho de relance para a casa de Kate. Ela ainda está ali, na janela da sala de estar, acenando para que eu vá lá.

Eu me viro para a repórter. Eu sei que sou culpada. Eu sei que o desaparecimento de Lucinda é culpa minha. Mas dizer isso em voz alta para esta mulher? Dizer isso em voz alta para o país inteiro e fazê-los me julgar, com essa mulher desprezível colocando palavras em minha boca? Não posso fazer isso. É covardia, mas não consigo me permitir falar essas palavras.

— Sra. Kallisto? — pergunta ela, e, na falta de algo inteligente e afiado para dizer, digo para ela não me encher o saco e vou até a casa.

Kate está parada bem no saguão quando entro na casa. Por um segundo, hesito. Ela percebe minha apreensão e me abraça.

Ela parece tão pequena por debaixo das roupas que me pergunto quando isso aconteceu. Quando ela ficou tão magra sem que eu percebesse?

— O que a repórter queria? — pergunta ela.

— Nada — respondo, constrangida. — Só perguntou se eu conhecia você. Eu disse que sim, mas que não poderia responder perguntas.

— Estive observando-a.

— Ela é muito profissional. Acho que você tem que ser se quiser sobreviver nesse jogo. — Não conto a Kate o que a repórter me disse. — Eles chegaram aqui rápido — digo. — A imprensa.

— É por causa daquela outra menina — responde Kate. — Porque Lucinda é a segunda a desaparecer.

Minha voz está fraca e trêmula. Quero perguntar a Kate como ela está, mas não consigo, porque é uma pergunta inadequada. Porque você sabe que não está tudo bem. Você sabe que eles estão na beira do abismo segurando-se pela ponta dos dedos.

Ela me olha como se sentisse o que estou pensando e diz:

— Estou tão assustada, Lisa. Estou com tanto medo.

Meu coração está partido por ela.

— Eu sei — digo suavemente —, eu sei.

— Onde ela está?

— Eles vão encontrá-la.

Kate esfrega as mãos no rosto. Ela está exausta. Vamos até a cozinha. Consigo ouvir o barulho de passos leves sinalizando que tem gente no andar de cima, mas, comparado a mais cedo, a casa está ensurdecedoramente quieta. Todos devem estar participando das buscas.

Sentamos à bancada da cozinha. Há um imenso jardim de inverno ao longo dos fundos da casa; ele inunda a cozinha com a luz branca do gramado coberto de neve.

De onde estou, consigo ver a casa de brinquedo das crianças. É pintada em tons pastel para parecer a casa de doces de João e Maria. Sally e Lucinda passavam dias inteiros lá quando tinham 9 ou 10 anos. Inventando clubes e códigos secretos, e o que quer que meninas façam nessa idade. Agora, parece que faz tanto tempo que chega a doer.

— Sei que parece estupidez — diz Kate calmamente —, mas nunca imaginei que isso aconteceria comigo. Nunca imaginei que eu seria a mulher no noticiário, a mulher que você nunca quer ser. Sempre pensei que estivesse protegida de alguma forma. Sempre pensei que estivesse blindada contra coisas assim. — Ela tenta sorrir. — Estúpida mesmo.

Seus olhos estão muito vermelhos; sua pele, quase transparente.

— Kate, eu sinto tanto. Não sei como dizer a você o quanto eu sinto.

Ela pega minhas mãos.

— Pare de dizer isso, Lisa. Por favor. Você já disse isso. Não é culpa sua. Não é culpa de ninguém. *Eu* deveria ter checado também, se estivermos procurando alguém para levar a culpa.

Balanço a cabeça.

— Não sei como você consegue fazer isso — digo, realmente impressionada com a forma como ela está lidando com a situação, com o que está dizendo. — Não sei como você pode ser tão compreensiva. É assim mesmo que se sente?

— E qual o sentido? — retruca ela calmamente. — Não tenho energia para raiva agora. Só a quero de volta em casa.

— Ela voltará.

E ela olha para mim, a escuridão em seu rosto sumindo por um instante.

— Quer saber? — diz ela — Acho mesmo que vai. Acho que ela *virá* para casa. Estou em um ponto agora em que não ligo para o que aconteceu com ela, contanto que a tenha de volta. Podemos superar qualquer coisa desde que ela esteja viva.

Faço meu melhor para colocar minhas esperanças em uma expressão positiva em meu rosto. Tento mostrar que "sim, com certeza, Lucinda voltará para casa". Mas não sei se consigo, porque não acredito nisso de verdade. Como posso acreditar quando assisti a família após família passar por isso no noticiário? Despedaçados e em luto quando seus filhos aparecem mortos.

Levanto e abraço Kate novamente.

— Onde está Fergus? — pergunto.

— Lá em cima com Alexa.

— Como ele está?

— Ele sabe que algo horrível aconteceu, sabe que Lucinda não está aqui, mas não entende as consequências disso. Ele não faz ideia do perigo que ela corre e nós escolhemos não contar.

— Entendo.

— Como está Sally? — pergunta ela.

Típico de Kate se preocupar com meus filhos em um momento como esse.

— Bem mal, mas não falei com ela desde hoje cedo. Tentei ligar. A polícia esteve na escola interrogando-os, e eu não soube de mais nada desde então. Ela se culpa, como era de se esperar.

— Por que ela faltou ontem?

— Dor de estômago, nada sério. Não pude ficar em casa com ela porque tinha muita coisa para fazer no trabalho, e ela...

— Você deveria ter me ligado — diz Kate. — Eu ficaria de olho nela... — E, então, para de falar.

Porque nós duas estamos pensando a mesma coisa.

Se eu apenas *tivesse* ligado para ela...

Há um longo silêncio enquanto consideramos os "e se?", os "se ao menos"; então, estremeço ao ouvir o barulho de passos vindos do andar de cima.

Kate percebe minha ansiedade:

— Ela está apenas indo ao banheiro. Não está vindo para cá.

Ela está falando de Alexa, é claro, e eu solto minha respiração lentamente.

— Sinto muito que ela tenha sido tão cruel com você — diz Kate. — É o jeito dela. Acusar, digo.

Desvio o olhar. O que sempre faço quando Alexa é o assunto da conversa.

— Ela tinha razão ao me acusar — digo com a voz baixa, mas a mente de Kate está subitamente em outro lugar. Ela está olhando, por cima de mim, para o canto do cômodo, e seus olhos estão vidrados.

# 12

A DETETIVE JOANNE ASPINALL sobe a escada até o consultório médico. São 17h40.

Desaparecida número dois, primeiro dia, e a pressão só aumenta. Ela cancelaria essa consulta. Ela ficaria na delegacia trabalhando. Mas seu chefe disse que não dariam continuidade à investigação hoje. Ele mandou Joanne para casa, dizendo para ela passar nos Riverty no caminho.

— Informe-os que estamos fazendo o possível. Consiga mais alguns detalhes, fale com a imprensa se necessário.

Guy Riverty participava dos grupos de buscas e Kate estava sendo amparada pela irmã. Joanne não ficou por muito tempo.

Detetives geralmente trabalham em horário comercial — das nove às cinco, ficando até mais tarde se o caso exigir. Algumas vezes, Joanne excedia os turnos de policial — concluía mais tarefas quando trabalhava à noite. Ela vê seu reflexo nas portas de vidro no topo da escada e mexe brevemente nos cabelos, que se soltaram do rabo de cavalo. Ela nem consegue se lembrar da última vez em que teve um corte de cabelo decente.

A sala de espera está lotada, e o instinto de Joanne é baixar a cabeça. Ela se mantém discreta em Windermere. Sabe que é melhor não espalhar que é investigadora.

Ela leu algo há pouco tempo sobre "dar visibilidade à polícia". Algum assessor tolo do governo propondo que, por causa dos cortes de pessoal, eles deveriam aproveitar ao máximo os oficiais de polícia. Cultivar uma consciência maior da presença policial — fazendo rondas e coisas do tipo.

A ideia era que os policiais fossem e voltassem do trabalho fardados. Joanne riu alto quando leu isso. Você entra e sai da sua *casa* de uniforme, e não levará nem um dia até atirarem ovos em suas janelas e rasgarem seus pneus. Isso se você morar em uma área tranquila.

Joanne digita seus dados na tela *touchscreen* na parede para avisar à equipe que chegou. Os mais velhos nunca usam isso, então, às vezes, dá para passar um pouco à frente na fila enquanto eles esperam a recepcionista atendê-los. Ela se senta ao lado de uma senhora sorridente, que pergunta:

— Vacina contra gripe?

Joanne diz que sim só porque é mais fácil.

Há uma farmácia dentro do consultório, o que Joanne acha genial. Chega de dirigir por aí na chuva, receita na mão, tudo fechado após as cinco da tarde. Essa farmácia funciona no mesmo horário das consultas, então dá para resolver tudo de uma vez.

Joanne vê uma edição da revista *Mundo dos Interiores* — que a tia Jackie chama de "Mundo dos Inferiores", e a deixa de lado, escolhendo a edição de dezembro da *Cuidando de Casa*. É incomum encontrar edições recentes aqui, pensa ela, e reflete sobre formas de animar o jantar de Natal: por que não experimentar ganso? Ou galinha-d'angola? Seus olhos pousam em um terrine de salmão (bom para diabéticos), mas seus pensamentos continuam na menina desaparecida.

Quando Joanne entrou no Departamento de Investigação Criminal, achou difícil viver com esse trabalho. Ela não era como aqueles detetives da TV, os que nunca se desligam; que bebem muito, que vão contra seu superior e perdem a família por causa do trabalho.

O problema de Joanne era mais delicado. Ela descobriu que sofria de uma imensa culpa assim que desviava seus pensamentos, assim que voltava para as tarefas mundanas do dia a dia.

Se não estivesse pensando no caso atual, sentia que *deveria* estar.

Ela estava mais acostumada agora. Ela lidava melhor. Passou a comparar ao processo criativo do qual ouvia artistas falarem. Quando sua atenção era desviada para outras coisas, seu subconsciente trabalhava ativamente a seu favor, descobrindo coisas, resolvendo problemas.

Joanne descobriu que se deixasse sua mente vagar, permitindo-se relaxar, as ideias e as respostas surgiriam de repente como cones de trânsito. Em um minuto, não estavam ali e, no minuto seguinte, estavam em todos os lugares para onde olhava.

Ela ouve a campainha indicando que estão prontos para o próximo paciente, e seu nome aparece. A senhora ao lado parece um tanto incomodada por Joanne passar na frente dela, mas Joanne não se incomoda em explicar que, na verdade, não irá tomar a vacina contra gripe.

Ela está nervosa porque terá que se despir. Ela não é pudica, nem mesmo tímida, apenas não gosta de ver o olhar da pessoa *para* quem está se despindo.

Ela bate uma vez antes de entrar, e Dr. Ravenscroft, médico de Joanne desde a infância, cumprimenta-a:

— Joanne! Que bom ver você. Sente-se. Como está hoje?

— Bem, obrigada.

— E como está sua tia? Não a vejo há algum tempo.

— O de sempre... eles não a chamam de Jackie Louca à toa.

Ele ri.

— Ela ainda mora com você, então? — pergunta ele.

— Acho que ficarei presa a ela para sempre.

Ele sorri, simpático.

— E você? Ainda está ocupada combatendo o crime?

— Tentando — responde ela.

— Maravilha. Maravilha.

Ele começa a digitar, buscando as anotações sobre ela.

— Então o que posso fazer por você hoje?

— Eu gostaria de uma redução de seios.

Ele não levanta a cabeça.

— Não sou muito fã desse tipo de cirurgia — murmura ele, sem pensar, e Joanne não sabe ao certo como deveria responder. — Você está tendo dores na parte superior das costas ou assaduras por causa do suor?

— Basicamente — responde ela. — A dor nas costas não é contínua, mas é terrível quando chega. Meu maior problema, na verdade, é aqui. — Ela aponta a área entre o pescoço e o ombro.

— Trapézio — diz ele. — Fica bem apertado aí, não é?

Joanne empurra seu dedão na região.

— É quase sólido. Tenho marcas permanentes das alças do sutiã em cada lado.

Ela puxa a alça direita, que ficou cravada no músculo, por debaixo da blusa. O alívio é temporário enquanto ela massageia a pele. Ela desliza o dedo indicador pelo sulco que a alça fez; tem mais de um centímetro de profundidade. E arde ao toque.

— Isso afeta seu trabalho? — pergunta o médico.

— Às vezes.

Ela não quer dizer a ele em que sentido. Não quer contar que não pode correr sem sentir-se humilhada, não pode conduzir um interrogatório sem sentir-se constrangida. Ela já fez o possível para encarar essas coisas no passado e não deixar que a atrapalhassem, mas agora que está com quase 40 anos, o medo de ser ridicularizada não é tão simples de ignorar.

O Dr. Ravenscroft acena com a cabeça seriamente.

— Sabe que não será capaz de amamentar.

— Sequer tenho namorado... Amamentar não é exatamente uma prioridade.

— Pode ser um dia — diz ele com entusiasmo. — Um cara legal aparece, deixa você nas nuvens...

Joanne apenas olha para ele.

— Nunca diga "nunca"! Uma bela garota como você, certamente há um rapaz esperando por aí, pronto para levá-la para casa e fazer de você sua esposa...

— Mas onde eu colocaria o unicórnio? — Joanne responde com firmeza.

Joanne pega sua indicação para o cirurgião plástico.

Saindo da sala do Dr. Ravenscroft, ela passa pelo flebotomista, passa pela sala onde os idosos estão tomando vacinas contra gripe, passa pelo armário da limpeza e volta à sala de espera. Ela está prestes a sair pela porta de vidro dupla quando ouve algo que a faz parar:

— Você paga por seus remédios? — pergunta o balconista da farmácia ao homem.

— Sim — vem a resposta. E então: — Ah, na verdade, não. Não pago por estes... São para uma criança... Veja.

— Entendi. Estarão prontos em um instante — diz o assistente, desculpando-se.

É Guy — Guy Riverty — quem está esperando a medicação. O que ele está fazendo aqui? Ele não deveria estar com os grupos de buscas?

A primeira coisa que vem à mente de Joanne é que ele deve estar buscando algo para Kate. Algo que acalme seus nervos, faça-a dormir. Mas ele acabou de dizer que era para uma criança. Sem cobrança de medicamento. É isento.

Joanne decide esperar no carro.

Ela entra, e o termômetro marca menos sete graus. Ela gira a chave na ignição para ligar o aquecimento e, automaticamente, começa uma música nas alturas. Um dos CDs de Michael Bublé, da tia Jackie, que ela esteve ouvindo. "Babaca presunçoso", resmunga Joanne, antes de desligar o som.

Ela liga os faróis para que não dê para vê-la tão facilmente dentro do carro, e lembra algo que Lisa Kallisto disse mais cedo. Ela tinha falado que o filho de Kate tinha problemas de saúde. "Está sempre doente, desde que são amigos", foi mais ou menos o que ela disse, e Joanne conclui que é por isso que Guy está aqui.

Então ela dá o dia por encerrado. Guy deve estar aqui para buscar um remédio para o filho, pensa ela, e pisa na embreagem, enguinando o carro. Assim que o carro anda, porém, Guy Riverty surge. Ele parece atormentado.

"É de se esperar", pensa ela.

Ele olha ao redor discretamente.

"Sua filha está desaparecida", considera.

Ele sai dirigindo em seu Audi Q7 V12 — um carro que vale uns cem mil — com os faróis desligados.

É, bem, ele está distraído.

Mas, então, no final da estrada, em vez de virar à esquerda, na direção de casa, ele vira à direita.

"Um pouco estranho", pensa Joanne. Então o segue.

# 13

JOANNE SE MANTÉM bem atrás. Fica a uma distância segura de Guy Riverty. Se ele reduzisse a velocidade por algum motivo e ela chegasse perto demais, ele a veria pelo retrovisor. Ele tem uma placa personalizada — GR 558 — e seu grande Audi branco reluzente é iluminado como um carro alegórico natalino. Se você estivesse envolvido em algo duvidoso, seria o último carro que gostaria de dirigir. É o mais chamativo possível.

Eles dirigem pelo vilarejo de Bowness. É o lugar mais movimentado do Parque Nacional no verão, mas, agora, nessas semanas mortas de meados de dezembro, não há ninguém por perto. As lojas estão fechadas. Joanne lembra que eles tentaram ficar abertos até as sete no ano passado no período que antecedeu o Natal. "Compre até tarde!", anunciavam, mas ninguém se importa nessa época. Não há dinheiro. Todos estão duros.

Ela vê Guy estacionar em uma vaga próxima ao Bargain Booze, então encosta a cerca de vinte metros de distância. Ele sai, desaparece lá dentro, e, em um minuto, está de volta, acendendo o que parece ser uma cigarrilha Café Crème. Em seguida, ele entra no carro e sai sem verificar o espelho, quase colidindo com um velho Peugeot 206 antes de dirigir colina abaixo.

Tiraram a neve e colocaram sal na estrada, mas, ainda assim, ele dirige rápido demais. Mesmo para os padrões de Joanne ele está dirigindo rápido demais. É uma estrada estreita, com carros estacionados do lado esquerdo, e, nessas condições, não há espaço para erros.

Mas Joanne consegue perdoá-lo. A filha dele foi sequestrada, ele tem direito de extravasar um pouco.

Ele se aproxima da pequena rotatória, onde deveria virar à direita. Se estiver voltando para casa, deverá virar à direita.

Não vira. Ele segue em direção ao lago, e, como se soubesse que está sendo seguido, vira rapidamente à esquerda em Brantfell Road.

— Merda — sussurra Joanne.

Brantfell Road é íngreme. Deve ter cerca de trinta graus de inclinação, e não tiraram a neve devidamente. Não é uma via principal, apenas leva a algumas casas, então não é prioridade. Guy Riverty desapareceu de vista por lá em questão de segundos, e Joanne não consegue que seu Mondeo encare nem a primeira parte da estrada.

Ela enfia o pé no acelerador e os pneus giram inutilmente. Há um velho, parado, olhando. Ele está com um velho Patterdale Terrier preto tremendo a seus pés. O homem balança a cabeça negativamente para ela. Então começa a fazer movimentos circulares com o dedo, dizendo para ela dar a volta, dizendo que não vai conseguir subir Brantfell.

— Sim, ok, ok — diz ela para ele, irritada.

Qual é o problema desses velhos?

Às vezes, eles param para observá-la fazendo baliza na rua onde mora, sacudindo as cabeças como se considerassem a vaga onde ela está tentando estacionar pequena demais. Nunca se vê uma mulher fazendo isso. Nunca se vê uma mulher parando para dizer que você está prestes a bater em algo ou tomando para si a responsabilidade de direcionar você, guiando como se você estivesse pilotando um maldito avião. As mulheres apenas passam direto quando ela está tentando estacionar em uma vaga apertada, talvez lançando um olhar de "antes você do que eu", mas nunca param para assistir.

Joanne se força para sorrir para o velho quando a verdade é que ela quer socar o painel. Ela o perdeu. Ela perdeu Guy Riverty de vista.

O velho se aproxima da porta do lado do motorista e faz sinal para Joanne abaixar o vidro.

— Muito gelo para você aqui, meu amor.

Seu nariz está roxo, seus olhos esbranquiçados e pálidos.

— Parece que sim — responde Joanne.

— Você poderia tentar a Helm Road, mas se fosse eu, deixaria o carro aqui embaixo. Eu não arriscaria.

O cachorro está olhando para Joanne. Ele está grisalho ao redor do focinho, um sósia do Spit the Dog. Joanne sorri para ele, sentindo pena por ele estar sendo arrastado por aí nessa friaca.

— O chão está bem congelado — diz o homem. — Eu só consegui descer usando isso. — E levanta o pé, mostrando as travas antiderrapantes de plástico que colocou na sola das botas. — São como pneus de neve para sapatos.

Joanne sabe que não vai conseguir subir a pé com seus sapatos de trabalho. Eles não são bons no gelo.

— Você vive na colina? — pergunta Joanne.

— Sim, em Belle Isle View. Eu não devia ter saído na verdade, quebrei a fíbula no inverno passado, mas Terrence fica irritado se não fizer sua caminhada noturna.

Parece que Terrence vai cair morto, pensa ela.

— Já viu aquele Audi branco por aqui? — pergunta ela.

— Aquele carro que acabou de subir?

— Sim.

— Acho que não. Não vive aqui, certeza. Conheço todo mundo que mora por aqui e ninguém tem um desses. Mas tem alguns Range Rovers. — Sorri. — Gente que não pode pagar por eles, apenas se exibindo. Calculo que todos vão sumir em breve, quando o dinheiro acabar. Estão todos no crediário, sabe.

— E não está tudo? — responde Joanne. — Então você não se lembra de ter visto aquele carro antes?

Ele balança a cabeça. E, então, a inclina para o lado, olhando meio intrigado para ela:

— Por que isso interessaria a você, de qualquer forma? É a mulher dele?

Joanne ri.

— Apenas curiosidade — diz ela, e o agradece.

Ela deixa o carro descer um pouco antes de tentar virar, as rodas girando um pouco mais do que ela gostaria, mas, finalmente, consegue.

Quando está prestes a voltar, o velho começa a gesticular da calçada. "Ótimo, mais conselhos de direção", pensa ela.

— Eu me lembrei de uma coisa — grita ele. — Nunca vi aquele carro por aqui antes, mas já vi o motorista. Ele dirigia algo mais espalhafatoso, não consigo dizer o quê, mas eu me lembro das cigarrilhas. Ele sempre tem uma na boca quando passa.

Joanne grita de volta:

— Muito obrigada! — E vê que ele está satisfeito por ter ajudado.

Joanne acena brevemente, e se vai.

— É você, Joanne, meu amor?

Joanne entra pela porta da frente e sente o calor. Ela vai direto até o termostato e o diminui. Tia Jackie transforma este lugar em um forno. Diz que nunca consegue se aquecer o bastante. Mas toda noite, assim que terminam de jantar, as duas apagam nos sofás com o calor. Como duas turistas em Magaluf depois de um almoço tardio e uma jarra de sangria.

Jackie Louca mora com Joanne faz quase um ano, desde que declarou falência. Pouco antes de ela se mudar, Martin, namorado de Joanne havia três anos, foi embora. Ele decidiu que não queria levar o relacionamento adiante.

Os amigos de Joanne a apoiaram, chamando-o de canalha, levando-a para encher a cara — a cura habitual para um coração partido. Todos tinham certeza de que ele tinha outra pessoa, alguma vagabunda em algum lugar.

Acontece que não tinha. Acontece que não havia nenhuma outra pessoa e ele ainda estava sozinho. Joanne lutava com isso internamente.

Ela não achava que poderia ser pior do que ser trocada por outra pessoa, mas era. Ela se sentia humilhada. Especialmente quando o viu em Windermere e ele fez uma expressão dolorosa, como se doesse fisicamente tê-la decepcionado daquela forma.

Joanne passou a mostrar o dedo do meio para ele quando se viam de longe. Bobeira, mas a fazia sentir-se melhor.

— Sim, sou eu — grita para Jackie, enquanto tira os sapatos.

A porta da sala se abre.

— Seu jantar está no forno — diz Jackie, braços cruzados sobre o peito. — Por que chegou tão tarde? Pensei que estaria de volta uma hora atrás.

— Me atrasei.

Tia Jackie fica engraçada de uniforme. Ela é cuidadora. Usa um vestido lilás, meia-calça branca e tamancos da mesma cor. E ela não é peso leve. Jackie passou por muito estresse no último ano e, como muitas mulheres, engole o estresse junto com qualquer carboidrato que encontre pela cozinha.

— Ouviu algo sobre a menina desaparecida? — pergunta Jackie.

— Sim, estive trabalhando nisso hoje. Eu e Ron Quigley estamos no caso.

Jackie está apoiada na porta da sala. Sua face está rosada. Ela provavelmente já bebeu alguns Bacardi Breezers.

— Acha que irão encontrá-la?

Joanne dá de ombros.

— Espero que sim. O que tem para jantar?

— Peixe empanado. Está um pouco seco. Tem molho tártaro na geladeira. Ah, e eu trouxe algumas tortinhas de morango para depois.

Joanne sorri para ela.

— Quantas você já comeu?

— Duas, mas guardei uma para você.

Jackie segue Joanne pela cozinha. É uma casa geminada no centro de Windermere. Dois quartos no andar de cima, dois cômodos no térreo com a extensão de uma cozinha nos fundos.

— Acabei de ver os pais da menina no noticiário. Como estavam quando você os viu? — pergunta Jackie.

— Destruídos. Apavorados. O que era de se esperar. O sobrenome deles é Riverty, você os conhece?

Jackie nega com a cabeça.

— Eles acharam que ela ficaria na casa da amiga depois da escola, mas essa amiga não foi para a escola no dia então... Um mal-entendido, sabe? Fui interrogar a mãe da garota com quem ela deveria estar, e...

— Qual é o nome dela? Ela é daqui?

— Lisa Kallisto.

Jackie fica boquiaberta e solta um suspiro.

— Você a conhece?

— Sim. Uma mulher gentil. Ela administra o abrigo de animais. Estive lá há alguns dias, deixando o gato de um cliente falecido. Levei alguns para ela no último ano... quando não pude deixá-los com parentes, quero dizer.

"Cliente" nunca parece ser a palavra certa para descrever as pessoas com quem Jackie lida. São idosos em suas casas; gente que precisa de ajuda para se levantar, se vestir e que precisa que esvaziem seus penicos. Sempre que Jackie menciona "um cliente", Joanne a imagina dando conselhos jurídicos ou preenchendo declarações de imposto de renda. Não limpando traseiros e cuidando de feridas nas pernas. Jackie pode ser difícil de lidar às vezes, mas Joanne sabe que ela é boa no que faz. Ela faz os extras que cuidadores mais jovens não fazem, como pintar as unhas das senhoras e ligar para biblioteca para pedir audiolivros... e realoca animais de estimação quando encontra "um cliente" morto na cama.

— Lisa Kallisto é uma batalhadora — diz Jackie. — Ela dá duro e se preocupa também. Ela ficará fora de si se pensar que causou isso.

— Elas são amigas, ela e a outra mãe. Boas amigas.

Jackie inspira por entre os dentes; o ar sibila.

— Isso é terrível — diz ela. — Imagine só! A filha de sua amiga some por sua causa. Isso é uma merda, é sim.

Mas Joanne não conseguia imaginar como seria, porque não tinha filhos. Ela os queria, mas não tinha muita esperança. Sabia de uma mulher no vilarejo que pagou para ser "inseminada", como ela mesma disse, em uma clínica particular em Chesire.

— *Inseminada*? — disse Jackie, em choque, quando Joanne contou a respeito. — Por que ela simplesmente não saiu e transou com alguém?

O filho de Jackie trabalhava no exterior. Dubai. Ele caiu fora depois de toda a confusão do ano passado e quase não ligava mais para a mãe. Joanne sabia que isso partia o coração de Jackie, mas ela nunca falava a respeito. Ela tinha muita vergonha de tudo o que tinha acontecido.

Joanne abre o forno e coloca o prato em uma bandeja. Comerá com ela no colo, na frente da televisão, assistindo a *Emmerdale*. Jackie está pegando o vinho na geladeira. Oficialmente, Jackie se limita a meia garrafa por noite (por causa das calorias), mas Joanne acaba descobrindo que ela bebeu a outra metade até o fim da noite sem perceber. Jackie a olha:

— Você acha que é o mesmo pervertido que estuprou e largou aquela menina em Bowness? Acha que é o mesmo cara?

— Estávamos trabalhando com essa hipótese, mas ele só ficou com a menina por algumas horas... e, então, a libertou.

— Então a de agora já deveria ter voltado a essa hora? É isso que você está dizendo?

# 14

É COMO SE TIVÉSSEMOS sido lançados em um novo mundo. Um mundo tão desconhecido e sombrio que não sabemos como sobreviver nele.

Joe, as crianças e eu estamos sentados ao redor da mesa da cozinha. Os dois mais novos, os meninos, estão engolindo a comida, competindo entre si, já que quem terminar primeiro voltará antes para o Playstation. Eles sentem o clima e mal podem esperar para fugir.

Sally e eu estamos brincando com a comida no prato. Não conseguimos comer. Joe está com fome, mas está calado. Ele ajudou nas buscas a tarde inteira e sairá novamente em uma hora. Eles se encontrarão na prefeitura para continuar procurando por Lucinda à noite. A equipe de salvamento na montanha se uniu à busca agora e trará cães, os mesmos Collies que usam para encontrar corpos sob a neve e presos em barrancos. Mal consigo me lembrar de ter colocado algum dinheiro na caixinha para eles recentemente. Como todos no ramo da caridade, eles estão batalhando por fundos.

Sally falou brevemente sobre ser interrogada pela polícia. Ela disse que o policial com quem falou foi gentil e ficou aliviada quando ele só quis que ela dissesse o que sabia. Acho que esperava ser repreendida, ser responsabilizada.

Sinto que há algo mais, no entanto. Sinto que ela está escondendo algo e estou esperando Joe sair de casa para pressioná-la. É assim que lido com Sally. Percebo imediatamente, no minuto em que coloco os olhos nela, se há algo errado. Mas aguardo. Eu aprendi. Posso perguntar se foi tudo bem na escola. "Alguma fofoca hoje?", e ela dirá que não. Mas então, mais tarde, quando eu estiver arrumando as coisas depois do jantar, preparando os sanduíches de amanhã, ela vem. E, depois de um leve estímulo, acaba soltando tudo.

O que não devo fazer se quiser ir a fundo é julgar seus amigos. Se eu disser *uma* coisa ofensiva, uma coisa que insinue uma crítica, ela se arma e se fecha. Ela é incrivelmente leal. Então vou com cuidado. E escuto.

Todos comemos besteiras durante o jantar; *nuggets* de frango, batatas fritas e feijões. Foi o melhor que consegui preparar nessas circunstâncias. Sally raspa as sobras de batatas de seu prato para as tigelas dos cães. Vejo que ela tira duas e coloca na outra tigela para que estejam distribuídas igualmente. Joe foi até o depósito de lenha nos fundos para certificar que terei estoque para a noite, e Sally se vira para mim.

— Mamãe?

— Hum.

— Você acha que Lucinda pode ter fugido com alguém, tipo, de propósito?

*Cuidado*, digo para mim mesma. *Vá com cuidado.*

Faço meu melhor para manter minha voz estável.

— Por que diz isso?

— Estava pensando, só isso... Quero dizer, não é como se ela fosse uma criancinha. Então seria meio difícil sequestrá-la.

Inclino minha cabeça para um lado, fingindo ponderar o que ela disse em vez de revelar o que estou realmente pensando, que é: "Você sabe de algo? Diga. O que você sabe?"

— Você tem razão — digo. — Seria difícil levar Lucinda contra a vontade dela em plena luz do dia, mas não creio que tenha acontecido assim. Acho que se um homem quis que Lucinda entrasse no carro dele, ele teria sido mais sutil que isso.

— Como?

— Bem, geralmente, o que acontece é que eles as enganam.

— Mas Lucinda não é burra. Ela não vai entrar no carro dele se ele disser que conhece a mãe dela ou algo do tipo.

Sei aonde ela quer chegar, porque era sobre isso que eu alertava meus filhos quando eram menores. Passa pela minha cabeça que há tempos não tenho essa conversa com Sam. E meninos são bobos. Eles não escutam quando você avisa. Você tem que ficar lembrando.

Você diz: "*Mesmo que* uma pessoa diga que conhece sua mãe, você não vai com ela, ok? *Mesmo que* ela diga "conheço sua mãe, ela se chama Lisa e me pediu para buscar você na escola hoje", *nunca, jamais* vá com ela. Procure um professor, tá?"

E eles olham para você com bom senso, e você pensa "sim, entrou na cabeça deles. Acho que entenderam".

Mas, em seguida, seus rostos mudam, há um brilho no olhar, e eles avisam: "Está tudo bem, mamãe, porque *se eu* entrasse no carro, iria bater nele! E socá-lo! E fazê-lo bater o carro. E aí eu correria! E ele nunca me pegaria porque sou muito, muito rápido e..."

E você sente um aperto no coração. Porque seu filho entrou no mundo da fantasia.

Paro o que estou fazendo e olho para Sally

— Eles não tentam enganar uma adolescente do jeito que enganariam uma criança, Sal. Eles falam com ela, a elogiam, eles... — Tento pensar em como colocar isso de modo que ela entenda onde quero chegar. — Um homem fingiria gostar de uma menina para enganá-la, e por ser mais velho e por adolescentes serem, em geral, inseguras, elas caem nessa. Elas acreditam no que eles dizem.

Não conto a ela que sequestradores realmente gostam de meninas adolescentes; essa parte não é um truque.

Sally começa a acenar com a cabeça.

— Entendo — diz ela baixinho.

Coloco minha mão em seu ombro.

— Amo você, Sal — digo, e suas pálpebras tremem.

Ela desvia o olhar, e percebo que está tentando dispersar as lágrimas que estão se formando.

— Está tudo bem — digo. — É normal que esteja chateada.

Ela parece tão jovem e vulnerável, e me dói vê-la assim. Seu mundo está mudando completamente e...

— Mãe, foi isso o que aconteceu! — Ela cai no choro. — Lucinda... Esse homem, ele vinha falando com ela na estrada depois da aula. E, bem, ela disse que iria encontrá-lo.

— Para *fazer o quê*? — questiono, atordoada.

— Eu não sei!

Eu me sento, o ar fugiu de mim.

— Por que você não nos contou? Por que manteve isso em segredo? Não dá para acreditar. Cristo, Sally, não ouviu nada do que falei para você?

— Sim, mas...

— Mas o quê?

— Lucinda não queria que ninguém soubesse. Ela não queria que a mãe dela...

— Jesus, Sal, isso vai *além*. Vai além de manter um segredo. Você percebe isso, não?

Ela está chorando.

— Não grite — soluça.

Joe volta para dentro.

— O que está acontecendo? — pergunta ele.

Eu me viro para ele.

— Não diga nada, só um instante. Apenas fique aí.

Ele para, no meio do caminho, paralisado. Está segurando o grande balde de plástico cheio de lenha; nem sequer o coloca no chão.

— O que aconteceu? — pergunta ele calmamente.

— Lucinda vinha encontrando um homem e Sally sabia.

— Você contou à polícia? — pergunta ele.

Ela sacode a cabeça.

— Não.

— O quê? — grito. — O que há de *errado* com você?

— Eles não me perguntaram! Não perguntaram sobre isso, e eu não queria chegar e contar, porque a mãe dela não sabe, e se ela me culpar quando...

— E se ela culpar você? Sally, ela provavelmente está morta. Morta. Entende isso? Ninguém vai estar nem aí para culpar você. Mas *agora* eles podem.

— Chega — diz Joe, e eu o encaro.

— Não a proteja, Joe. Ela devia ter contado antes.

— Que diferença faria? — pergunta ele.

— Bom, para começar não haveria três grupos de buscas diferentes. *Você* — digo, apontando para ele — não teria perdido tempo procurando pelos arbustos e florestas em sabe-se lá quantos graus negativos quando é óbvio que ela não será encontrada em nenhum lugar próximo daqui. — Fecho os olhos. — Merda — digo. — Merda!

Sally chora desesperadamente, e eu sei que deveria parar, mas não consigo acreditar que ela tenha sido tão burra a ponto de guardar isso para si.

Olho para ela rispidamente.

— Me dá o telefone. Vou ligar para Kate.

Joe coloca a madeira no chão.

— Espere — diz ele.

— Por quê? Ela precisa saber.

— Ligue para a polícia primeiro. Ligue para aquela detetive, fale com ela primeiro. Depois, ligue para Kate.

Ligo para a detetive Aspinall e cai na caixa postal.

— É Lisa Kallisto. Por favor, retorne a ligação assim que ouvir esta mensagem.

Então respiro e olho para Sally. Ela não consegue me olhar nos olhos.

— Por que não nos contou isso, Sal?

Seus ombros sobem e descem duas vezes.

— Porque não é sempre do jeito que você acha que é — soluça ela. — Você pensa que todos são como nós, acha que todos são como eu... E não são.

— Não entendo o que você está dizendo... Diga o que você quer dizer.

Ela olha para Joe e morde os lábios.

— Prefere me dizer isso sem seu pai aqui?

Ela assente.

Lanço um olhar para Joe e ele se encolhe porque não tem escolha.

Ele sai, e eu digo:

— Ok, continue. Pode me dizer, não vou ficar brava, desculpe por ter ficado brava. Foi frustração, só isso. E estou com medo também, Sally. Foi por isso me exaltei.

— Você pensa que, como não tenho um namorado e nenhum dos meus amigos namora, todos na escola são inocentes. E não são. Não são mesmo, mãe.

— Eu sei, querida. Há um mundo de diferenças entre as meninas de 13 anos. Era a mesma coisa quando eu estava na escola. Algumas já faziam sexo, mas a maioria não.

Ela se encolhe quando digo a palavra "sexo". Tentei, no último ano, pensar em uma maneira diferente de dizer isso, mas tudo parece ridículo, então é isso que temos.

Sally assoa o nariz.

— Há uma pressão sobre nós. — Ela funga. — Os meninos ficam rindo de nós se não *fizemos* nada, ficam dizendo que nós...

Ela para de falar. Em vez disso, ela diz:

— É difícil, mãe. É muito difícil às vezes. Eles tornam isso insuportável.

Os apuros da adolescência. Ninguém sabe como é difícil. Especialmente sua mãe.

— Eles não param de nos perturbar. Eles andam chamando Lucinda de riquinha frígida, e ela odeia.

Entendo por que os rapazes implicam com Lucinda. Ela pode parecer meio arrogante e passar um ar de superioridade às vezes. E ela fala de um jeito diferente das outras crianças. Em parte, é porque Kate costumava mantê-la em uma escola particular, e, em parte, por causa de Guy. Guy não é daqui, é do Sul, então Lucinda e Fergus prolongam as vogais e imitam seus padrões de fala, coisa que Kate sempre incentivou.

Explico para Sally que esses meninos, esses garotos insuportavelmente cruéis e horríveis — os encrenqueiros, como ela os chama — são os mesmos que irão querer ficar com ela em um ano, e essa é apenas a maneira deles de chamar atenção. Mas ela descarta isso completamente e olha para mim como se dissesse "Você está louca?". Então deixamos isso para lá.

Pego o telefone e ligo para Kate.

Pressiono as teclas com força. Sally está de pé, destruída, a meu lado.

— Diga a ela que sinto muito — sussurra, e eu assinto. É claro que direi.

Mas o telefone chama e chama.

Grito para Joe:

— Como pode ninguém atender ao telefone na casa de Kate? — e ele volta da sala, o cheiro de óleo dos acendedores e de lenha entra na cozinha junto com ele.

— Deixe tocar — diz ele. — Eles devem estar lidando com o grupo de buscas ou a polícia.

Assim o faço. Deixo tocar trinta vezes. Em seguida, ligo para o celular dela. Ela também não atende.

*Ele esteve observando o suficiente para escolher o que o excita sem ter que estudá-las por muito tempo. É quase imediato.*

*A diferença entre elas é chocante, quase como se não fossem da mesma espécie. Como raças de cachorro, supõe ele. Todas diferentes. Altas, baixas, gordas, magras, e em quase todos os tons.*

*Engraçado como você não sabe o que o excita antes de experimentar. Ele tinha uma ideia, mas foi somente após provar que apurou sua preferência. E quem sabe talvez mude depois de um tempo. Talvez experimente uma dessas garotas pálidas de pernas longas. Veja como se sente apreciando a pele macia e branca de suas coxas. Descubra se é tão fria quanto parece.*

*Mas isso fica para depois. Por enquanto, ele fez sua escolha e, tem que ser honesto, foi ridiculamente fácil. Foi como se ela estivesse esperando por ele. Como se quisesse falar com ele, conhecê-lo. Ela estava um pouco reticente a princípio, mas ele preferia assim. Nunca gostou de meninas barulhentas; achava a deselegância pouco atraente, o linguajar repugnante. Elas passavam uma sensação feia, desagradável que o fazia querer fugir, ir para casa, direto para o banho.*

*Ele encontrou muitas mulheres assim no trabalho. Funcionárias temporárias vindas do Sul que pensavam que suas bocas sujas a la Kerry Katona o levariam direto para dentro de suas calcinhas. Elas o enojavam. Ficavam para lá e para cá falando, apoiando-se nos aquecedores, enquanto ele verificava o trabalho delas. "Deixe o calor aquecer meu rabo!" Elas riam, e ele tinha que desviar o olhar.*

*Uma ficou dando em cima dele na última semana. Chelseigh, de Crewe. E, sim, soletra-se assim mesmo. Ela ficava atrás dele, começava a roer as unhas enquanto ele tentava ler algo, e ele podia ver as cutículas malfeitas, a pele inchada na ponta dos dedos que ela havia mordido até sangrar, e queria poder dar um soco nela. Mas não o faz porque, um, teria que tocá-la (algo que ele não suportaria), e dois, seria indigno perder o controle assim, a menos que fosse absolutamente necessário. Ela pediu a ele que desse uma olhada em uma mancha de umidade em seu quarto na residência dos funcionários, e, quando ele entrou, ela sentou-se na cama de solteiro fazendo perguntas, passando a língua pelo lábio inferior enquanto falava. Era como se achasse que ele fosse pular em cima dela ali naquele momento. E, quanto mais a ignorava, mais sugestiva, mais rude e mais desavergonhada ela ficava.*

*Chelseigh disse que gostava dele porque era tímido. Quando disse a palavra "tímido", ela abriu a boca, fazendo biquinho com o lábio inferior. E ele pensou em todas as idiotas famosas que fazem o mesmo bico sempre que são fotografadas. Qual era o propósito disso? Mostrar que elas estavam a poucos segundos de pagar um boquete de graça? Patético.*

*Chelseigh confundiu rejeição com timidez. Porque, quando ele estava onde queria estar, e com quem queria estar, não era tímido, era encantador.*

*Tudo o que ele tinha que fazer era baixar o vidro da janela do carro e capturar a atenção delas...*

# 15

COLOCO AS CRIANÇAS na cama. Os meninos dividem o quarto e, ao entrar, tenho que caminhar por entre a bagunça. O chão está repleto de controles de Wii, peças de Lego, DVDs dos Simpsons (fora das caixas), pacotes de salgadinhos. Uma toalha molhada repousa nos pés do beliche.

— Boa noite, querido — digo para ele. Não tenho permissão para beijá-lo.

— Boa noite, mãe.

Eu me abaixo e arrumo as cobertas de Sam na cama de baixo. Ele está deitado, olhos bem fechados e um sorriso quase desdentado. Ele ainda não perdeu nenhum dente. Seus dentes de leite estão desgastados em pequenos cotocos.

— Mamãe — diz ele, sem abrir os olhos —, você sabe a tabuada?

— Um pouco — digo a ele, e lhe dou um abraço apertado e um beijo na bochecha. Ele ainda tem as bochechas gostosas de um bebê; ele tenta se desvencilhar enquanto o beijo com vontade, forte demais.

Quando vou ao quarto de Sally, encontro-a deitada de lado, ainda totalmente vestida. Seu rosto está manchado de lágrimas, e seu olhar é de total desespero.

— Vamos lá, Sal, você precisa dormir.

Ela concorda, mas não se mexe.

— Estou com medo, mãe — diz ela, e respondo que sei disso. E a abraço.

Quando ela se acomoda, desço e tento ligar para Kate de novo, mas ninguém atende. Penso na nossa conversa mais cedo naquela tarde, tentando lembrar se ela disse que não estaria em casa à noite. E, mais uma vez, estou cheia de admiração pela pessoa que ela é.

Como é possível não culpar alguém nessas circunstâncias? De onde ela tira forças não apenas para me receber em casa, mas para me reconfortar dizendo que o desaparecimento de Lucinda não é minha culpa?

Não foi a primeira vez que Kate me mostrou a profundidade de sua compreensão. Não foi a primeira vez que ela fez o resto de nós parecer primitivo.

Nunca discutimos aquela noite, Kate e eu. Nunca discutimos o fato de ela ter me visto com o marido da irmã, Adam, no chão do banheiro depois daquele jantar.

Ela nunca trouxe o assunto à tona ou me pediu explicações.

E, a princípio, eu *realmente queria* me explicar.

A princípio, pensei que morreria se *não* colocasse as palavras para fora. Eu precisava dizer *algo* a ela, dar uma explicação do que aconteceu, de como acabamos naquela situação. Mas, cada vez que a encontrava sozinha, tentava falar e ela se esquivava. Não há outra palavra para isso: ela se esquivou de cada tentativa que fiz de explicar meus atos.

Então, com o tempo, parei. À medida que os meses passavam, percebi que nem ela nem Adam tinham a intenção de trazer aquela noite à tona novamente, e aprendi a enterrar aquilo junto com eles. Peguei as deixas de Kate, que pareciam dizer: *deixe isso para lá*.

Mas, diferentemente deles, eu não conseguia fazer isso. A culpa e a vergonha fervilhavam dentro de mim.

Joe sabia que havia algo errado, mas atribuía ao meu cansaço. Cheguei perto de contar para ele inúmeras vezes. Mas assim que eu achava que não conseguiria mais suportar e tinha de confessar, no último segundo, eu não o fazia.

Gosto de pensar que é porque a ideia de destruir o nosso casamento era dolorosa demais, e creio que isso seja verdade até certo ponto. Mas a verdade é que sou covarde — uma covarde que foi perdoada pela amiga, que, por alguma razão, decidiu não me dedurar.

Certo dia, no entanto, percebi que *tinha* de falar com Kate sobre aquilo. Foi há cerca de um ano. Kate e eu estávamos na competição de natação, e não sei o que provocou isso, mas, de repente, não consegui mais segurar.

O barulho na arquibancada era caótico. Kate e eu estávamos cercadas de pais, todos nós gritando palavras de incentivo para nossos filhos de 6 anos. As crianças, na beira da piscina, estavam com os olhos esbugalhados em seus óculos de proteção, magrelos, membros brancos tornando-se um azul pálido no ar frio e úmido.

Eu me dirigi a Kate:

— Por que você nunca contou para Alexa o que aconteceu?

— O quê? — perguntou ela.

— Você *sabe* — falei, disfarçadamente. — Aquela noite em que Joe e eu fomos jantar, e você viu Adam e eu no banheiro.

O rosto de Kate ficou sério, mas ela continuou com os olhos focados na piscina.

— Todas as vezes que tentei falar com você sobre isso, você não deixou. — Então baixei minha voz e inclinei-me na direção de seu ouvido. — O que você *pensou* de mim, Kate?

Acima dos gritos, ela disse simplesmente:

— Pensei que você estivesse se sentindo solitária.

— Só isso?

Ela balançou a cabeça.

— É isso? Foi tudo o que você pensou?

Relutante, ela disse:

— Achei que minha irmã tinha maltratado você. Achei que ela a maltratou quase a noite toda, fazendo você se sentir insegura, e achei que ela fez o mesmo com o marido... E, então, inevitavelmente, vocês encontraram conforto um no outro.

Olhei para ela, surpresa com a forma sensata como falava sobre o que tinha acontecido naquela noite.

— Por que você não nos expôs?

— Porque eu não suportaria ver nenhum de vocês destruir o que tem, apenas por um momento de julgamento ruim. Seria errado acabar com duas famílias por uma indiscrição e, certamente, não era o meu dever fazê-lo... Se você ou Adam decidissem que *queriam* se expor, então seria com vocês. Mas eu não queria que nenhum de vocês pensasse que teriam de fazê-lo por minha causa.

Ela se voltou novamente para os nadadores.

— Obrigada — eu me peguei dizendo, indevidamente. E nunca mais falamos sobre esse episódio.

Dou uma olhada no relógio agora e vejo que já passa das nove. Pegando o telefone, tento falar com Kate mais uma vez. Finalmente, ela atende e diz que precisou ir ao Booths comprar algo para o jantar.

— Booths? — digo — Você foi ao supermercado? Hoje?

— Sim, Lisa. Ainda precisamos comer.

— É claro — murmuro em resposta. — Eu deveria ter levado algo para você — digo, e soa como o gesto patético que é.

Kate dispensa, como se eu já não a estivesse decepcionando de todas as formas possíveis. De qualquer jeito, quando penso, o que poderia ter dado a ela? *Nuggets* de frango? Kate não alimentaria sua família com uma porcaria dessas, não importa a circunstância.

Eu suspiro.

— Kate, você precisa se preparar — digo cuidadosamente, e, quando ela não fala nada, continuo para acabar logo com isso. — Sally nos disse mais cedo que Lucinda pode ter fugido com alguém. Alguém mais velho. Um homem.

Ela ainda não fala nada.

— Kate, você está aí?

— Estou aqui — diz ela, e consigo ouvir o medo claramente em sua voz.

— Liguei para a detetive Aspinall, deixei uma mensagem contando o que Sally disse. Acredito que ela deva ter tentado falar com você também.

— Sim — é tudo o que ela diz.

Imagino Kate em pé em seu adorável saguão de entrada, ao lado da mesa do telefone. As fotos de família, as de Lucinda e Fergus crescendo à medida que os degraus se sucedem. Eu a vejo olhando para as fotos, ouvindo minhas palavras, sentindo como se suas entranhas tivessem sido arrancadas.

— Sinto muito, Kate. Deus, como família, decepcionamos muito você. Não consigo descrever como me sinto e como queria poder *fazer alguma coisa*.

Ouço Kate respirar profundamente.

— Por que Sally não contou antes?

— Ela estava assustada. Teve medo de que, se você descobrisse, as coisas piorariam. Lucinda a fez prometer que não diria a ninguém. Ela sente tanto, Kate. Já briguei com ela por causa disso, como pode imaginar, mas é um pouco tarde demais agora.

— Não seja tão dura com ela... Eu... Eu... acho que já sabia.

Minha voz está suave.

— É? Como?

— Não tenho certeza. Sabe como, às vezes, você apenas sabe? Você sente que algo não está certo, consegue perceber que eles estão aprontando. Eu perguntei algumas vezes se ela estava bem, mas não a forcei a colocar para fora...

— Não dá para fazer isso com meninas... Quanto mais você pressiona, mais elas se fecham.

Ela concorda.

— Acho que eu estava esperando ela me dizer o que estava acontecendo e — sua voz treme enquanto revive isso —, meu Deus... Lucinda e eu somos *melhores amigas*, Lisa. Eu não deveria ter esperado, não é? Se tivesse sido Fergus, eu o teria forçado a me contar. Meu *Deus!* — diz ela novamente, chorando.

— Kate? Você está sozinha? Quer que eu vá até aí?

— Não — responde ela. — Guy está aqui. Ele não foi para a busca. É muito difícil para ele. Ele tem medo de achá-la. Sei o que ele está pensando. E, de qualquer forma, Alexa estará de volta logo. Ela só saiu para servir o jantar para Adam e colocar as crianças na cama. Ela vai passar a noite aqui. Ela tem sido maravilhosa com Fergus. Eu não conseguiria lidar com ele hoje, não desse jeito.

Kate fica em silêncio e ouço sua respiração desolada.

— Lisa? — diz ela.

— Estou aqui.

— Vou desligar agora. Realmente preciso chorar, ok?

— Ok — respondo, e a linha fica muda.

Esfrego as mãos no rosto e olho ao redor. Dois cães estão dormindo no sofá em frente. Tem um gato aninhado na camisa xadrez de Joe na poltrona. Ligo a TV, tentando me distrair dos meus pensamentos e mudo para o Sky Plus.

Vejo que Joe gravou *Kes* de novo. Duas vezes. Tem *Blade Runner: O Caçador de Androides* — algo que ele assiste quase todo mês. Dois episódios de *Nazis: A Warning from History*. E uma seleção de antigas partidas de futebol da ESPN.

Por um segundo, isso me faz sorrir.

Eu me lembro de Kate vindo à nossa casa uma vez e, ao ver Joe assistindo a um jogo de 1977 do Manchester United contra o Liverpool, Kate, totalmente perplexa, disse "Isso é esporte *antigo*?" e olhou para Joe, como se houvesse algo errado com ele. "Por que você assistiria a *esporte antigo*?", perguntou ela. "Você já não sabe quem venceu?"

Joe apenas sorriu.

Mudo de canal e meu coração para quando vejo Kate e Guy no noticiário. Aperto o botão de desligar automaticamente porque não consigo assistir. Simplesmente não consigo.

Eu me levanto, incapaz até de encarar a tela preta sabendo que os dois estão realmente dentro da TV, e vou para a cozinha. De cabeça baixa na pia, começo a rezar. Rezo a Deus que eu não passe o resto da vida pedindo desculpas para Kate porque a filha dela nunca voltou para casa.

E, então, faço a única coisa que *posso* fazer. Bebo.

# DIA DOIS

## Quarta-feira

# 16

ONTEM, ACORDEI SENTINDO pena de mim mesma porque estava cansada.

É isso. Nada de errado no meu mundo, exceto o fato de eu estar cansada. "*Jesus*", sussurro no travesseiro.

Ouço passos subindo as escadas. O tilintar de louças. Joe aparece, trazendo meu café da manhã.

— É torrada — diz ele — em um prato.

Consigo dar um meio sorriso.

Joe odeia todos os programas de culinária com os quais somos bombardeados, aquela comida metida a besta que nunca cozinharemos.

Ele odeia especialmente quando Nigella finge assaltar a geladeira no meio da noite. Sabe, é como se devêssemos pensar que a comida dela é tão deliciosa e ela é tão feliz celebrando suas curvas que simplesmente não consegue resistir. Joe assiste a essa pequena farsa e diz: "Você não acha que ela ficaria apavorada por ainda ter um cinegrafista na cozinha dela?".

— Como você está se sentindo? — pergunta ele.

— Péssima — respondo. — Bebi demais. Não me contive. A que horas você voltou?

— Depois da meia-noite. June nos fez um ensopado e nos deu uma caneca de cerveja de graça.

June é a dona do *pub* do vilarejo.

— Legal da parte dela — digo.

— Sim, bem, parecia que estávamos no automático depois de um tempo, então demos a noite por encerrada.

— Por causa do que Sal disse?

Ele assentiu.

— Sim. Ninguém realmente acredita que Lucinda vá ser encontrada por aqui. Eles estão apenas fazendo isso por Guy e Kate, para apoiá-los.

Tento me sentar, mas a dor na minha cabeça me derruba de volta.

— Fique aí — diz Joe. — São só seis e meia, não precisa levantar agora. Vai ao trabalho hoje?

— Tenho que ir.

— Vou acordar as crianças. Você tem mais meia hora.

— Joe?

— Hum.

— O que as pessoas estão dizendo? O que estão dizendo sobre mim? Acham que é minha culpa?

Ele dá de ombros.

— Se acham, não vão me falar.

— É mesmo... Joe?

Ele para.

— O quê?

— Pensei que ela já estaria de volta a essa altura. Pensei mesmo que ela estaria de volta em casa.

Ele sorri gentilmente para mim, com um olhar triste.

— Eu também, querida.

Ontem à noite, bebi até que tivesse certeza absoluta de que não conseguiria tomar outro gole. Eu queria ter certeza de que desmaiaria. Não deixei espaço para pensamentos. Queria que meu cérebro parasse.

Agora, obviamente, estou pagando por isso.

Sinto meu estômago revirar e estou tremendo demais para me mover. Tenho medo de ficar de pé e cair.

Fico na cama um pouco mais. Talvez eu melhore. Talvez eu consiga me safar dessa. Quase sorrio com as mentiras que estou dizendo para mim mesma. Meu corpo precisa de um expurgo, consigo perceber, e, ainda assim, finjo que não há nada de errado. Fico quente de repente e sei que agora preciso me mexer. Devo acabar logo com isso, penso, enquanto corro para o banheiro, cambaleando contra a parede.

Duas horas depois, estou a caminho do trabalho. Joe levará Sam à escola e, então, irá à Lancaster Infirmary para levar um de seus passageiros regulares para uma sessão de fototerapia contra vitiligo. Eu disse a ele que daria uma passada na Asda, em Kendal, e compraria alguma coisa para o jantar. Como Kate disse ontem à noite, ainda temos que comer.

Pensei que Sally imploraria para ficar em casa hoje, mas não. Ela parecia melhor esta manhã, apesar de não ter comido nada no café da manhã. Acho que precisa estar com os amigos. Ela precisa falar com eles, não comigo. Tentei tirar um pouco mais de informações dela, tentei fazer com que me dissesse qualquer coisa sobre o comportamento de Lucinda ultimamente, mas ela não colaborou. Não sei dizer se está escondendo algo mais ou se está se sentindo tão mal que simplesmente não consegue falar sobre Lucinda.

Estou dirigindo bem na direção do sol. O dia está absurdamente claro. Uma clareza alpina. Todos os lugares ainda estão cobertos de neve. Está tão frio que ainda não há lama, e mesmo a neve que se acumula no acostamento é quase tão branca como quando caiu, com apenas um pouco de sujeira por causa da passagem dos carros.

Normalmente, eu estaria radiante em uma manhã dessas, alegre em meio a tanta beleza. Estaria escutando as notícias do trânsito sobre aqueles pobres coitados em Londres presos em congestionamentos de quatro horas, e continuaria em frente, sorrindo e feliz. Hoje, porém, não percebo a beleza. Hoje, o sol parece uma dor aguda e violenta.

O para-brisa está cheio de sal e não há anticongelante no meu limpador. Tive que encostar o carro três vezes e lavar o vidro manualmente com uma garrafa de Highland Spring — água que trouxe comigo para consumo. Estou rezando para não ser parada pela polícia. Não apenas estou dirigindo de forma insegura, sem visão limpa, mas cheiro como se estivesse fermentando. Se eles sentirem um pouco do meu odor, terei que fazer o teste do bafômetro e serei taxada para sempre como uma dessas mães bêbadas, ainda embriagadas da noite anterior.

Mesmo com luvas, minhas mãos estão congelando no volante. Não há vento, mas o ar ainda é denso. O frio está penetrando em tudo, rastejando pelas paredes de pedra de nossas casas, pela lataria do meu carro.

Chego a Asda às 8h45 e o estacionamento está bastante cheio com os compradores de Natal. Vejo uma mulher na faixa dos trinta e poucos anos sair de um Vitara que estacionou em uma vaga para pais com filhos. Ela está sem criança alguma, e estou morrendo de vontade de confrontá-la. Ela passa um ar de antipatia. Sabe que está errada, mas não está nem aí.

No fim das contas, consigo parar no estacionamento abarrotado que só fica desse jeito no Natal ou na véspera da Páscoa.

Não fiz nenhuma lista, mas meu plano é este: comida congelada, em grande quantidade.

Foi por isso que saí da minha rota e dirigi até a Asda. É mais barato para esse tipo de coisa. Não estou em condições de comprar ingredientes e começar do zero. Então vou facilitar. Um monte de comidas prontas e coisas para os sanduíches de amanhã. É isso. Joe pode fazer compras decentes no sábado.

Vejo mães felizes, carregadas de coisas para o Natal — nozes, figos secos, tâmaras, garrafas de dois litros de Coca-Cola.

Há uma mulher perto da geladeira onde quero ir; ela está com três crianças com menos de 4 anos no carrinho. Normalmente, eu pararia e sorriria para as crianças, faria caretas. Seria simpática com a mãe, dizendo "imagino como deva ser", ou algo do tipo. Mas, hoje, meu rosto mal percebe a presença deles. Só consigo pensar em Lucinda. Onde ela está? E quem é o homem mais velho com quem ela vinha falando?

Pego três *kormas* de frango com arroz, um *madras* para Joe, em que ele pode colocar sua própria pimenta, e um *dopiaza* para mim.

Quando saio para comer com Joe e o garçom pergunta: "Em uma escala de um a dez, quão apimentado você quer o seu prato?"

Joe responde: "Vinte".

E ainda leva pimenta extra.

Incomodava-me a forma como ele colocava pimenta em todos os pratos que eu preparava. "Mas como você ainda consegue sentir o gosto?", perguntava eu, zangada por ele estar, de certa forma, desperdiçando o meu esforço. Mas, agora, não me importo. Só me incomoda quando estamos em grupo e os homens entram em um tipo de competição de machos para ver quem consegue comer as pimentas mais fortes (mas de maneira velada). É coisa de criança. Parecido com quando competem para ver quem é mais torcedor do Manchester United. Joe entra nessas competições também.

Paro para refletir sobre como estou pensando nessas coisas sem noção enquanto passo o cartão de débito pelo caixa de autoatendimento. E, então, do nada, assim que vou sair da loja, um segurança se aproxima e pega minha bolsa.

— Por aqui, senhora — diz ele, guiando-me pelo cotovelo.

Fico imóvel.

— O que você está *fazendo*? — digo para ele, incrédula, mas ele ignora minha pergunta e me puxa pelo caminho, mais ou menos do mesmo jeito que eu lidaria com um cachorro relutante e apavorado.

Eu me permito ser levada até uma porta próxima aos banheiros, uma porta de compensado marrom, sem placas, que eu nunca tinha notado antes. As pessoas param para olhar. Algumas fingem não olhar, discretamente por trás da banca de jornal, próximo às caixas empilhadas de Stella Artois, perto da entrada. Algumas estão simplesmente encarando.

— Por favor — digo para o segurança —, você cometeu um engano.

Ele é um sujeito grande e posso sentir o odor do suor de vários dias nele. Ele não fala. Apenas abre a porta e orienta que eu me sente à mesa, onde há um homem magro de terno. Na verdade, é só um menino. O colarinho está largo ao redor do pescoço e os sapatos são os mesmos que meu filho de doze anos usa para a escola. Ele está com uma expressão de satisfação.

— Posso saber o seu nome? — pergunta ele.

— Se você disser por que me fez parecer uma idiota me trazendo aqui — respondo.

— Achamos que você está furtando.

Estou a ponto de ter um acesso de raiva, prestes a bombardeá-lo com insultos, mas, no último segundo, eu paro. Porque, na verdade, não estou em condições de gritar hoje. Minha cabeça está me matando, minha boca está seca e, se eu não tivesse ficado bebendo ontem à noite em minha própria casa, teria certeza de que roubei alguns cigarros de alguém. E daqueles fortes, Regal ou Embassy Number 1s.

Minha língua gruda no céu da minha boca enquanto pergunto se vai demorar muito, mas não digo isso com raiva. Digo calmamente. De um jeito triste, como se eu fosse realmente culpada de furto, tal é o meu estado de espírito.

— Não se você estiver disposta a cooperar com a gente, senhorita...?

— Lisa Kallisto. Senhora.

Ele aperta os lábios, aponta para as minhas duas sacolas.

— Se eu puder fazer você esvaziar estas sacolas aqui na mesa, poderemos dar uma olhada no que você tem.

Olho para ele, cansada. Por dentro, estou pensando que eu poderia curtir as desculpas que ele está prestes a me pedir. Talvez, se este fosse outro dia.

Fico de pé. Tiro um pacote de batatas fritas Walkers, um pão Best of Both Hovis — minha tentativa de colocar discretamente alguma fibra na dieta das crianças — e um pacote de presunto defumado que deixa os gatos loucos.

Levanto os olhos, ergo as sobrancelhas.

— Paguei por tudo isso — falo para ele. — Gostaria de conferir minha nota?

— Isso não é necessário. Por favor, esvazie a outra sacola, Senhora Kallisto.

Uma caixa de suco de laranja Tropicana (sem gominhos), as cinco refeições prontas — isso está ficando cansativo, eu penso, e então...

— Ah, merda.

Olho para a mesa. Baixo a cabeça e cubro o rosto com as mãos.

— Ah, merda — digo de novo.

Quando olho através dos meus dedos, ele está olhando para mim como se dissesse "*e então?*".

Começo a rir.

— Não acho isso muito engraçado — diz ele.

— Você acharia se fosse eu.

Simplesmente peguei e guardei a caixa de doações para caridade, que fica do lado do caixa. Coloquei na sacola junto com o resto das compras.

— Tem havido uma enorme quantidade de caixas de doações desaparecidas — diz o garoto, de forma controladora. — Duas latas com doações para os veteranos foram roubadas mês passado, e, como pode imaginar, os clientes desta loja estão indignados. Garanto que levaremos isso muito a sério. A polícia chegará em breve para interrogá-la, já que esta é a terceira caixa que...

Eu o interrompo.

— A caixa é minha —digo.

— Desculpe?

— A caixa é minha —repito.

Viro o cilindro amarelo para que ele possa ver o que está escrito na frente. Aponto para o texto.

— Santuário Animal Rescue Me. É onde trabalho. Eu administro o local. Estou a caminho de lá agora.

Ele me olha com suspeita.

— Estou certo de que você entende que temos que seguir um procedimento aqui, e isso é muito sério...

— Não, não é. Não é nem um pouco sério. O que tem aí? Quatro, talvez cinco libras? Pareço o tipo de pessoa que roubaria isso? Pareço tão desesperada que preciso...

Não me incomodo em terminar a frase. Apenas olho para ele.

— As pessoas nem sempre roubam porque precisam, senhora Kallisto. Elas o fazem porque têm o *impulso* de roubar. Às vezes, não há nenhuma razão para isso. Elas não precisam necessariamente estar em circunstâncias extremas. Veja Antony Worrall Thompson.

— Bom argumento — cedo. — Mas não sou Thompson ou Winona Ryder, ou seja lá quem você resolver usar como exemplo de cleptomania. Sou uma mãe que está tendo uns dias de merda, que bebeu Rioja demais ontem à noite e não está pensando direito. Coloquei essa coisa na minha sacola automaticamente sem sequer perceber. A filha da minha melhor amiga está desaparecida há duas noites e, bem, dá para imaginar o que está se passando pela minha cabeça...

Ele solta um suspiro. Olha para o segurança, que continua impassível. Após um momento, diz:

— Você tem alguma identificação que prove que trabalha no abrigo de animais?

Afasto a lapela do casaco. Estou vestindo uma camisa polo verde-garrafa com uma pata laranja impressa sobre o lado esquerdo do meu peito. Acima da pata, diz "Rescue Me!" em uma fonte alegre e infantil.

Ele está indeciso sobre o que fazer. Sinto que provavelmente precisa falar com um superior, mas não quer parecer um otário depois de fazer um procedimento tão burocrático.

— Escute... por favor — digo. — Sinto muito, muito mesmo. Mas não sou eu o ladrão.

Ele aperta o maxilar.

— Pode ir — murmura ele.

Pego as sacolas com a mão esquerda, fecho a gola do casaco para proteger meu pescoço do ar frio lá de fora e, quando estou prestes a sair, levanto a caixa de doações na altura dos olhos e dou uma sacudidela.

— Volto para pegar isso na semana que vem, tá? — pergunto. — Trago mais algumas vazias?

E ele não responde, apenas parece meio derrotado.

Enquanto saio pelas portas automáticas, não resisto e dou um pulinho triunfante.

Então entro no carro e começo a chorar.

# 17

O INSPETOR DE POLÍCIA Ron Quigley está no banco do carona do Mondeo de Joanne comendo um folhado de carne do Greggs. Farelos caem entre os assentos, dentro daquela parte difícil de alcançar ao lado do freio de mão. São 9h20, e o cheiro está deixando Joanne enjoada.

— Como você consegue comer carne no café da manhã?

Ron dá de ombros.

Na noite passada, Joanne e Jackie estavam assistindo a um programa sobre o consumo de álcool dos britânicos. A tendência agora mudou, de forma que não se bebe mais de vez em quando, mas *constantemente.*

Joanne e Jackie olharam uma para a outra, duas garrafas vazias de Merlot na mesa, e Jackie disse:

— Duas taças de vinho por dia fazem bem. Duas unidades de álcool por dia, duas vezes sete, são quatorze unidades por semana. Estamos apenas bebendo nossa cota, Joanne. Mulheres podem beber quatorze unidades. — E Joanne concordou plenamente.

Apesar de que ela não mencionara as garrafas extras que cada uma bebia nos fins de semana. Nem os Bacardi Breezers que Jackie entornava antes de começar efetivamente a beber.

E, de qualquer forma, Joanne e Jackie bebendo uma garrafa de vinho nem passava perto do que Joanne vira no fim de noite nas ruas de Kendal: mulheres saindo trôpegas dos bares, vomitando em latas de lixo, a maioria, se não todas, reclamando que alguém tinha batizado suas bebidas quando, na verdade, estavam apenas muito, muito bêbadas.

Joanne atribuía isso ao fato de as mulheres terem mais dinheiro hoje em dia. As mulheres da geração de sua mãe não saíam para beber do mesmo jeito porque não tinham dinheiro para isso.

O médico na televisão perguntou à repórter quantas unidades ela achava que havia em uma garrafa de vinho, e ela respondeu "Seis?". Ele sacudiu a cabeça: "Há dez unidades de álcool em uma garrafa de vinho". E Joanne lançou um olhar para Jackie.

Isso significava que, na verdade, elas estavam bebendo... ela levantou os olhos para o teto enquanto fazia as contas... Merda, setenta unidades por semana. No mínimo.

Jackie disse timidamente:

— Vamos começar a reduzir.

Joanne pergunta a Ron Quigley agora:

— Quanto você bebe, Ron?

— Não muito — responde ele. — O mesmo que qualquer um, na verdade. Nunca fui muito de beber.

— Uma estimativa?

— Cinco ou seis canecas por noite. Garrafa de vinho com a patroa no fim de semana. Apesar de que tomei umas doses extras ontem à noite, por isso preciso de um pouco de comida pesada para dar uma levantada. — Ele enfia o restante do folhado de carne na boca. Alguns farelos ficam pendurados em seu bigode, tremulando enquanto ele respira.

Não é de se admirar que os médicos fiquem em cima da gente, pensa ela. Estamos todos mentindo para nós mesmos. O país está bêbado feito um gambá e ninguém admite.

Ela vira à direita na A6 e segue para Silverdale. Eles marcaram de falar com Molly Rigg. Ver se ela pode dar mais detalhes sobre o homem que a sequestrou.

Molly, coitada, tinha se esforçado durante o interrogatório na primeira vez, mas ela era o que Joanne considerava uma pessoa aérea. Ingênua.

Ela tinha sido levada a uma quitinete, disse ela; não sabia onde. Fora drogada, estuprada e largada, e nem mesmo pôde dizer à polícia a marca do carro que o agressor dirigia. Nem a cor. Ao perguntarem por que ela tinha entrado no carro dele, disse que não sabia. Ela sabia que estava errado, mas entrara mesmo assim.

O que levou Joanne a pensar que esse cara, o sequestrador, deve ter algo de atraente. Joanne imaginou que eles não estavam procurando por um solitário, o pedófilo comum, mas alguém com certo carisma. Alguém com certo charme. Mas ela estava sozinha nessa teoria. Seu chefe, o detetive-inspetor Pete McAleese, que coordenava a investigação, estava mais empenhado em acompanhar trabalhadores temporários novos na região.

— O que acha dessa teoria do programa *Darling Buds of May*, Ron?

— Perda de tempo.

— Como assim?

— Bem, essa criança, Molly Rigg. Você a interrogou, certo?

— Brevemente.

— E tudo o que ela disse até agora é que o cara fala como o personagem Pop Larkin. Bem, eu nem sabia que era para ser um sotaque de Kent o que David Jason fazia. Eu pensava que o programa se passava em Devon ou Dorset... Então como ela vai saber a diferença? Não é um ponto de partida.

Joanne concorda com ele.

— É um pouco vago demais.

— Eu achava que ninguém mais assistisse àquela porcaria, de qualquer forma. Acha que pode se sair melhor com a menina sozinha? — pergunta ele, mexendo-se no assento, tentando pegar algo no bolso.

— Talvez. Ela é muito tímida. Pode ser melhor sem você no recinto. Quer interrogar a mãe, ver se ela tem algo novo a dizer?

— Por mim, tudo bem. Qual é a sua estratégia?

— Quero saber como ele fez para entrar e sair com ela do local sem que ninguém visse. Ou ouvisse. Essa é a parte que mais me incomoda. Acho que se conseguirmos entender isso, poderemos chegar a algum lugar.

Ron concorda, e oferece a Joanne um Tic Tac de menta.

— E como alguém que mora em uma quitinete pode arcar com as despesas de um carro? — questiona ela. — Isso também não faz sentido.

— Provavelmente, a quitinete não é dele.

O GPS diz a Joanne que ela chegou ao destino, então ela encosta o carro e desliga o motor. Eles estão do lado de fora de uma casa térrea bem conservada, mas que ficaria melhor com uma nova demão de tinta cor de creme.

Quase não há neve aqui por ser próximo à costa, mas alguém colocou um pouco de sal no acesso à garagem e no portão. Cuidadosos, pensa Joanne, enquanto ouve o barulho do cascalho cor de salmão sob seus pés.

Cinco minutos depois, Joanne se senta com Molly na cozinha, perto de um antigo aquecedor. Está no máximo, mas o cômodo continua frio. O assoalho é revestido de carpete em placas marrom. Uma delas foi substituída recentemente, a que fica em frente ao fogão; tem uma cor mais viva que o resto.

Joanne começa se desculpando:

— Desculpe incomodar com isso, Molly, mas contaram a você que outra menina da sua idade desapareceu?

Molly assente, sem olhar para Joanne. Ela é tão magrinha. É como uma personagem da Disney. Olhos grandes, cílios longos, corpo minúsculo.

— A razão pela qual estou aqui é para saber se consigo refrescar um pouco a sua memória. Realmente queremos pegar o homem que a raptou, Molly, e, no momento, você é a única pessoa...

— Você quer pegá-lo antes que ele machuque mais alguém — diz ela sem meias palavras.

— Sim, é isso mesmo.

Joanne é cuidadosa ao formular a próxima parte:

— Mas, na verdade, o mais importante é puni-lo pelo que fez com você. — Joanne não quer que Molly pense que não é prioridade. — Como ele era? Você consegue se lembrar?

Molly sacode a cabeça:

— Ele está embaçado — diz ela, triste. — Aquela bebida que ele me deu o deixou embaçado.

— Eu sei, querida. Está tudo embaçado ou você não consegue se lembrar apenas de algumas partes? Como quando você sonha e sabe que a memória está lá, mas não consegue alcançá-la?

Molly olha diretamente para Joanne pela primeira vez:

— É exatamente assim — diz ela. — Eu disse que ele está embaçado, mas, na verdade, não consegui explicar muito bem. É como se eu *sentisse* o que aconteceu, mas *não soubesse* o que aconteceu.

— Está bem — diz Joanne, encorajada. — Que tal se eu não fizer perguntas específicas, mas sim sobre como você se sente? Que tal? — Ela percebe que Molly não está muito segura com a ideia, então acrescenta — Não sobre o que ele fez com você. Não precisamos passar por isso de novo. O que eu queria mesmo saber é aonde ele a levou. Posso perguntar sobre isso?

Molly começa a morder o lábio:

— Ok — diz ela.

— Relembre para mim e tente dizer se o lugar parecia sujo ou fedorento.

— Não — diz Molly automaticamente. E parece surpresa por um momento, perplexa com a certeza que tem. — Não, era limpo. Os lençóis cheiravam a... — Ela olha para fora, através da janela da cozinha, como se tentasse encontrar a palavra certa.

— Amaciante de roupas? — sugere Joanne.

— Não. Não esse tipo de cheiro, não de sabão em pó. Cheirava a quentura, isso faz sentido?

— Como se tivessem sido queimados?

Ela aperta os olhos enquanto tenta recuperar a memória.

— Quando minha mãe seca as toalhas de banho no aquecedor... elas ficam com um cheiro de quentura, mas não sei como explicar de outra forma.

— Como algo lavado e passado? — pergunta Joanne — Como se tivessem vindo da lavanderia?

— Sim. Desse jeito.

— Excelente — responde Joanne. — E sobre o quarto em si, consegue lembrar se havia quadros nas paredes?

— Era cor de creme.

— Apenas cor de creme?

— Vazio. Não era como um quarto de verdade.

— Como um quarto de hotel?

— Nunca fiquei em um hotel.

— Mas parecia que alguém morava lá? Acha que o homem que a levou morava lá?

— Não.

— Tem certeza?

— Sim.

— Por quê?

— Não sei. Simplesmente tenho.

— Ok — diz Joanne. — Você está indo muito bem. Tudo isso ajuda bastante, mas a próxima pergunta é bem difícil. E não quero que você se sinta mal, mas preciso que responda honestamente. Tudo bem?

Molly tenta não parecer assustada.

— Quando você o viu pela primeira vez, quando o homem foi a sua escola pela primeira vez, você... você entrou no carro dele porque gostou da aparência dele?

Ela não responde. Apenas baixa a cabeça.

— Ninguém culpa você, Molly. Só preciso saber que tipo de pessoa ele é, e ajudaria muito se você me dissesse. Você gostou dele... mesmo que só um pouquinho?

Com a cabeça ainda baixa, Molly assente. Uma única lágrima cai em seus jeans:

— Ele parecia legal. Não lembro exatamente como ele era, mas parecia legal...

Alguns minutos depois, ela complementa:

— Não conte para minha mãe — chora silenciosamente.

Joanne se inclina para a frente e coloca a mão no ombro de Molly:

— Prometo que não conto.

# 18

ESTOU NO TRABALHO há menos de meia hora quando uma mulher desarrumada, sem casaco, de uns vinte e poucos anos, entra no meu escritório. Ela está com um Staffordshire Bull Terrier usando uma corda de varal azul em volta do pescoço como coleira.

— Não quero este cão.

Ela está parada a menos de um metro de distância e não consegue me olhar nos olhos. Está inquieta. Está claro que é um tipo de viciada, porque suas pupilas estão bem contraídas e ela está nervosa e agitada, como os viciados em metadona na farmácia local. Aqueles que chamam o farmacêutico pelo primeiro nome, que agem como se não percebessem os outros clientes mantendo distância deles.

— É seu cachorro? — tenho que perguntar, porque você não acreditaria na quantidade de gente que traz animais que não são seus. Inocentemente, já encontrei novos lares para cães que pertenciam a maridos infiéis e mulherengos mais de uma vez.

— É do meu pai — diz a jovem mulher —, mas ele não está bem. Não pode mais cuidar dele.

Por dentro, meu coração pesa. Outro Staffordshire. Provavelmente, não vamos conseguir um lar para ele; temos muitos aqui. Tenho trabalhado com a RSPCA* recentemente: estão tentando aprovar uma lei em

* Royal Society for the Prevention of Cruelty to Animals, organização sem fins lucrativos existente na Inglaterra e no País de Gales, que promove o bem-estar dos animais. (N.T.)

que o criador deve ter pelo menos 19 anos e possuir uma licença. Mas eles estão no caminho errado. Precisamos castrar esses animais em massa, porque a situação já está fora de controle.

— Ele também tem gatos.

— Quantos? — pergunto.

— Mais de dois.

— Onde estão?

— No apartamento dele. É meio que um lixão. Ele não faz limpeza desde que minha mãe morreu. Eu os teria trazido comigo... mas eles são meio selvagens.

— Onde está seu pai agora?

— Helm Chase.

Helm Chase é o hospital local.

— Ele vai voltar para casa?

— Parece que não. Ele está com alguns problemas. O apartamento deve ser vendido.

— Ok — digo, entregando caneta e papel a ela. — Anote o endereço.

Ela segura a caneta com o punho — igual meu filho do meio, James, fazia. Ela escreve usando uma mistura de letras maiúsculas e minúsculas.

— Haverá alguém lá para me receber? Para que eu possa buscar os gatos? — Ela tira as chaves de um chaveiro que tem preso aos jeans e me entrega. — O que faço com as chaves quando terminar?

— Jogue fora — diz ela, entregando-me a corda de varal com o cão preso a ela. — O nome dele é Tyson — prossegue ela, e eu aceno com a cabeça. Staffordshires costumam ser chamados assim. Terei que mudar esse nome ou com certeza não encontraremos um lar para ele.

Então ela se vai. Não quer preencher a papelada, e não há muito que eu possa fazer. Não me prendo muito a essa burocracia. Olho para o cão.

— Acho que vamos chamá-lo de Banjo — digo, e ele parece concordar. Tenho uma lista com uns doze nomes meigos e fofos que dou para os Staffordshires.

Substituímos Tyson, Capanga, Valente e Tarantino por nomes como Teddy, Alfie e Percy. O nome de um cão só importa para o dono. O cão responde a qualquer coisa e não liga para como você o chama.

Eu me agacho próximo a Banjo, sabendo que ele não é castrado, mas torcendo para que seja ao mesmo tempo.

Não é. Um saco do tamanho de uma romã está pendurado ali embaixo. Suspiro porque, só uma vez, apenas uma vezinha, eu gostaria de ser surpreendida com o que descubro. Dou uma acariciada em sua cabeça e digo "vamos lá, vamos acomodar você".

Atrás do portão do canil, as garotas estão ocupadas lavando e limpando. Abrimos para adoção às 9h30, então gostamos de deixar tudo impecável até lá. Fezes tendem a afastar as pessoas. É compreensível.

Lorna, uma das duas meninas que trabalham no canil, fecha a mangueira quando me vê entrando com Banjo.

— A número sete está vaga! — grita por cima dos latidos. — Como ele é?

— Sem histórico, parece bem calmo. Ele ficou tranquilo passando pelos outros quando entrei, então deve ficar bem.

— Alguma notícia?

— Sobre Lucinda Riverty? — pergunto, e ela assente.

— Nenhuma. Foi tudo bem aqui ontem? Algum problema?

— Não, tudo calmo. Clive esteve aqui, e eu dei a ele a lista que estava na sua mesa. Ele pegou madeira para aquelas cercas que precisavam ser substituídas...

— Você o pagou com aqueles trocados?

Lorna sorri, e seus olhos brilham:

— Ele tinha alguma madeira sobrando...

Clive Peasgood é o que nós do ramo chamamos de anjo. Ele é um professor aposentado e espécie de faz-tudo; conserta qualquer coisa, constrói qualquer coisa. *É o seu jeito de retribuir*, diz ele, e tiro proveito dele diariamente.

Às vezes, ele ajuda a levar os cães para passear e a limpar o canil quando estou com pouca gente na equipe, mas, na maioria das vezes, mantém as construções secas e seguras. Quando tento pagar pelos materiais, ele costuma ter *algo sobrando.*

Sua esposa é uma mulher adorável que faz algumas arrecadação de fundos para o abrigo — vendas de garagem e outras coisas — e, sempre que a vejo, peço desculpas por roubar seu marido quando eles deveriam estar aproveitando a aposentadoria juntos. Invariavelmente, ela me responde com a mesma frase: "Impeça o Clive de vir aqui e você o impedirá de viver". Ela deve estar certa, mas isso não *impede* que me sinta mal por quanto ele faz por nós. Ele colocou um novo telhado de feltro no gatil ano passado e não aceitou um centavo em troca.

— Preciso fazer uma remoção logo mais — digo a Lorna. — Gatos... Quanto espaço temos?

Lorna faz uma careta:

— Quase nenhum. Recebemos aqueles ontem, lembra?

— Ah, sim, esqueci. Droga. Talvez eu tenha que ligar para Bill em West Cumbria para ver se ele pode ficar com algum.

— Quantos tem lá?

— A mulher não sabia. Mais de dois...

— Isso nunca é um bom sinal — responde Lorna.

Primeiro, acho que devo estar no lugar errado. Estou do lado de fora de uma grande mansão antiga que foi convertida em prédio de apartamentos. Não é o tipo de residência de onde costumo pegar gatos ferinos. Confiro o pedaço de papel com o endereço: apartamento 6, Helm Priory, Bowness. Sim, é aqui mesmo.

A neve foi retirada, abro a mala do carro e tiro três caixas de transporte para gatos. Há uma mulher me observando da janela de um dos apartamentos do térreo. Ela é jovem, vinte e poucos anos, parece um pouco triste.

Pego minhas luvas de proteção contra mordidas na aba atrás do banco do motorista e, por último, coloco uma máscara contra odores no bolso, só por garantia. Eu as compro na loja de tintas em Kendal. Descobri que são as melhores. Se conseguem bloquear o cheiro de esmalte à base de óleo, são capazes de bloquear o cheiro de cocô de gato. Em todos esses anos fazendo esse trabalho, é a única coisa à qual não consegui me acostumar.

Sorrio para a mulher, mas ela olha para baixo conforme me aproximo do prédio, deixando óbvio que está lavando louça ao levantar os cotovelos de uma forma exagerada. Talvez seja polonesa.

Houve uma época em que as polonesas estavam por toda a parte. Meninas magras e agradáveis, todas vestidas da mesma forma. Todas em saias pretas um pouco curtas demais e meias-calças caramelo, uma cor que minha mãe teria usado em sua juventude.

Inclino-me pela porta da frente, que se abre para um pórtico repleto de caixas de correio. A porta interna, que vem em seguida, está trancada. Encontro a chave da fechadura Yale — a mais provável de todas as que a garota me deu — e sinto um alívio quando ela funciona sem problemas.

O saguão de entrada é enorme; luxuoso, carpete tipo de hotel. Há uma grande janela no topo do primeiro lance de escadas, um vitral original, que transmite luz para todos os lados. Uma fragrância de jasmim é liberada por um aromatizador automático e me pego pensando pela segunda vez em cinco minutos que não devo estar no lugar certo. É muito refinado.

O apartamento seis deve ser lá em cima. Subo cuidadosamente para não bater com as caixas de transporte na parede pintada. No topo do segundo lance, há duas portas. À direita está o apartamento cinco. Nos lados da entrada, há duas pequenas árvores muito bem podadas, e, no chão, há um lindo tapete vermelho com o ditado "LAR É ONDE O CORAÇÃO ESTÁ" impresso.

Olho para a esquerda. O apartamento seis tem uma planta seca do lado de fora, a terra coberta com bitucas de cigarro, junto com alguns baseados que foram fumados quase até o fim. Isso se parece mais com o que procuro, penso, enquanto coloco a chave na fechadura.

Abro a porta e sinto o fedor, então a fecho para colocar a máscara. Tateio a parede, procurando o interruptor e o aperto, mas nada acontece. A energia foi cortada. Xingando, lembro-me de que não tenho uma lanterna comigo e o corredor do apartamento está escuro; as portas dos cômodos estão fechadas.

Penso em seguir às cegas, fazer tudo o mais rápido possível, mas logo paro. Dois anos atrás, eu estava removendo um cão faminto de uma casa em Troutbeck Bridge. O pobrezinho estava ganindo tanto que não pensei e entrei direto. Pisei em uma agulha, que, acredite se quiser, passou pela sola do meu sapato e furou meu pé. Uma lesão provocada por agulha, como eles chamam, e eu passei os seis meses seguintes convencida de que era HIV positivo. Não é algo que eu gostaria de repetir se puder evitar.

Deixo as caixas de transporte e as luvas do lado de fora do apartamento, abaixo a máscara e bato à porta do número cinco. Ninguém atende, então desço até o apartamento térreo, onde vi a mulher mais cedo.

Bato levemente. Ela abre a porta imediatamente, apenas alguns centímetros, e me observa cautelosamente.

— Oi, sou de um abrigo de animais de caridade e...

— Não tenho dinheiro — responde ela, com um forte sotaque.

— Não, não quero dinheiro. Preciso de uma lanterna.

— Lanterna? Mas é dia.

Aponto para o andar de cima.

— O homem do número seis está no hospital, vim resgatar seus gatos. — Percebo que estou falando quase com o mesmo sotaque que ela.

— Espere. Vou procurar.

Ela fecha a porta.

Quando volta, um minuto depois, está com um bebê no colo. Um menino grande, loiro e robusto de cerca de doze meses. Você jamais diria que são mãe e filho, nem que sua vida dependesse disso. Estendo a mão para tocar seu cabelo, um reflexo que adquiri depois de me tornar mãe, e digo:

— Que lindo. Qual é o nome dele?

— Nika.

— Bonito nome. É polonês?

— É da Geórgia.

Eu ia falar algo, mas logo percebi que ela se referia ao país abaixo da Rússia, não ao estado próximo ao Alabama.

Ela me entrega uma pequena lanterna preta e amarela da marca Stanley, e como sempre acontece quando vejo essa marca, volto ao dia em que a esposa de meu pai cortou os pulsos com o estilete Stanley na nossa sala de estar.

— Deixe do lado de fora — diz a mulher, e eu olho para ela, confusa. — Deixe a lanterna do lado de fora quando terminar.

— Ah, sim, deixarei — digo.

Paro perto da porta da cozinha e respiro fundo.

"Mais de dois", disse a mulher. Já identifiquei quatro gatos adultos, e há uma ninhada de filhotes em um armário perto da pia. Consigo ouvi-los miando em agonia. Para ser sincera, este, na verdade, é um trabalho para a RSPCA. Em casos assim, costumo fazer uma ligação e eles aparecem com um veterinário local, pronto para certificar que é um caso de crueldade. Eles reúnem todas as evidências necessárias para seguir com uma ação judicial. Mas isso leva tempo. E o dono está no hospital. Provavelmente não sairá de lá, pelo que a filha disse, então é inútil.

Resolvo recolher os gatos na cozinha primeiro, antes de verificar o resto do apartamento. Um passo de cada vez, ou será exaustivo.

Os gatos são um pouco ariscos. Eles estão bem desnutridos, só patas e garras. Pego uma fêmea sarnenta com pelo bicolor e três patas brancas, e sinto sua barriga grávida, cheia de gatinhos.

Uma gata é capaz de produzir vinte mil gatos se toda a sua prole procriar. É por isso que grande parte do nosso orçamento vai para castração — para prevenir cenários assim. Se os donos castrassem seus animais de estimação aos seis meses, em vez de deixá-los "ter um cio", poderíamos quase dar um fim aos gatinhos e cãezinhos indesejados. É claro que ainda teríamos de lidar com as consequências dos donos que acreditam que castrar é interferir na natureza, mas tendo a acreditar que, se esse pessoal não estivesse criando problemas para pessoas como eu, estariam criando em outro lugar. Rinhas de galos, provavelmente. Ou talvez espancamento de esposas.

Formo pares, colocando dois gatos em cada caixa, então vou até a pia. Acho que o homem que vivia aqui era alcoólatra porque, mesmo o lugar sendo um covil, não há muita comida por aqui. Apenas recipientes vazios. Faço uma oração silenciosa em agradecimento, porque acho que não conseguiria encarar restos mofados e carne estragada hoje.

Deve haver mais de sessenta latas de cerveja Special Brew espalhadas pelas bancadas, assim como inúmeras garrafas vazias de gim. Não reconheço a marca, então viro uma garrafa com a mão e leio o rótulo atrás. "Especialmente produzido para as lojas Aldi". Uma imagem do bêbado empurrando o carrinho cheio de garrafas de gim me vem à mente: magro como seus gatos, com córneas amareladas e aquele queixo hipermóvel que alcoólatras parecem desenvolver. Ouço outro miado baixinho e estrangulado vindo do armário sob a pia da cozinha.

Há cinco gatinhos em uma caixa de papelão. Um morto; os outros quatro não estão longe disso.

Pulgas. Eles estão cobertos de pulgas.

As pulgas sugaram tanto sangue desses animaizinhos que terei sorte se salvá-los. Suas gengivas estão brancas como alabastro e seus corpinhos estão fracos. Apenas dois são capazes de emitir som. São uma mistura de preto e branco. O tipo mais difícil para encontrar um lar no momento, não sei por quê.

As pessoas estão indo em massa atrás de gatos ruivos e malhados; elas chegam perguntando se temos aqueles cinza malhados do anúncio da Whiskas, sem saber que são animais com pedigree vendidos por cerca de quatrocentas libras.

Não me preocupo em colocar os gatinhos em uma caixa de transporte ainda. Eles estão fracos demais para tentar fugir, então deixo-os na caixa de papelão. Verifico o resto do apartamento e encontro mais dois gatos adultos. Ambos pretos, ambos meio ariscos e uma prenha. Dou uma rápida olhada em armários e atrás de poltronas, mas não consigo encontrar vestígios de nenhum outro, então desço as escadas com duas das caixas de transporte e as tranco no carro antes de voltar para buscar os outros.

A mulher georgiana está fingindo que lava as louças novamente e lhe dou um meio aceno, mas ela age como se estivesse em transe. Penso em bater à porta de novo para entregar a lanterna, mas ela foi firme: "Deixe a lanterna do lado de fora quando terminar". Então assim o faço. Algumas pessoas simplesmente não gostam de visitas.

Resgato os gatos que sobraram e dou uma última olhada antes de sair. Então, segurando a porta aberta com a terceira caixa, confiro meus bolsos procurando as chaves do carro e as chaves que pertencem ao apartamento do homem, certificando-me de que estou com tudo.

E é então que percebo o nome na caixa de correio do apartamento dois.

Riverty.

"G. Riverty", diz ela, em letras pequenas e polidas. Como em Guy Riverty. Como o marido de Kate, o pai de Lucinda.

Guy e Kate têm muitos chalés espalhados pelos Lagos, mas não sabia que eles tinham algo aqui.

Eles nunca mencionaram isso. Por outro lado, penso enquanto fecho a porta, por que mencionariam?

# 19

— MAS E SE NÃO for o mesmo cara? — pergunta o inspetor de polícia Ron Quigley ao detetive-inspetor.

— Muitos paralelos — responde ele. — As meninas têm a mesma idade, mesmo biotipo, área similar, sumiram próximo à escola. É muito para não trabalharmos com essa suposição.

— Mas ele já tinha libertado Molly Rigg a essa altura. Ele só a manteve por um dia.

O detetive-inspetor Pete McAleese suspira.

— Ron, não é incomum que crimes se agravem conforme avançam. Você mesmo já viu isso algumas vezes. Na primeira vez, eles experimentam, veem o que acontece, e, em seguida, vão mais longe.

Eles estão na sala de operações. Está lotada, mas Joanne ainda está com o casaco, porque há uma camada de gelo no interior das janelas. Ela aquece as mãos em uma caneca de chá forte, na esperança de que ainda esteja lidando com um estuprador inteligente, não um assassino inteligente.

Joanne pigarreia e dirige-se a McAleese:

— Sei que temos de agir rápido com essa nova informação que Lisa Kallisto nos deu, sobre Lucinda estar se encontrando com um homem mais velho, mas concordo com Ron. E se não for o mesmo cara raptando as meninas? Acho que devíamos observar o pai mais de perto.

— Sempre observamos — concorda McAleese, cansado. — Mas, neste caso, podemos descartá-lo. Um, porque seu álibi se sustenta: ele estava com a família quando Molly Rigg desapareceu. E dois, mostramos uma foto dele para Molly e ela diz que não é ele.

Joanne coloca o chá na mesa.

— Interroguei Molly novamente de manhã e ela não sabe *o que* sabe. Estava dopada de Rohypnol. Como ela pode negar com certeza quando não consegue se lembrar de nada?

— Como eu disse, o álibi dele foi confirmado. Então, mesmo que você tenha o melhor palpite do mundo, Joanne, vai ter que deixá-lo para lá no momento. Isso nos deixa com...

— Que DNA nós temos? — perguntou Ron.

— Sem sêmen, sem pele, sem cabelo. Estamos limitados a uma fibra de tecido encontrada perto da genitália de Molly. Não é definitivo, mas o laboratório suspeita que venha de algo que tenha seda. Talvez um terno risca de giz.

— Ótimo! — exclama Ron, inclinando-se para Joanne. — Um pedófilo elegante... Isso é tudo de que realmente precisamos.

Joanne sente que a reunião está prestes a chegar ao fim.

— Senhor — diz ela rapidamente —, realmente acho que seria um erro ignorar o pai, mesmo que ele tenha um álibi...

McAleese levanta a palma da mão.

— Joanne, ouça, você sabe com o que estamos lidando: menina de 13 anos, branca, classe média, raptada em uma região de excepcional beleza natural. A segunda menina desaparecida em duas semans. Então, sim, ficarei de olho no pai e, sim, colocarei alguém nisso, mas lembre-se: estão todos nos observando. O país inteiro está nos observando. Temos que encontrar o desgraçado que raptou essa garota *hoje*. Não amanhã. E isso significa seguir o que realmente temos neste momento.

Joanne concorda com a cabeça.

— Entendo.

— Você e Ron voltem para Windermere e interroguem Sally Kallisto — instrui McAleese. — Vejam se conseguem fazê-la contar mais sobre esse homem misterioso, se alguma coisa se correlaciona com o que Molly Rigg disse de manhã.

Joanne levanta-se, e ela e Ron arrumam suas coisas enquanto McAleese delega mais interrogatórios porta a porta.

Ela está prestes a sair da sala quando se vira e para ao lado de McAleese, interrompendo-o.

— Molly Rigg foi levada a um lugar com lençóis lavados e passados — diz ela calmamente. — Guy Riverty é dono de imóveis para aluguel. Alguém está investigando-os?

"Esquisito estar de volta aqui", pensa Joanne, enquanto ela e Ron vão à sala do diretor.

— Traz de volta todas as velhas lembranças, não é? — pergunta Ron.

— Sim. Em qual escola você estudou, Ron?

— Lancaster Grammar.

— Você é mais inteligente do que imaginei.

— Eu era, quando fiz o exame para a escola de Ensino Médio, mas relaxei logo depois. Saí sem nada aos 16 anos, então entrei para a polícia... Só me inscrevi por causa do esporte.

Joanne olha Ron de rabo de olho. Ele não tem um belo físico. Fica sem ar só de amarrar os cadarços.

— Sei o que está pensando — diz Ron, sorrindo. — Não pratico tanto quanto antes, mas costumava jogar bastante críquete. Um olheiro da polícia foi ao nosso clube de críquete e disse que tinha a carreira perfeita para mim. Disse que eu poderia praticar todos os esportes que quisesse se me juntasse aos cadetes da polícia.

Eles estão caminhando pelo corredor principal da Windermere Academy. O lugar traz à tona antigas memórias para Joanne. Memórias dos 13 anos, de ter medo de tropeçar e ser alvo de zoações pelos colegas. De cruzar o olhar com um menino do ensino médio e corar o resto do dia toda vez que pensar nele.

O diretor disponibilizou sua sala para Joanne e Ron falarem com Sally Kallisto. Joanne olha ao redor para a decoração entediante, para a mesa de compensado, para as persianas verticais, antes brancas, mas agora de um cinza encardido.

Ela se sentou aqui em uma ocasião, há muitos anos, quando houve uma briga particularmente brutal entre duas meninas do nono ano. Uma delas teve o brinco arrancado da orelha, rasgando a carne do lóbulo, e Joanne foi trazida porque tinha testemunhado. Mas ela não disse nada. Ela fingiu não saber de nada porque tinha sido educada acreditando que nunca se dedura os colegas. Ironicamente, cá está ela agora, prestes a pedir a Sally Kallisto que dedure a colega dela — no entanto, este caso com certeza é muito mais sério.

Sally é conduzida à diretoria junto com uma jovem professora de rosto pálido — Miss Murray — que parece mais assustada do que a criança.

Sally não se parece em nada com a mãe. Ela é a imagem do pai. Cabelos pretos, lisos e sedosos, pele morena, lindos e profundos olhos castanhos.

— Sou a detetive Joanne Aspinall... e este é meu colega — aponta para Ron —, Ron Quigley. Vocês se conheceram ontem.

— Oi — responde Sally calmamente.

Joanne arrumou as cadeiras em forma de L. Ela senta com o bloco de anotações aberto sobre o joelho, e Sally senta-se na cadeira ao lado.

— Antes de fazer algumas perguntas, Sally, você tem certeza de que está tudo bem ser acompanhada por Miss Murray? Porque podemos esperar um pouco mais, tentar entrar em contato com seus pais se preferir que eles estejam aqui. Sua mãe está resgatando gatos, segundo o abrigo, então deve estar de volta em breve. Mas não consigo encontrar seu pai. Ele não está atendendo ao celular.

A meia-calça de Sally está um pouco dobrada em torno dos tornozelos. Ela puxa o tecido de cada perna enquanto responde, sem fazer contato visual com Joanne:

— Podemos fazer isso agora?

— É claro.

— É só... é só que...

Ela não termina.

Joanne olha para Ron. Os dois estão pensando a mesma coisa: a garota não quer falar na frente dos pais? Ela tem algo útil a dizer.

Joanne sorri.

— Vamos direto ao ponto, então.

Joanne começa repassando os acontecimentos do desaparecimento de Lucinda para confirmar que Ron não deixou nada passar quando falou com Sally no dia anterior.

Quando ela termina, Sally olha diretamente para Joanne:

— Acha que ela ainda está viva? — pergunta.

— Eu realmente espero que sim. E você?

Sally sacode a cabeça negativamente.

— Por quê?

Sally baixa o olhar.

— Não sei. Só não vejo como ela possa estar... — responde ela.

— Porque...

— Porque minha mãe diz que ela provavelmente está morta.

— Sua mãe não tem como ter certeza disso. Ninguém tem, não é mesmo?

— Não, mas eu não contei a você... não contei à polícia... sobre o homem com quem Lucinda estava se encontrando. Eu deveria ter contado, não é?

— Sim — diz Joanne —, deveria. Mas é por isso que estamos aqui, então pode nos contar agora.

— Minha mãe diz que é minha culpa, ela diz que, se Lucinda morrer... — Ela faz uma pausa, coloca o cabelo atrás da orelha. — ... *Você* acha que é culpa minha?

— Não.

Joanne inclina-se para a frente na cadeira.

— Não é culpa sua que Lucinda tenha escolhido entrar no carro de um estranho. Mas, Sally, ouça, você vai ter que nos contar tudo o que sabe sobre Lucinda para que possamos ajudá-la. Mesmo que ache que está traindo sua amiga. Mesmo que ache que ela vai ficar tão chateada e irritada que nunca mais vai falar com você. Você vai ter que nos contar os segredos dela. Compreende isso?

Sally consente e suspira, trêmula. De repente, ela está fazendo o possível para não chorar, e Joanne sente a nuca formigar. Eles estão perto. Ela consegue sentir.

Joanne a conduz.

— Chore se precisar, Sally. Não segure.

Ron tira um lenço limpo do bolso e entrega para Sally.

— Aqui, querida — diz ele gentilmente.

Mas Sally consegue segurar as lágrimas.

— Nunca vi o homem com quem ela falava — começa ela. — Nunca estive com ela quando o encontrava. Lucinda disse que havia o encontrado três vezes e que ele queria que ela fosse a algum lugar com ele, queria levá-la para fazer compras.

— Ela parecia ter algum medo dele?

— Ela estava empolgada.

— Então ele não tinha tentado machucá-la?

— Não.

— Você chegou a ver o carro dele?

— Não exatamente. Só a parte de trás, uma vez.

— Quando foi isso?

— Duas semanas atrás? — diz ela, em tom de pergunta. — Eu tinha ficado para falar com uma professora, então me atrasei.

— Consegue descrevê-lo?

— Era prata.

— Prata com certeza? — interrompe Ron — Poderia ser branco?

Sally olha para o lado.

— Talvez — admite. — Não tenho tanta certeza. Eu não sabia que era ele até falar com Lucinda, e ela me dizer que ele a convidara para sair.

— Ele a convidou para sair? — repete Joanne. — Isso quer dizer para namorar ou apenas para ir passear?

— Ela não sabia. Falamos muito sobre isso, mas nunca tivemos certeza se ele quis dizer, tipo, para namorar ou sei lá.

— Então você nunca de fato viu esse homem — diz Ron.

— Nunca — ela sacode a cabeça.

Joanne anota rapidamente a cor do carro e ergue a cabeça:

— O que mais você pode nos dizer?

— Não muito.

— Nada mesmo?

Sally encolhe os ombros.

— Vamos lá! — incentiva Joanne. — Sei como são as meninas, vocês falam *de tudo*. Todos os pequenos detalhes a respeito dos meninos. — Sally fica momentaneamente ofendida, então Joanne acrescenta rapidamente: — Não é diferente quando você cresce, sabia. — E lança um olhar para Miss Murray. — Não é?

— Ah, não mesmo — responde Miss Murray, envergonhada. — Posso passar horas e horas falando sobre o meu namorado.

Sally não morde a isca mesmo assim.

Ela olha fixamente para o colo. Seu corpo está rígido, e é quase como se tivesse sido ameaçada a não revelar nada.

— O que foi, Sally? — pergunta Joanne finalmente. — Lucinda contou algo sobre ele, algo que você tem medo de nos contar?

Ela balança a cabeça.

— Contei tudo o que sei.

— Tem certeza? — insiste Joanne, sentindo-se desapontada. Ela tinha certeza de que havia mais para tirar daqui.

— Tenho certeza — confirma Sally.

Ron estava prestes a mudar de posição na cadeira, mas, sem pensar, Joanne coloca a mão no joelho dele, um gesto para que ele fique parado.

— Sally — diz ela com cuidado —, lembre-se do que eu disse. Você precisa nos contar tudo ou não conseguiremos encontrá-la. Você não está ajudando Lucinda guardando segredos. Não agora.

Sally olha para cima e, ao mesmo tempo, começa a piscar rapidamente. Ela tenta respirar fundo, mas o ar estremece em seus pulmões como se sua traqueia estivesse bloqueada.

Seus olhos travam nos de Joanne. Então, de repente, as lágrimas começam a transbordar enquanto as palavras saem rapidamente.

— Tem a ver com o pai dela — diz ela —, *esse* é o segredo dela. É isso que não posso contar a ninguém.

# 20

ESTOU DE VOLTA ao trabalho tentando alimentar os gatos com alguns fluidos utilizando seringas, mas é inútil. Sei que estou machucando-os e começo a me perguntar se não seria mais humano chamar o veterinário para sacrificá-los. Estou chateada e triste, mas tento não me irritar com o filho da mãe que os deixou assim. Isso consome muito de mim. O bom disso tudo, suponho, é que sabemos que Banjo, o cão, se dá bem com gatos. Isso aumentará as chances de ele ser adotado. Mesmo que os donos em potencial não tenham um gato, eles não ficam felizes com a ideia de adotar um cachorro que alegremente comeria um.

A campainha toca, o que significa que há alguém na porta do escritório, então deixo os gatinhos e vou até lá. Faria bem me afastar um pouco deles de qualquer maneira, talvez para uma xícara de chá.

É Jackie Louca Wagstaff.

Chamam-na de Jackie Louca porque ela era propensa a bater nas pessoas com certa frequência, especialmente quando enfrentava uma época ruim há alguns anos.

Seu marido esbanjou todo o dinheiro que tinham — hipotecando novamente a casa sem Jackie saber — e os afundou em um mar de problemas financeiros. Para sair dessa, ele teve a brilhante ideia de rifar a casa. Era um belo imóvel, avaliado em cerca de trezentos mil, e todo mundo (inclusive Joe e eu) comprou rifas a 25 libras cada. Aparentemente, eles venderam cerca de oito mil rifas depois de colocarem anúncios na *Gazette* e distribuírem folhetos no vilarejo, o que rendeu algo em torno de duzentas mil libras no total.

Então o marido fugiu com o dinheiro. Um desastre.

E, de repente, todos estavam loucos atrás de Jackie. Ela diz que as pessoas ainda atravessam a rua quando a veem; ela perdeu amigos que teve por mais de trinta anos.

Agora, Jackie trabalha como cuidadora, trazendo para mim os animais de estimação daqueles que morreram.

Eu a olho com surpresa quando vejo que está parada de pé no escritório, de mãos vazias.

— O quê? — pergunta ela, e, então, se dá conta. — Ah, não se assuste, não trouxe nada para você hoje. Vim vê-la. Ver como você está. Minha Joanne disse que era para a menina desaparecida ter dormido na sua casa quando desapareceu.

— Sim, era, mais ou menos — digo. — *Sua* Joanne? Você está falando da detetive Aspinall? Ela é sua filha?

— Sobrinha.

— Você nunca me contou.

— Sim, bem, ela não gosta que eu fique espalhando. Paranoica, se quer saber. Acha que, se todos souberem que é do Departamento de Investigação Criminal, vão furar os pneus do carro dela. Enfim, Joanne disse que você estava bem abalada com isso da menina, então pensei em vir vê-la, ver se está tudo bem, já que eu estava de passagem.

— Estou tentando não pensar sobre isso, para ser sincera. Bem, tentando não imaginar o que aconteceu com ela. Vir para cá ajudou. Você não quer um gato, não?

— Não.

— Um filhote?

— Não podemos ter animais de estimação.

— Você poderia levar um escondido. Ninguém ficaria sabendo.

Jackie Louca ri.

— O proprietário ficaria. De qualquer forma, a casa é de Joanne, não minha. Ela só está me deixando morar lá porque não tenho condições financeiras de morar sozinha. Ela não vai me deixar ter um gato.

— Justo. Eu tinha que tentar. Estamos a ponto de explodir e acabei de trazer um monte de gatinhos moribundos... Não tenho onde acomodá-los, isso *se* eles sobreviverem. Que dia... — digo. — Que *dias* ruins...

— O que acham que aconteceu com a menina desaparecida?

— É provável que você saiba mais do que eu.

— O quê? Por causa de Joanne? Ah, ela não me diz nada. Não tem permissão para isso e segue as regras. Como está a mãe? Joanne disse que vocês eram amigas.

— Viu a coletiva de imprensa?

Jackie assente com a cabeça.

— Não consegui assistir — respondo tristemente. — Já é ruim o bastante saber a angústia pela qual os fiz passar, não conseguiria assistir a eles lá e...

Interrompo porque a porta se abre e uma mulher entra com um West Highland Terrier.

Ela está usando um daqueles coletes acolchoados de tecido brilhante, jeans caros enfiados em galochas cor de rosa da Hunter e um chapéu peludo ridículo com proteção para orelhas — como se estivesse por aí caçando castores.

Jackie Louca me olha e se afasta da mesa para a mulher se aproximar.

— Boa tarde — diz ela, que deve ter uns quarenta e poucos anos. — Trouxe Hamish porque estamos nos mudando para o Oriente Médio, e achei que você gostaria de comprá-lo de mim. — Ela diz isso de uma forma tão radiante que parece que está me oferecendo férias de graça.

Jackie tosse.

— Não é isso o que fazemos — explico, e a mulher inclina a cabeça para o lado.

— Mas ele é um cão tão bonzinho, muito limpo e comportado. Tenho os documentos do pedigree bem aqui — diz ela, balançando um envelope.

Pacientemente, conto como trabalhamos e o que fazemos, e embora eu quisesse dizer que isso é um acontecimento fora do comum — alguém querendo pagamento por um animal com pedigree —, não é. Acontece pelo menos uma vez a cada quinze dias. Eles realmente pensam que se aplicam as mesmas regras como se estivessem vendendo uma TV de plasma. Por que você não iria querer comprá-lo quando estão oferecendo por um preço tão reduzido? Quando é uma barganha?

Dou uma encolhida de ombros, meio impotente:

— Desculpe — digo a ela —, mas somos uma instituição de caridade.

Seu comportamento agradável e alegre de repente se foi, e ela parece profundamente concentrada. Está tendo que lidar com um problema que não esperava.

— Você ainda pode deixá-lo conosco — tento. — Tenho espaço para mais um cão, e tenho certeza que ele encontrará um lar adorável.

— Eu disse ao meu marido que seríamos reembolsados — responde, fechando a cara. — Gastamos uma fortuna com ele e esperávamos recuperar alguma parte, porque...

De repente, Jackie se intromete:

— Você está abandonando este pobre animal aqui e ainda quer ser *paga* por isso?

Pude pressentir aquilo, pude sentir Jackie ficando furiosa, mas tinha esperanças de que ela continuasse na dela.

A mulher fica indignada com o tom de Jackie.

— Não estou *abandonando* nada — responde ela. — Meu marido recebeu uma proposta de trabalho e não temos escolha a não ser nos mudarmos.

— Sempre há uma escolha — responde Jackie —, só depende de suas prioridades.

— Minha prioridade é a minha família, é por isso que estamos indo! Aliás — diz ela, voltando-se para mim —, pagamos mil e quatrocentas libras por este cachorro. Isto aqui será um ótimo animal de estimação para alguém, não precisa de muitas caminhadas e é muito limpo.

Jackie levanta as sobrancelhas:

— Isto? — fala ela.

— Tenho certeza que alguém pagaria por isto feliz — prossegue a mulher sem parar — e, se este abrigo não está preparado para me oferecer algum valor em dinheiro, então, simplesmente, colocarei um anúncio na *Westmorland Gazette*. Alguém oferecerá.

Jackie vai até a porta e olha para o lado de fora. Em seguida, ela se vira, fazendo-se de inocente:

— Esse Lexus lá fora é seu?

A mulher diz que sim. Sim, aquele carro é dela.

— Um carro de quarenta mil e você está de sacanagem tentando fazer algum idiota comprar o seu maldito cão? Um cão que você não quer mais?

— Não é que eu não o queira, como expliquei...

Jackie, caminhando de volta à mesa, interrompe-a.

— Sim, sim, você disse... Bem, *deixe-me* explicar para você, porque Lisa aqui é boazinha demais para fazer isso. Deixe-me explicar o que deve acontecer quando você não pode mais cuidar de seu cachorro... Você entra aqui de forma amigável, desculpando-se — diz Jackie —, e diz "por favor, gentil moça que não recebe quase nada para cuidar da bagunça de merdas ingratos que não dão a mínima para seus animais de estimação, por favor, gentil moça, *poderia* ficar com este cão e encontrar-lhe um bom lar, porque encontrar um bom lar para ele é o *mais importante*. Um lar onde ele será amado e cuidado". E, então, você diz... porque você está tão agradecida pela gentil moça ter livrado você desse problema... "realmente gostaria de fazer uma doação ao abrigo, porque deve custar muito dinheiro gerenciar este lugar. Você deve ter *custos com comida, contas de veterinários, custos de aquecimento*. Que tal eu preencher um belíssimo cheque para você agora? O quê? Não, é claro que não me importo! Meu marido é muito rico! Ele recebeu uma proposta de emprego de um bando de árabes, então vamos ficar ainda mais cheios da grana. Não! Não me importo de forma alguma!"

Jackie cruza os braços sobre seu peito avantajado e encara a mulher:

— *É isso* que você diz.

A mulher sai enfurecida, arrastando o cachorro, e eu olho para Jackie e sacudo a cabeça.

— Você não pode lidar com as pessoas assim.

— Quem disse? — rebate ela. — Ela mereceu. Não suporto mulheres assim. Acham que podem fugir das responsabilidades só porque deu na telha. Não sei como você consegue, Lisa, não sei mesmo... Enfim, viu aquele chapéu?

# 21

VOCÊ NÃO DEVERIA ter favoritos.

Eu sei disso. Mas, às vezes, não dá para evitar.

No momento, temos no abrigo um velho Bedlington Terrier, que ninguém quer, chamado Bluey. Nós o colocamos em seu próprio canil, porque ele é do tipo nervoso e o que realmente quer é companhia na forma humana — ele não é muito fã dos outros cães. Ele os tolera, não é agressivo — Bedlingtons raramente são —, mas logo fica sozinho.

Bluey está no abrigo há cinco meses, e a razão por que ninguém o quer é sua idade. Ninguém quer levar um cão velho, com a grande chance de doenças e despesas de veterinário. Mas, toda vez que passo pelo seu canil, meu coração dói. Ele fica o tempo todo de pé, ao lado do portão, nunca sentado ou deitado, esperando. Sempre esperando. É como aqueles cavalos deixados na chuva, aqueles que você vê amarrados do lado de fora do *saloon* em filmes de faroeste. Cabeça baixa, pata traseira curvada, olhos meio fechados, esperando.

Falei com Joe sobre Bluey semana passada e decidimos que se ele não for adotado nas próximas duas semanas, arrumaremos um espaço para ele em casa.

Mas, então, às duas horas da tarde de hoje, concluo que *existe um Deus afinal* porque, bem quando eu estava desacreditada, sem notícia alguma de Lucinda e três gatinhos mortos nas mãos, entra um rapaz que diz querer adotar um cachorro com necessidades.

Imediatamente, falo sobre Bluey, e ele parece não rejeitá-lo pela sua idade; na verdade, diz que prefere um cão mais velho porque não tem tempo para um filhote agora.

— Não consigo nem dizer o quão amável, calmo e gentil ele é. O cão perfeito — digo. — Você já teve um cão antes?

— Não desde que era criança. Tenho estado meio sozinho nos últimos meses, sou novo aqui, então imaginei que seria uma boa forma de conhecer pessoas novas.

Balanço a cabeça concordando, tipo "*sim, sei como é*". Mas, por dentro, não consigo imaginar esse cara tendo problemas em conhecer pessoas. Sem querer, meus olhos se movem na direção de sua mão esquerda. Há uma faixa de pele pálida quase imperceptível onde, antes, havia uma aliança de casamento, então ou acabou de se separar ou a tirou para se divertir longe de casa.

Ele está vestindo um casaco impermeável Barbour que vai até as canelas e um cachecol de lã listrado. O cachecol está amarrado do jeito que os endinheirados tendem a amarrar hoje em dia — quando você o dobra ao longo do comprimento, põe ao redor do pescoço e coloca as pontas soltas dentro do laço. Algumas pessoas parecem que estão sendo estranguladas quando usam assim, mas nesse cara fica chique.

Eu daria a ele uns 34 anos. Ele é atraente. E sabe disso.

— Posso anotar seu nome?

— Charles Lafferty.

Estou prestes a escrever, mas, por um instante, ambos ficamos assustados, em silêncio, por causa de um jato Tornado que voa baixo. Toda a sala treme e aperto meus olhos com força. É o terceiro em uma hora, já chega, né? Nos dias ensolarados, parece que a Força Aérea Real coloca todos os aviões de combate para sobrevoar loucamente os Lagos.

Charles também se encolheu com o susto do barulho. Quando passa, ele pergunta:

— Você tem muitos cães para adoção?

— Até demais — digo — e, sem dúvida, teremos muitos mais depois do Natal.

— Sério? As pessoas ainda compram animais de estimação como presentes? Achei que tivessem algum juízo hoje em dia, depois de todos os avisos "Um cão não é apenas para o Natal" que vejo nas janelas dos carros.

Levanto a cabeça brevemente:

— Aparentemente, não... Veja bem, não costumamos receber os cachorrinhos indesejados até junho. É por volta dessa época que os cãezinhos de Natal transformam-se em adolescentes loucos e destrutivos. Recebemos uma enxurrada de cães depois do Ano Novo porque o Natal é um período estressante para as pessoas. Elas acham difícil lidar e, geralmente, a primeira coisa que fazem para deixar as coisas mais fáceis é se livrar do cachorro.

— Pobrezinhos — diz ele de um jeito sério. — Queria poder ficar com mais de um.

— Um é incrível. Acredite. Se todos pudessem pegar apenas um, já seria tanto...

Estou tagarelando.

— Deixe-me levá-lo para conhecer Bluey — digo com firmeza. — Estou falando sem parar sobre ele e você ainda nem o viu. — Reviro os olhos para a minha própria inaptidão, esperando que ele risse comigo, mas não ri. Ele me olha de um jeito estranho, mantendo o olhar fixo em mim. E, então, como se de repente tivesse lembrado como se faz, sorri para mim de modo caloroso.

— Siga-me — digo, e passamos pelos primeiros canis, parando na frente do de Bluey.

O cão está parado em seu lugar habitual. Seria impossível encontrar um animal mais desolado mesmo que se procurasse.

— Aqui está. Este é Bluey.

Charles Lafferty se agacha. Ele está usando calças risca de giz de qualidade e caras e sapatos macios de couro de bezerro. Ele parece muito deslocado no piso simples, com o forte cheiro de desinfetante ao redor.

— Ele parece triste — comenta.

— Precisa de um dono.

— Ele está bem, apesar de tudo? — pergunta ele. — Ele não tem depressão ou qualquer outra coisa, tem?

— Está apenas solitário. Ele precisa mesmo é de companhia. Posso abrir o canil para você dar uma olhada nele? Ele costuma ficar mais animado quando brincamos com ele.

Charles se levanta.

— Sim, por favor. Vamos ver como ele é.

O portão de ferro fundido emite um chiado baixo enquanto o abro e Bluey fica alerta. Ele me vê e, depois, vê Charles, e juro que se um cão pudesse sorrir, Bluey estaria sorrindo agora.

— Olhe só! — diz Charles, empolgado. — Ele parece quase feliz, não parece?

Faço carinho na parte da frente do peito de Bluey, onde sei que ele gosta, e, instantaneamente, suas pálpebras se fecham em uma fração de segundos enquanto relaxa sob meu toque.

— Posso? — pergunta Charles.

— Fique à vontade. Só não o acaricie na área perto do fim da cauda, ele fica um pouco nervoso.

— Ele é treinado para fazer as necessidades fora de casa?

— Ah, sim — digo com confiança, enquanto penso "n*a verdade, não faço a menor ideia*".

É impossível dizer se eles estão totalmente treinados ou não, porque todos os cães têm que fazer as necessidades dentro dos canis. Não temos pessoal para levá-los para passear quatro vezes por dia. Em caso de dúvida (e em circunstâncias como esta), acho melhor mentir. Porque Bluey precisa de toda ajuda possível.

Recuo para dar espaço para os dois se conhecerem. Charles acaricia Bluey atrás da orelha, o que faz a perna traseira de Bluey fazer aquele movimento em círculos que eles não conseguem evitar. E me sinto um pouco emocionada com o espetáculo. Tenho quase que piscar para não chorar.

Tenho certeza de que ele irá levá-lo. É muito raro que alguém fazendo esse alvoroço com um cão depois se vire e diga que vai pensar a respeito. "*Por favor*", rezo... "*Por favor, fique com ele*".

Charles se levanta, e seus olhos estão brilhando:

— Vou ficar com ele — diz ele, decidido. — Posso levá-lo agora?

— Receio que não — respondo. — Há algumas coisas que temos resolver antes. Preciso de uma cópia de um comprovante de residência... sabe, para provar que você tem uma casa mesmo e que não está dormindo no carro ou algo assim... e, quando eu tiver isso, posso fazer uma visita domiciliar, apenas para verificar se é adequado para Bluey.

— Ah, com certeza — diz ele. — Compreendo perfeitamente. Você não pode simplesmente sair mandando-os para qualquer lugar, não é?

— Não mesmo. Você teria algum comprovante de residência aqui agora? Poderíamos terminar logo com essa inconveniência, e poderei fazer a visita domiciliar amanhã cedo, se possível.

— Droga — responde ele. — Não. Não, não tenho. Que decepção. Mas e se eu vier amanhã de manhã e entregá-lo para você? Poderia fazer a visita à tarde? Que tal?

Eu solto o ar, sorrindo:

— Seria maravilhoso... Você não sabe como estou aliviada por você estar dando uma chance a ele. Ele tem sido uma grande preocupação para nós. Todos o adoramos.

Ele se curva para fazer cócegas na cabeça de Bluey. Então se ergue, dizendo:

— Ele vai ser a companhia perfeita para mim. Não é, Bluey?

— Você vive sozinho? Só pergunto porque não acho que ele ficaria bem sendo cutucado por uma criança pequena. Alguns cães mais velhos preferem um lar calmo.

Bluey ficaria bem com crianças pequenas, tenho certeza. E mesmo que não, eu ficaria feliz em mandá-lo para uma família agitada apenas para tirá-lo da vida de canil. Pergunto se ele mora sozinho porque estou sendo intrometida.

— Sim — responde ele —, apenas eu. A verdade é que trabalho fora, mas posso passar em casa várias vezes por dia, meu escritório fica bem na esquina de casa, então não seria um problema.

— O que você faz?

— Sou advogado. Na verdade, ainda nem a consultei, mas minha secretária ama animais, e espero que eu possa levá-lo comigo alguns dias da semana e ela possa tomar conta dele. O que acha?

— Bluey é *o* cão de escritório perfeito. Tenho certeza de que se enroscará embaixo da mesa dela.

— Como ele anda na coleira? Ele puxa muito?

— Nem um pouco.

— Eu poderia levá-lo para passear agora? Sei que está um pouco frio, mas realmente gostaria de caminhar com ele um pouco.

— Não tem problema. Na verdade, encorajamos as pessoas a tentarem passear com os cães antes de levá-los. É importante escolher o cão ideal. Afinal, vocês ficarão juntos por um bom tempo. Vou pegar uma coleira. Acho que temos um agasalho que cabe em Bluey em algum lugar também.

— Excelente — responde ele.

— Há uma coisa que não conversamos... um pouco constrangedora, na verdade, não sou muito boa nessa parte... mas, como abrigo de caridade, não podemos aceitar pagamentos pelos cães que realocamos, mas pedimos uma doação. Qualquer quantia que você possa dar é ótima...

Geralmente, neste ponto, as pessoas começam a procurar a carteira, dizendo o quanto ficariam felizes em ajudar, blá blá blá, mas esse cara fica parado, seu rosto um pouco inexpressivo. Meio desconfortável, continuo com meu discurso ensaiado:

— Nossa conta de veterinário pode passar de 25 mil libras por ano, — digo —, então as doações são para isso, e é claro que Bluey vai para você totalmente vacinado e castrado, então...

Levanto as sobrancelhas e sorrio desconcertada para ele. Nada ainda.

— A coleira? — diz ele, lembrando-me, como se o último minuto não tivesse acontecido.

— Ah, sim — gaguejo —, vou pegar para você.

E sabe quando você sabe que algo não está certo? Quando sabe que algo está estranho, e, ainda assim, ignora e segue adiante? Isso é estupidez? Ou é ignorância?

Ambos, talvez.

Não sei ao certo o que é, mas, quarenta e cinco minutos depois, Charles Lafferty ainda não retornou com Bluey e estou ficando nervosa. Faz menos seis graus lá fora. O chão está congelado e o ar, gélido. Exatamente quão longe ele levou Bluey nesse "pequeno passeio"?

Vou para fora, na esperança de vê-los retornando e, só então, percebo que há apenas três carros no estacionamento. O meu, o de Lorna e o de Shelley — Shelley é a outra menina do canil; ela dirige um Fiesta antigo.

Charles Lafferty se foi. Não há vestígios dele.

E, bizarramente, levou Bluey junto.

# 22

SÃO QUASE CINCO da tarde e Joanne passou as últimas horas traçando o perfil de Guy Riverty. O plano é ir a Troutbeck interrogá-lo assim que McAleese der permissão. McAleese, primeiro, quer que sejam feitas buscas nas propriedades que Guy Riverty possui no entorno de Troutbeck; depois, eles ampliarão a investigação se nada surgir.

Ron Quigley recebeu uma lista com os criminosos sexuais fichados — e não está feliz. Ele continua impaciente, balançando a cabeça, murmurando "doentes malditos" de vez em quando. O que Joanne considera natural.

Predadores sexuais devem confirmar seu registro a cada ano no ViSOR*. O que significa que devem informar à polícia qualquer alteração em sua vida pessoal — endereço, emprego, e assim por diante. Não fazê-lo implica uma pena de até cinco anos de prisão. O que deve desencorajá-los o suficiente.

Mas será mesmo?

Os criminosos sexuais realmente informam à polícia cada movimento que dão? Joanne acha que não.

Ron está investigando a movimentação de indivíduos na área de Cúmbria nos últimos seis meses. Mas parece que ele está se desviando do principal por causa dos crimes que cometeram. Como era de se esperar,

---

* Registro de Criminosos violentos e Agressores Sexuais. (N.T.)

Guy Riverty não está no registro, mas McAleese disse a Ron para continuar, caso essa nova pista sobre Guy não dê em nada.

— Vou pegar um café, Ron. Você quer? — pergunta Joanne, afastando a cadeira da mesa.

— Sim, ok. Você não teria algum antiácido na bolsa, teria? Meu estômago precisa ser acalmado.

— É aquela massa folhada que você fica comendo no café da manhã. Peça para sua mulher fazer um mingau de aveia para você.

Ron lança um olhar para ela. Ele não é o tipo de homem que come mingau.

— Eu estava bem até começar a olhar para esses doentes.

— Justo. Verei se consigo arrumar algo.

Joanne deixa o escritório enquanto Ron resmunga:

— Como uma agulha em um palheiro de pedófilos, isso é...

Ela caminha pelo corredor, passando pelo gabinete do detetive inspetor Pete McAleese, onde ele está vociferando e gritando com alguém no telefone. Ela está cantarolando "Rock and Roll Part 2", de Gary Glitter, mais alto do que deveria... Não é a coisa a se fazer quando se trabalha em um caso de pedofilia.

É uma pena que Gary seja um pedófilo de merda, pensa Joanne. Ela sempre gostou das músicas dele.

Ela aperta os botões da máquina para fazer dois cafés com leite e pensa em Guy Riverty. Ela não consegue livrar-se da sensação de que ele está envolvido de alguma forma, e, por isso, tem checado na internet quais dos imóveis dele estão ocupados por turistas. Não muitos. A maioria está vazia agora; as próximas reservas são para pouco antes do Natal.

São bonitos, esses imóveis. Todos de luxo. Ficaram para trás os dias das pousadas baratas e alegres, as de quinze libras por noite, incluindo café da manhã completo. Isso não existe mais. Os Lagos têm uma clientela diferente agora. Os andarilhos, os alpinistas e os que curtem atividades ao ar livre ainda são frequentes, mas o lugar atrai mais os que buscam um retiro campestre. Eles querem banheiros revestidos de mármore do tamanho da casa de Joanne. Eles querem restaurantes com estrelas Michelin. Eles querem cruzeiros à meia-noite com champanhe rosé.

Os imóveis para aluguel de temporada de Guy Riverty estão todos listados como cinco estrelas. Ele gastou uma forturna em acabamentos modernos, e o piso aquecido é padrão. Durante algum tempo nesta tarde, Joanne se perdeu sonhando com uma vida ideal em um desses chalés em Hawkshead. Caminhando descalça, seus pés pisando suavemente no assoalho de carvalho, sua mão percorrendo a máquina de café expresso embutida, e a TV encaixada na parede. Sem fios pendurados para irritá-la aqui. Um lindo Adônis sem rosto, sem nome, deitado na cama no andar de cima, esperando por ela...

E é aí que ela volta para o mundo real e para o trabalho.

Ela consegue um antiácido para Ron com Mary, a moça da limpeza, e retorna com o café, encontrando-o com um olhar sério.

— Quer a má notícia ou a má notícia? — pergunta ele.

Ela se debruça na beira da mesa dele:

— Manda ver.

— Outra garota desapareceu.

— Merda. Como?

— Nenhum detalhe ainda, acabei de ouvir. O que significa...

— O que significa que ele não vai libertar Lucinda Riverty. O que significa que ela provavelmente já está morta.

— Quer a outra má notícia?

— Vá em frente.

— O oficial de plantão está se virando com os repórteres de tabloide lá embaixo. McAleese quer que você esteja lá durante a declaração, acha que vai ser melhor com uma oficial presente... *e*... — diz com um longo e infeliz suspiro.

— Tem mais?

— Sim. Seu Sr. Riverty não estava nem perto de onde essa foi levada. Desculpe, Joanne, mas simplesmente não é ele.

*O sentimento dentro dele está crescendo até o ponto em que sabe que não conseguirá conter-se por muito tempo. Essa é a melhor parte. Aquela que vem antes. Pouco antes.*

*Ela está deitada ali, seus olhos abertos, vidrados. Vendo sem ver. Ele gostaria que ela o visse completamente, mas não é possível. Talvez mais tarde.*

*A pele dela é mais pálida nesta luz. Não há nenhuma mancha, nenhuma marca. Nenhuma gordura na parte interna das coxas. Nem estrias pela barriga.*

*Em vez disso, há dois pontudos ossos do quadril, que se projetam para o céu. Parecem mais escápulas erroneamente posicionadas do que ossos da pelve.*

*Ela não fala.*

*Ele deita ao seu lado. O lençol de algodão desliza sobre o polietileno, o som arranhado inconsistente com a serenidade diante dele. Ela mexe a cabeça. Ela sabe que ele está aqui, mas não está assustada. Ela o quer. Sua boca se abre, mas não daquela maneira vulgar que ele conhece. Ela está se comunicando com ele. Se ela pudesse formar palavras, o encorajaria dizendo que é hora de começar.*

*Fazendo um formato de pinça com o polegar e o indicador, ele circunda o pulso no ar acima do abdômen dela. Ele já tirou seu sutiã e, como suspeitava, ela não precisava mesmo dele. Imitando as amigas. Apenas se encaixando. Ele realmente queria que não fizessem isso. Há muito tempo para crescer. Parece que todas querem fazer isso tão rápido, e se apenas soubessem como estão erradas...*

*O ar entre os dedos dele e o corpo dela está esquentando agora. A transferência de energia, uma mistura de cada um, aqui, neste espaço. Espaço sagrado. Os dois unidos da forma mais pura.*

*A boca dela sussurra orientações inaudíveis e está na hora de ele tirar as roupas. Com as pontas dos dedos agora enluvadas, ele, gentilmente, abre as pernas dela e pega a câmera na mesa. Ele acha a pureza dela incrível.*

*Em seguida, ele se deita sobre ela e a deixa levá-lo aonde ele precisa estar.*

# 23

É POUCO DEPOIS DAS sete da noite e Joe e eu estamos sentados à mesa da cozinha. As crianças estão lá em cima. Sally está no telefone com uma amiga da escola, Kitty. Ela parece ter chegado ao ponto em que precisa falar e falar — mas não conosco. A polícia a interrogou novamente esta tarde sobre o homem com quem Lucinda vinha se encontrando, mas ela não dá detalhes, age como se eu estivesse pressionando-a e diz que já me contou tudo o que sabia.

Os meninos estão jogando Minecraft. Todos os adolescentes do país parecem estar viciados nesse jogo, mas eu ainda não vi a graça. Sinto uma ponta de culpa. De vez em quando, perturbo Joe para fazermos mais coisas juntos. "Devíamos jogar um jogo de tabuleiro ou sair para comer... Nunca passamos um momento em família com as crianças."

E Joe diz: "Ficamos de saco cheio depois de meia hora de Banco Imobiliário, não temos oitenta libras sobrando *para comer fora* e quantas vezes preciso dizer que crianças *não gostam* de momentos em família?"

Ele está certo. Elas não gostam. Mas, então, assisto a *Supernanny* e me sinto péssima quando ela diz que os pais passam apenas cerca de quarenta minutos por dia com os filhos, e esse é o motivo para o mau comportamento deles. "Aquelas crianças não se comportam", diz Joe, "porque seus pais são idiotas. Estamos fazendo o melhor possível, Lise. Deixe para lá, está bem?"

Joe está exausto hoje. Ele dirigiu até Lancaster (duas vezes), o que não costuma ser grande coisa, mas caiu uma pancada de chuva congelante no fim da tarde — um evento meteorológico que eu nunca tinha presenciado — e as estradas estão um pesadelo de traiçoeiras.

Ao sair do trabalho, imaginei que teríamos uma trégua da neve, por causa da chuva. Mas, então, pisei no que achei ser um degrau úmido e percebi que a chuva tinha congelado e que a umidade era, na verdade, gelo.

Vi três carros atolados e dois acidentes quando estava indo para casa. E poderia ter chorado quando vi um senhor de idade engatinhando até sua porta da frente em vez de se arriscar tentando andar.

Joe chegou em casa e saiu novamente. Um grupo de amigos do *pub* queria fazer uma busca por Lucinda ao longo do rio — sem que Kate e Guy soubessem — e ele tinha acabado de voltar.

Ele está exausto e acabado. Há vincos profundos sob seus olhos, sua pálpebra esquerda está ligeiramente caída e sua barba rala de três dias está crescendo grisalha. Parece ter acontecido tão de repente. Quase da noite para o dia. Como se, no dia em que chegou aos quarenta, a pigmentação preta tivesse se esgotado. Abraço-o por trás e beijo seu pescoço suavemente. Então, ao me afastar, vejo um corte profundo na parte de trás da cabeça, visível através de seus cabelos.

— O que foi isso? — pergunto a ele.

— Dei uma porrada com a cabeça saindo do carro. Meus pés escorregaram.

Não o repreendo pela linguagem. Curiosamente, não me importo com a palavra "porrada" quando usada dessa forma.

Eles, obviamente, não encontraram nada. Joe usou seus sapatos de golfe para ter alguma segurança no gelo, mas o grupo de buscas não se demorou muito. Um cara escorregou e deslizou uns bons trinta metros, então eles desistiram e voltaram. E, pelo que ouvi, a polícia não está mais participando.

Conto a Joe sobre o roubo de Bluey e pergunto se ele acha que devo ligar para a polícia e denunciar. Mas ele esfrega os olhos e diz:

— Leve em conta que eles têm um bocado de coisas mais importantes que um cachorro roubado para resolver agora. Além disso, Bluey encontrou um lar, que é o que você queria. O sujeito provavelmente apenas não queria fazer uma doação... talvez não tivesse condições.

— Mas é aí que está — digo. — Ele chegou todo bem vestido dizendo que era advogado. Claramente tinha condições.

— Que carro ele dirigia?

— Não vi.

— As pessoas são estranhas, amor. Quem sabe o que acontece? Eu deixaria para lá.

Ele não se importa em me dar atenção, e não posso culpá-lo. Joe parece estar a ponto de desmaiar. Sua pele está tão cinza que parece que foi desenterrado.

Tiro nossos pratos. O de Joe está cheio de talos verdes, onde ele mordeu a parte carnuda das pimentas direto. Olho sob a cadeira dele procurando pedaços que possam ter caído, porque Ruthie, a vira-lata de Staffordshire, tem o hábito de comê-los e, depois, rosnar para o chão quando sua boca está queimando.

— A escola não deve abrir amanhã — diz Joe, virando uma garrafa de cerveja. — Há gelo negro em todos os lugares. Ninguém vai conseguir chegar... Estou pensando que talvez devêssemos trocar seu carro por um Land Rover em breve. Seria mais seguro...

— Boa ideia, mas por qual? Não vou trocá-lo por uma lata velha porque não temos como trocar por algo melhor. — Então digo a contragosto: — Suponho que sempre podemos pedir um empréstimo.

Joe não responde. Nossas finanças estão à beira do colapso no momento. Não possuímos nada, exceto os carros. Não há chance de termos um imóvel por aqui e, se não tivéssemos conseguido esta casa pelo fundo habitacional, que oferece habitação acessível para pessoas nascidas na área, nem poderíamos pagar um aluguel no vilarejo. Não quando a média dos aluguéis é em torno de dois mil por mês. Meu cartão de crédito estourou depois de comprar os presentes de Natal das crianças e, bem, por aí vai.

Joe olha para cima:

— Deixemos o carro em segundo plano — diz ele de modo decisivo, e eu sei, enquanto me sento novamente à mesa, que nós dois estamos pensando a mesma coisa. Um carro novo é insignificante quando temos três filhos sãos e salvos lá em cima, aqui conosco. Joe me dá um sorriso triste. — Talvez devêssemos nos oferecer para levar Fergus para a escola amanhã se estiver aberta. Poupar Kate e Guy disso.

— Boa ideia. Eu ia ligar para ela daqui a pouco para ver como está. Vou perguntar.

James entra e pega um pacote de batatinhas que comprei na Asda de manhã. Teremos sorte se sobrar alguma pela manhã. Às vezes, acho que estou criando gafanhotos, não crianças.

James percebe que o pai não está em seu estado normal e começa a acariciar o braço de Joe, para cima e para baixo, de um modo gentil e reconfortante fora do comum. Observo perplexa, porque James não é uma criança desse tipo.

— Pai, — diz ele — talvez você não saiba, mas tenho algum treinamento médico... e acho que você pode estar sofrendo de... *falta de carinho* — Ri, ainda esfregando o braço de Joe. Então sobe as escadas, alheio, pelo que parece, ao estresse dos últimos dias.

Preparo um banho para Joe. O banheiro parece uma geladeira, porque não há vidros duplos na nossa velha casa e o isolamento acima do cômodo faz falta. Você tem que entrar e sair do banho o mais rápido possível.

Pego outra cerveja para Joe e a deixo ao lado das inúmeras garrafas de shampoo e sais de banho que Sally comprou quando foi fazer compras com as amigas. Coloco o pijama e o roupão de Joe no aquecedor do quarto, como fazia pelos meus mais velhos, ainda faço por Sam, e grito para ele vir.

Quando Joe está encharcado e feliz, desço as escadas e ligo para Kate. Guy atende antes que o telefone sequer toque a segunda vez.

— Guy, é Lisa. Alguma notícia?

— O quê?

— Alguma notícia?

Consigo ouvir um barulho ao fundo, uma porta batendo, gritos abafados. Poderia ser Kate, mas não tenho certeza.

— Guy — digo gentilmente —, está tudo bem?

— O que *você* acha? — surta ele, e sou pega de surpresa.

— Desculpe — balbucio. — Liguei para saber se vocês precisariam de alguma ajuda com Fergus amanhã. Você sabe, com o tempo estando tão ruim... Podemos levá-lo à escola se ficar mais fácil para vocês.

Guy emite o que me parece um lento e desdenhoso suspiro.

— Agora não é mesmo uma boa hora, Lisa.

— Ah, ok, sinto muito por ter incomodado, só queria...

— Será que dá para desligar? Apenas desligue a merda do telefone.

— Eu... Eu...

Mas ele se foi. Desligou na minha cara.

Permaneço parada na cozinha, olhando para o aparelho na minha mão, e alguém começa a bater forte na porta da frente.

Corro para abrir, pensando "É Kate! Ou Lucinda!", mas, ao abrir a porta, um golpe de vento gélido atinge meu rosto e vejo que não é nenhuma das duas. Ali, parada no degrau, tremendo, está Alexa.

— Alexa — choramingo —, como chegou até aqui? Não é seguro ficar na rua.

— Onde está Joe? — exige ela, passando por mim, avançando para dentro.

— No banho... Por quê? O que houve, Alexa, o que aconteceu?

— Diga para ele sair — diz ela.

# 24

SALLY ESTÁ NA COZINHA servindo-se de um pouco de leite quando Alexa invade.

— Você se importaria de nos dar alguma privacidade, Sally? — pede ela.

Sally olha para mim, porque Alexa parece completamente desequilibrada.

Ela está vestindo calças de pijama — de flanela azul com ovelhas — botas de neve e um casaco preto acolchoado. Seu cabelo loiro, normalmente sedoso, está úmido, preso em um rabo de cavalo e desgrenhado em torno das têmporas. E ela tem manchas negras sob os olhos, de onde não tirou o rímel direito.

Faço um rápido movimento com a cabeça para Sally, que significa "saia", e, quando ela sai, pergunto a Alexa "qual o motivo de tudo isso?", mas já descobri que é um tipo de raiva completamente diferente daquela que demonstrou quando Lucinda desapareceu.

Ainda assim, quero ouvir isso dela. Quero ter certeza antes de desmoronar. Dou-lhe o meu melhor olhar equilibrado e sereno.

O maxilar de Alexa está imóvel:

— Chame Joe.

Cinco minutos depois, Joe está de pé em seu roupão, creme de barbear ainda nas narinas e dentro das orelhas. Alexa se volta para ele:

— Joe, sua esposa e meu marido estão tendo um caso — diz ela.

Imediatamente, Joe engasga. Olha para mim, pronto para que caiamos na gargalhada. Quando vê que não estou sorrindo, seu rosto perde a cor.

— Não é verdade, é? — pergunta ele.

Antes que eu possa responder, Alexa grita:

— É claro que é verdade! Acha que eu viria aqui assim? — aponta para o pijama — Acha que eu viria aqui se não fosse verdade? Por Deus, Joe, em que planeta você está?

Joe engole seco. Depois de um longo silêncio, ele diz:

— Há quanto tempo?

Levanto o dedo indicador:

— Uma vez — sussurro. Não consigo olhar para ele.

— Uma vez? *Uma* maldita vez! — grita Alexa. — Bem, se acha que estou engolindo essa tolice, então é mais idiota do que eu imaginei. Claro que não foi só uma vez. Quem faz isso só uma vez?... O quê, você fez uma vez e não podia mais viver consigo mesma, não é?

— Algo assim — murmuro.

— Quando foi isso? — pergunta Joe.

— Quando fomos jantar na casa de Kate e Guy aquela vez.

— Mas isso foi... isso foi séculos atrás — diz ele, franzindo a testa.

— Três ou quatro anos — respondo.

Alexa olha rapidamente para mim e para Joe, para mim e para Joe.

— É só isso? — exclama ela — Isso é tudo o que você vai dizer para ela?

Ele se move para encará-la. Soltando o ar, diz:

— O que quer que eu diga, Alexa? Por que não me diz o que quer que eu diga? Ou, melhor, por que *você* não diz o que quer dizer?

— Quero saber quantas vezes. Quero saber onde eles se encontram. Quero saber *por quê*?

Joe olha para mim:

— Lise?

— Uma vez. Aconteceu só uma vez. Não nos encontramos em lugar nenhum, aconteceu daquela vez e foi só...

— Ah, pelo amor de Deus — diz Alexa com repulsa. — Você é tão ruim nisso quanto ele.

— Ele quem? — pergunta Joe.

— Adam.

Ela está agarrada ao encosto de uma cadeira; os nós de seus dedos perderam a cor.

— Foi isso que *vocês* decidiram? — pergunta ela a mim. — Este é o planinho que você preparou com Adam antes de ele confessar? "Vamos dizer que foi uma única vez, que não significou nada, que foi um momento de loucura. Se ambos dissermos o mesmo, ninguém pode provar o contrário, pode?"

Eu a encaro:

— Uma vez não é o suficiente?

Ela não responde.

— Por que você fez isso, querida? — pergunta Joe suavemente.

Dou de ombros desesperançada:

— Eu estava bêbada.

— Que tipo de desculpa é essa? — diz Alexa.

— Uma verdadeira. Posso elaborar se isso fizer você se sentir melhor. Posso dizer que o álcool removeu meus princípios morais ou que confundiu meus limites ou que perdi o autocontrole. Mas eu só estava muito, muito bêbada.

— Você sai transando com outras pessoas toda vez que bebe?

Olho para Joe:

— Sinto muito — balbucio para ele, e ele mantém o olhar fixo no meu e fecha os olhos lentamente.

— Por que você tinha que escolher *meu* marido, de qualquer maneira? — questiona Alexa, uma ponta de choro transparecendo em sua voz agora. — Por que Adam?

— Eu não escolhi Adam.

Ela olha para mim como se dissesse "ah, por favor".

— Ele me escolheu.

Ferida, Alexa se volta para Joe:

— Por que você não está dizendo nada? Por que não está fazendo nada a respeito? — Ela começa a chorar. — Que tipo de homem de merda é você, Joe?

— Prefiro discutir isso quando você for embora — responde ele, ignorando o insulto. Então, gentilmente, pergunta — Como você descobriu, Alexa?

— Aquele canalha me contou. Não conseguiu manter isso guardado por mais tempo. Ele disse que isso o tem atormentado há anos, mas ele não se permitia admitir. O que quero saber é quem mais sabe sobre seu casinho?

— Não foi um caso.

— Tanto faz. Para quem mais você contou? Obviamente, não para seu marido. Mas eu gostaria de saber quem está zombando de mim pelas costas para que eu possa estar pronta.

Mudo meu apoio de um pé para o outro:

— Ninguém sabe — minto, pensando em Kate. Jesus, se ela descobrir que sua própria irmã esteve escondendo isso... — Ninguém — digo com firmeza —, nunca contei a ninguém.

Alexa enxuga os olhos.

— Por que ele contou isso a você agora? Porque *agora*, depois de todo esse tempo? Não faz sentido — diz Joe.

— Foi o que eu disse — surta ela. — Mas ele disse que com toda essa preocupação com Lucinda agora e a polícia investigando cada centímetro de nossas vidas, ele não conseguiria manter mais nenhum segredo.

Joe balança a cabeça, concordando.

— Alexa, gostaria de beber algo? — pergunta ele.

— Não. Não, vou embora. Não sei o que eu esperava vindo aqui, mas preciso dizer, Joe, que você está lidando com isso melhor que eu. Vou deixar vocês conversarem. — Ela se volta para mim. — Você tem alguma doença? — pergunta, e eu balanço a cabeça negativamente — Bom. Acho que terei que acreditar na sua palavra, não é?

— Sinto muito, Alexa — digo debilmente. — Se eu pudesse desfazer isso, o faria. Tudo o que posso dizer é que nunca quis magoar ninguém. É algo que simplesmente... aconteceu.

Ela me olha fixamente.

— Essas coisas nunca simplesmente acontecem. Há sempre alguma patologia por trás, como dizem. Você tem ressentimentos por mim desde o princípio. E eu *sei* que Kate consegue aturar você. Sei que você é como o projeto pessoal dela ou algo assim. Ela tem esse pensamento ridículo de que pode salvar as pessoas, ela acha que pode conversar com a ralé e fazer com que se sintam importantes. E eu a avisei sobre isso, avisei sim. Eu disse a ela, "Kate, não podemos nos misturar. Vai dar problema". Mas ela não escutou. E, agora, olhe para nós. Você não apenas esteve transando com meu marido, mas, por sua causa, Kate perdeu a única filha.

# 25

ESTAMOS DEITADOS NA CAMA, o relógio marca 23h40, e ambos olhamos para o teto.

Joe não falou nada até agora. Tentei fazê-lo falar, eu *quero falar*, mas ele não. E não é como se ele estivesse me punindo; é pior que isso. Ele está fisicamente impossibilitado de falar, como se reconhecer a si mesmo a seriedade do que aconteceu conosco, tudo será verdade.

Continuo deitada, esperando. A pedra pesada que carrego em minhas entranhas desde que Lucinda desapareceu foi substituída por metal fundido. Está queimando, corroendo-me por dentro. Eu me odeio. Eu odeio o que fiz.

Começo a pensar sobre o Natal e me preocupo agora com o desastre que será. É ridículo pensar nisso, mas ao menos estarei aqui? Joe estará aqui ou irá embora para morar com a mãe?

Não acredito que isso está acontecendo com a gente.

Todo aquele amor, todo o trabalho que investimos nele. Desperdiçado. Toda a energia e o compromisso que manter funcionando sem problemas uma família de cinco exige. E eu joguei tudo fora no espaço de aproximadamente — o quê? Três minutos? Três minutinhos repugnantes.

A cama entre mim e Joe está fria. Estendo minha mão pelos lençóis antigos, cheios de bolinhas. O espaço parece maior do que nunca. Toco a mão de Joe; ele não a afasta.

— Apenas me diga uma coisa — diz ele de forma vazia —, estive me iludindo sobre o que achei que tínhamos? Estive vivendo com você, todos esses anos, pensando que era algo que não era?

— Nunca — choro baixinho.

— Então por quê? Por que fazer isso comigo? Você dizia que era a única coisa que não perdoaria. Você disse que não haveria volta para nós se isso acontecesse um dia, porque nos tornaria uma farsa.

— Não vai querer ouvir isso, mas ainda acho que, se você me traísse um dia, Joe, eu iria embora. Eu não conseguiria suportar. Não consigo tolerar a ideia de você dentro de outra mulher.

— Mas está tudo bem se você fizer?

— Não está tudo bem. É a pior coisa que eu já fiz. E fazer isso com você, a pessoa que mais amo... — Tento tocar seu rosto, mas ele se esquiva. — Senti nojo de mim mesma desde que aconteceu, fui ao médico com intestino irritável...

— Eu me lembro disso — diz ele, e, não sei por quê, isso me perturba e caio aos prantos. Talvez seja porque consigo me lembrar da preocupação que ele demonstrou na época. Ele estava preocupado que houvesse algo sério comigo. E havia: eu estava desmoronando. Mas não podia contar a ele.

Ficamos em silêncio.

Após o que parecem ser horas, ele se vira para mim:

— Você deixou de me amar, foi isso? — pergunta.

— Você já sentiu que deixei de amá-lo? Porque nunca deixei — respondo.

— Não. Eu pensava que éramos inatingíveis. Pensava que éramos mais do que aqueles idiotas. — Ele está se referindo a Kate e Guy, Alexa e Adam. — Quando fomos lá e eles fizeram aquela encenação estúpida, cada um deles fingindo ter o que nós temos, sentei lá e me senti vaidoso olhando você. Vaidoso, porque éramos de verdade.

— Se você se sentia assim, por que você bebeu tanto?

— Cerveja de graça — responde ele, e não consigo evitar sorrir um pouco.

— Pensei que estivesse tão inseguro quanto eu. Aquilo que ela disse, Alexa, sobre sermos a ralé, foi assim que me senti. Sei que pareceu ridículo quando ela falou lá embaixo, fez com que ela parecesse uma completa esnobe, mas há algo de verdade nisso. É assim que me sinto a maior parte do tempo.

— Que elas são melhores do que você?

— Elas *são* melhores do que eu.

Joe suspira.

— Lisa, você está confundindo a maneira como elas a tratam com a realidade. Acha que elas são melhores do que você porque é assim que elas agem. Você acha isso porque elas têm mais dinheiro...

— Não é o dinheiro — interrompo —, é tudo. Não consigo administrar as coisas como elas, não sou tão capaz com as crianças e com...

— Elas não têm um maldito emprego, Lise. Podemos apenas nos ater aos fatos? Foi por isso que você fez o que fez? — Ele toca meu rosto, limpa minhas lágrimas. — Foi por isso que transou com aquele imbecil?

— Não sei, talvez. Acho que me senti lisonjeada por ele. Fiquei lisonjeada por ele me querer.

— É claro que ele iria querer você em vez dela. Claro que iria, querida. Como poderia não *querer você*?

# DIA TRÊS

## Quinta-feira

# 26

SONO.

Uma das poucas coisas que não se pode comprar.

Joe e eu costumávamos apostar sobre quem tinha dormido menos.

Lá atrás, quando as crianças eram pequenas e eu ia para o trabalho incapaz de enfrentar outro dia, Joe começava a contar as horas nos dedos. Invariavelmente, ele declarava que eu tinha dormido pelo menos duas horas a mais que ele.

Tivemos até um gráfico na geladeira certa época.

Então eu dirigia para um resgate, no meu caminho para buscar um bando de gatos ariscos de um galpão fedorento em algum lugar, e o via: assento recostado, boné abaixado, dormindo alegremente em um acostamento. "Esperando um trabalho aparecer", dizia ele. É a única vez em que me lembro de realmente odiá-lo.

Agora, deito ao seu lado enquanto ele ronca suavemente, muitíssimo agradecida.

Dormimos abraçados ontem à noite; eu, deplorável e emotiva, exausta, e ele, cansado e farto de tudo. Eu quase esqueci o telefonema com Guy Riverty, mas, quando adormecemos, aquilo voltou a mim e eu me sentei, dizendo a Joe como ele me havia dito para "desligar a merda do telefone".

Sei que não mereço nenhuma gentileza genuína de Guy no momento, mas a dureza de suas palavras me abalou de verdade. Joe, naturalmente, era a voz da razão, mesmo em seu estado de esgotamento. Disse que Kate e Guy estavam sob uma pressão insuportável, e não poderíamos sequer compreender o que eles estavam sentindo. E, sendo realista, Guy poderia falar comigo como quisesse. Se ele quisesse me culpar e mandar eu me foder, ele podia.

Eu me sinto melhor agora que dormi e percebo que preciso parar com a afetação e aguentar o tranco. A filha deles está desaparecida e seja qual for a forma como se comportem é obviamente mais do que compreensível.

Paro na frente do espelho do banheiro e examino meu rosto de perto. A pele das minhas pálpebras e em volta das minhas têmporas está coberta de pequenas manchas vermelhas, como sardas na cor framboesa. Imediatamente, entro em pânico pela possibilidade de estar com erupções cutâneas de meningite e septicemia, então levanto a blusa do pijama, esperando ver minha barriga branca coberta por coisas asquerosas, mas não tem nada. Nada.

O que é, então?

Tentando não acordar Sally, pego o laptop no quarto dela e volto para a cama com Joe ainda adormecido.

Pesquisa: manchas vermelhas + pálpebras.

Sou direcionada a um fórum sobre gravidez e, por um segundo, sou tomada por um pânico cego porque acho que possa ser algum estranho sintoma de gravidez pouco conhecido, um que eu nunca tinha visto antes e, meu Deus, se eu estivesse grávida agora, isso seria a *pior coisa possível.* Amo crianças mais do que tudo... mas não posso passar por isso de novo. Por favor... sem mais bebês.

Tentando parar de tremer, leio sem rodeios o fórum de discussão: "Esses pequenos pontos vermelhos são sintomas de vômito forçado. Se você tem pele clara, esses vasinhos estourados aparecem facilmente. Felizmente, não os terá mais quando os enjoos acalmarem no segundo trimestre."

Respiro.

Não estou grávida. A ressaca de ontem e seus consequentes vômitos acarretaram a explosão dos vasos capilares das minhas pálpebras.

Graças a Deus. Achei que fosse algo sério.

Joe se mexe:

— Bom dia, amor. — Sua voz está triste, fraca.

— Joe, estou com estas manchas nas pálpebras. Veja se não há nada nas minhas costas, por favor?

Levanto a blusa e ele engasga como se eu estivesse totalmente coberta.

— Merda — diz ele — consigo ver... Consigo ver o rosto de Jesus!

— Muito engraçado — digo, abaixando a blusa. Então me viro para ele e o olho com tranquilidade — Vamos ficar bem?

— Você quer saber se vou deixar você?

Eu faço que sim com a cabeça.

— Não. Mas dói pra caralho, Lise. Parece que você arrancou minhas tripas e as está torcendo. Mas não, não posso deixar você. Você também não pode me deixar. O que faríamos? Vê-la com outra pessoa me mataria.

— Desculpe por ter estragado tudo.

— Você não estragou. Você quase estragou. Talvez se tivesse feito isso na semana passada ou no mês passado ou, não sei, no ano passado. Mas passamos por bons momentos sendo felizes desde que você o fez. Você só fez uma burrice, algo muito desajuizado. Mas isso pode ser o fim deles agora? Kate, Guy, Alexa, todos eles.

— Não é exatamente o melhor momento para me afastar deles, não é?

— Não — admite ele —, mas você está fazendo tudo o que pode para consertar isso. E é possível que tenha de aceitar o fato de que *não pode* consertar isso. Pode ser irreparável. Ela pode nunca mais voltar. Lucinda pode não voltar para casa nunca mais.

— E se eles me culparem para sempre?

— Eles irão. E você não poderá fazer nada. — Ele para. — Talvez seja melhor começar a se afastar um pouco deles, por via das dúvidas.

— Mas como essa pode ser a coisa certa a fazer?

Ele se encolhe:

— Apenas uma ideia. Vamos ver o que hoje nos traz.

Olho para Joe, e todo o meu ser dói com o quanto preciso dele. Com como não posso enfrentar nada sem ele.

— Fique mais cinco minutos — digo —, trarei o café.

Ele sorri em agradecimento. Ainda parece exausto. Parece pior, se é possível, do que ontem à noite. Quando tudo isso acabar, vamos viajar. Encontrar um pacote barato para as Canárias e pegar um pouco do sol de inverno.

Desço e me ocupo com a ração dos cachorros e o cereal das crianças. Coloco na Radio 2 e ouço a vinheta do começo do noticiário das sete horas. O assunto principal são as meninas desaparecidas de Cúmbria.

Paro o que estou fazendo para ouvir.

E é quando o comportamento de Guy na noite passada faz mais sentido. Porque outra menina desapareceu. Essa é da escola particular de Windermere, não muito longe daqui.

Ele deve ter ficado sabendo. Guy já devia saber quando liguei.

Mais uma vez, a menina tem 13 anos e, novamente, aparenta ser mais jovem do que é.

Uma testemunha ocular afirma ter visto essa menina falando com um homem antes de ir embora com ele; estão nos aconselhando a ser ainda mais cuidadosos. Eles acham que ele pode tê-la atraído com um cão.

Um homem alto com um velho cão cinza.

Eu me seguro no balcão da cozinha para não cair. Minhas mãos começam a tremer. É difícil respirar.

Bluey.

Ligo para a detetive Joanne Aspinall e cai direto na caixa postal, então deixo uma mensagem exaltada:

— Ligue para mim, por favor — digo. — O mais rápido que puder. Acho que sei quem é o homem, acho que o conheci ontem... Por favor, ligue para mim... por favor.

Estou com dificuldades de respirar quando ouço Joe descer as escadas:

— O que está acontecendo? — Ele está parado, de cuecas, enquanto esfrega a parte de trás da cabeça que bateu quando escorregou no gelo ontem.

Minhas palavras saem de uma só vez:

— Outra menina desapareceu. Acham que ela saiu com um homem com um cachorro. Um cachorro como Bluey. É ele, Joe. Eu disse que havia algo de estranho nele. Eu falei para você. É ele, com certeza é ele. Tem que ser.

— Pode não ser — é tudo o que ele diz, e se vira para deixar os cães saírem.

— Joe...?

— O quê? — responde ele. — Não entre em desespero, é tudo o que estou dizendo. A chance de ser o mesmo cara é pequena.

Eu o encaro:

— Você está errado.

Subo as escadas correndo, pensando que sei o que devo fazer. Vou me vestir e passar na casa de Kate para contar a ela. Não ligo se Guy gritar comigo, não ligo. Kate precisa saber disso. Posso dizer a ela como é o homem. Jesus, ela pode até conhecê-lo! Eles podem até ser conhecidos, e *é por isso* que Lucinda foi embora com ele tão facilmente, por isso que ela conseguiu sair com ele sem que ninguém suspeitasse de nada.

Olho meu relógio.

Envio uma mensagem para Kate: "Preciso vê-la, passarei aí às 8h. Bjs"

A porta do quarto se abre. É Joe:

— O que você está fazendo? — pergunta.

— Me vestindo.

— Por que a pressa?

— Vou à casa de Kate.

— Agora? A essa hora?

— Isso é importante. Não importa que horas são.

Seu rosto se transforma; ele não consegue acreditar no que está vendo. Ele abre as mãos em um gesto que diz "qual é o sentido disso?".

— Lisa, não ouviu nada do que acabei de dizer? Você não pode simplesmente aparecer lá a essa hora. E quanto aos seus próprios filhos? Você está chegando ao ponto de negligenciá-los. Isso ainda é tudo por causa...

— Não estou negligenciando meus próprios filhos.

— Não? — questiona ele.

— Por que está dizendo isso? Você é quem está sempre me dizendo para parar de me sentir culpada, para relaxar e deixá-los em paz.

— Lisa, pare. Olhe para você. *Tudo* ainda gira em torno *deles*. *Tudo* ainda gira em torno de *Kate*. Você não consegue lidar com o fato de ela estar decepcionada com você, então...

— Decepcionada? A filha dela sumiu, Joe! E a culpa é minha! Não estou preocupada que ela esteja decepcionada comigo, estou morrendo de medo! Que raios devo fazer? Preciso contar a ela sobre esse cara de ontem, pode ser a peça faltando para encontrar...

— É melhor que você tenha cuidado, então — interrompe ele, com um tom de dono da verdade.

— O que isso significa? Ter cuidado com o quê?

— Se você se distrair de novo, Lise, da próxima vez, pode ser a *sua* filha.

Quarenta minutos depois, após raspar todo o gelo do carro, estou dirigindo para o lado do vale onde Kate mora.

Meus pneus trituram o cascalho conforme subo a colina. Derrapo duas vezes, mas me restabeleço e, para ser sincera, estou com tanta pressa que não me importo se meu para-choque bater no muro cuidadosamente construído de alguém ou destruir sua cerca viva. Estou inquieta e desesperada para chegar logo até Kate e contar o que sei. Tenho um forte pressentimento de que ela vai reconhecer a descrição do cara que levou Bluey e, não tentando aumentar minhas esperanças ou algo do tipo, acho que há uma boa chance de que isso traga Lucinda de volta para casa.

Não me permito considerar a hipótese de ela não estar viva. Por enquanto, realmente acredito que esteja, e Kate vai precisar que eu seja forte. Tenho que ser positiva para o bem dela.

Chego até o topo da colina onde a estrada se bifurca e, enquanto viro lentamente à esquerda, penso que talvez seja capaz de corrigir meu erro. Se *eu* puder ser a pessoa a levar a polícia até Lucinda, então, talvez, com o tempo, Kate e Guy possam ser capazes de me perdoar, e...

Estou passando pelas vagas onde os Riverty estacionam os carros. O Audi de Guy não está lá.

Um pouco adiante, no caminho que leva até a casa em si, está sua garagem dupla separada. Como as da maioria das famílias, está tão cheia de tralhas que não há espaço para os carros, então Guy e Kate estacionam seus 4×4 em frente a ela. O Mitsubishi de Kate está lá, mas o carro de Guy, não.

Onde ele está a essa hora? Por que não está em casa?

Piso na embreagem e no freio simultaneamente, lentamente levando meu carro até parar no meio-fio na frente da entrada da casa. Ela não respondeu a minha mensagem hoje cedo, mas sei que está acordada porque todas as janelas do andar de baixo estão iluminadas.

De qualquer forma, é óbvio que ela está acordada.

Que mãe dorme quando seu filho está desaparecido?

Fico onde estou por um momento e observo. Não há movimento dentro da casa, mas percebo que Kate ligou as luzes de Natal novamente — provavelmente tentando manter as coisas tão normais quanto possível para Fergus.

A árvore de Natal na sacada está bonita. Eles fazem aquilo que as famílias fazem no início de dezembro e vão escolhê-la juntos. Fazem disso um dia especial e param em um restaurante a caminho de casa para almoçar.

Nossa árvore ainda está em cima do meu guarda-roupa.

Ao longo do ano, as portas de cima do armário têm o hábito de abrir sozinhas, e eu olho para cima e vejo um ramo solitário pendurado, provocando, enchendo-me com um mau pressentimento sobre o Natal — mesmo que ainda seja junho.

Parece que passei toda a infância à espera do Natal, e, agora, passo metade do ano temendo a sua chegada. Muito a se fazer e pouco tempo para fazê-lo. Sempre me sinto um fracasso natalino.

Olho novamente para o carro de Kate. Talvez Guy tenha conseguido estacionar o dele na garagem no fim das contas, para não ter que descongelá-lo esta manhã. Demorou uma eternidade para fazer isso com o meu.

Saio e caminho a passos hesitantes. Lembro-me de ler certa vez que a cartilagem nas articulações humanas é três vezes mais escorregadia do que gelo. Mas não este gelo. Este gelo não é como nada que eu tenha visto antes. Estou vestindo velhas calças de esqui que comprei para ir a Andorra antes de descobrir que estava grávida de Sally. Nunca chegamos a ir, então uso-as como calças de inverno para levar os cães para passear. Sou grata por elas agora. Se eu escorregar, pelo menos meu traseiro terá um pouco de amortecimento.

Aperto a campainha e espero.

Não há barulho algum. Normalmente, você ouve alguém descendo as escadas ou os passos rápidos e curtos de Kate pelo corredor.

Aperto novamente, então começo a bater palmas para manter o sangue correndo.

É como se não houvesse ninguém em casa.

Talvez Kate esteja no banho.

Decido ligar para o telefone da casa do meu celular; talvez ela ouça se estiver no andar de cima.

Dois minutos depois, desisto, porque ninguém atende.

Então cai a ficha. Aposto que foram até a delegacia. Aposto que receberam uma ligação sobre a nova menina desaparecida e foram lá ver se havia mais alguma informação. Sim. Eles devem ter ido no carro de Guy.

Mas por que deixar as luzes da casa acesas?

Estou prestes a voltar para casa quando, no último instante, giro a maçaneta da porta da frente, apenas para ver o que acontece. Quando a porta se abre, dou um salto para trás, surpresa, e quase perco o equilíbrio.

Ao entrar, ouço música vindo da cozinha, então é para lá que vou.

— Kate? — chamo. — Kate, você está aqui?

É “Stop the Cavalry”, de Jona Lewie, tocando, e está vindo do rádio retrô azul-céu, aquele que combina com os outros aparelhos retrô azuis de Kate.

Então fico boquiaberta.

Kate está no chão próximo à mesa da cozinha. Ela está usando seus pijamas cor-de-rosa claro Cath Kidston e está coberta de vômito.

Na mesa, há três frascos de comprimidos vazios e uma garrafa de sambuca meio vazia.

Tremendo, eu me agacho próximo a ela. Acho que não está respirando.

# 27

O CÉREBRO DE JOANNE está totalmente alerta, mas seu corpo ainda está adormecido.

Ela não conseguiu ir para casa antes das onze horas ontem à noite, quando teve que deixar o carro no vilarejo de Windermere. Algum idiota abandonou *seu* carro do lado de fora do mercado, bloqueando a estrada, e não havia como passar. Então Joanne teve de caminhar, segurando-se nos carros estacionados como a Mulher-Velcro, chegando a ponto de imaginar que seria mais fácil desistir e deslizar de bunda pelo caminho. Mas, mesmo que não houvesse ninguém por perto, ela não conseguiria se submeter a isso.

De todos os momentos para uma chuva congelante, este não poderia ser o pior. Duas adolescentes desaparecidas e nove entre dez estradas em Cúmbria obstruídas.

A polícia aconselhou que as pessoas saíssem apenas se necessário — o que, obviamente, cada um interpreta de um jeito.

Joanne se lembra de ver uma família americana sendo entrevistada na TV após uma tempestade de gelo particularmente ruim em Minnesota. Eles diziam à repórter que *não tinham escolha* a não ser dirigir naquelas condições mortais, porque precisavam comer — o que quer dizer ir a um restaurante — porque, como muitos americanos, simplesmente não cozinhavam em casa.

Situações de vida ou morte significam coisas diferentes para pessoas diferentes.

Joanne desenrola as cobertas e faz a primeira tentativa de sair da cama. Ela dorme como se fosse um casulo, com o edredom em volta e preso entre as pernas. Assim, ela fica aquecida e as pernas não ficam suadas.

Ela vira de costas e passa os dedos por debaixo da armação do seu sutiã de dormir. Ela dorme de sutiã desde os 15 anos e mal pode esperar pelo dia em que não precisará mais dele.

Há batidas vindas do andar de baixo. Normalmente, Jackie já saiu a essa hora; toma banho às seis e sai de casa às seis e meia para ajudar os clientes que precisam de ajuda para se levantar. Ela também deve ter tido dificuldades para se levantar hoje.

Jackie já estava dormindo quando Joanne voltou para casa ontem à noite. Joanne espiou pela porta do quarto, mas os sons de Jackie roncando e grunhindo denunciaram que ela tinha apagado com a ajuda de uma garrafa de Mateus Rosé. Joanne encontrou a garrafa vazia na lixeira.

Joanne desce as escadas e encontra Jackie comendo torradas com geleia e assistindo ao noticiário da manhã na sala de estar. Seu curto cabelo loiro está molhado e tem aquele tom alaranjado que decorre da descoloração em casa.

— O carro está preso — diz ela com a boca cheia. — Vamos precisar de um homem para tirá-lo.

Joanne diz que não há muitos homens por aí essa época do ano.

Ela não contou a Jackie sobre sua redução de seios porque — bem, ela não sabe por que não contou, mas não contou. Então quando Jackie diz "chegou uma carta para você", apontando para a mesa de centro, "diz que é particular e confidencial", Joanne não tem uma boa resposta pronta e diz que provavelmente é um extrato bancário.

— Tem o carimbo postal de Lancaster — diz Jackie, olhando para ela com suspeita. — Extratos bancários não vêm de Lancaster.

Joanne murmura que aquilo não é da conta dela e, então, vai fazer chá.

— Sei que você está aprontando — grita Jackie de sua cadeira.

Enquanto a chaleira ferve, ela pega o telefone e xinga, pois ele está programado para ir direto para o correio de voz. Ela ouve as mensagens, esperando algo do detetive-inspetor reprimindo-a por não estar comunicável, mas há apenas uma mensagem confusa da mulher de Troutbeck, Lisa Kallisto.

Algo sobre um cão e o estuprador.

É difícil entender, porque a mensagem de Lisa beira a histeria e Jackie aumentou o volume da televisão. Joanne tem que tampar o outro ouvido para decifrar o que Lisa Kallisto está falando. Ela ligará em breve, depois que tomar um pouco de chá e acordar o suficiente para, pelo menos, conseguir manter uma conversa.

— Então outra garota sumiu? — grita Jackie da sala de estar.

Joanne pressiona o saquinho de chá contra a lateral da caneca com uma colher. Quando não parece forte o suficiente, ela coloca o saquinho usado de Jackie lá dentro também.

— Sim, ontem. — grita de volta — Foi por isso que voltei tarde para casa. A pressão está grande, precisamos encontrar algo rápido.

— Você não foi ver a vovó.

Quartas à noite, as duas visitam a vovó na casa de repouso. Bem, ela é avó de *Joanne*, mãe de Jackie. Mas Jackie sempre a chamou de vovó. Provavelmente, desde que seu filho era pequeno e era menos confuso para ele conhecê-la por apenas um nome.

— Como ela está? — pergunta Joanne, enquanto adentra a sala de estar, derramando de leve o chá quando seu pé prende em uma dobra do tapete.

— O de sempre, fingindo que não me reconhece.

Vovó usa esse truque se a visitam quando está passando um programa a que ela quer assistir.

Elas aprenderam a ignorar.

— Ela precisa de alguma coisa? — pergunta Joanne — Ela tem talco e coisas assim?

— Uns chinelos novos seriam bons, caso você queira dar-lhe um par quando passar próximo ao Marks; o tamanho é 33. E você me deve doze libras para o cabeleireiro. Ela fez um permanente semana passada.

Joanne e Jackie dividem o custo dos gastos da avó. A mãe de Joanne deveria contribuir também, mas, desde que foi viver em Lanzarote, há quatro anos, não vale a pena o aborrecimento de tentá-la fazer pagar sua parte. Graças a Deus o estado cobre os custos da casa de repouso, é tudo o que Joanne pode dizer. A quatrocentas libras por semana, não haveria como ela e Jackie pagarem, e a alternativa seria que vovó vivesse com elas... Não seria nada viável.

Jackie para de mastigar e encara Joanne:

— Então você vai fazer aquela redução de seios?

Joanne olha para o teto e suspira:

— Nada passa despercebido por você?

— Sylvia a viu no médico na terça-feira e, já que estava guardando segredo, imaginei que devesse ser esse o motivo.

— Ele vai me indicar um especialista. Tenho uma consulta depois do Natal.

— Você é uma idiota.

— Sua opinião.

— Não é minha opinião. É fato.

Joanne não diz nada. Ela sabe bem o que Jackie pensa sobre o assunto. E não quer mesmo passar por isso de novo agora.

O telefone de Joanne vibra no bolso do roupão. Ela o pega e olha a tela. É Ron Quigley.

— Joanne — diz ele, ofegante e sem fôlego, como se estivesse subindo os degraus da delegacia correndo —, vá para Troutbeck o mais rápido possível, querida. A senhora Riverty tentou se matar.

# 28

DIZEM QUE O TEMPO é relativo.

Câmera lenta é esperar o nascimento do seu bebê quando se está grávida de doze semanas; assistir aos ponteiros do relógio na Véspera de Natal quando se tem 7 anos; esperar que os paramédicos cheguem quando sua amiga tentou se matar e as estradas estão cobertas de gelo.

Os minutos mais longos da minha vida.

A espera foi uma tortura, porque não havia nada que eu pudesse fazer por Kate. Seu corpo estava fedendo e imóvel, sua respiração mal existia, seu pulso fraco e instável, e tudo o que me restava fazer era acariciar sua cabeça, impotente.

Eu não tinha percebido quando a encontrei, mas, enquanto tentava colocá-la na posição de recuperação, notei que as calças de seu pijama estavam cheias de fezes, e aquilo se espalhou por todo o piso de mármore. Então limpei as coisas da melhor maneira possível. Em seguida, desliguei o rádio e esperei.

A primeira pessoa a chegar é um paramédico solitário em um Land Rover de emergência. Conheço o cara de passagem; estou acostumada a vê-lo por Windermere, comprando um sanduíche ou na fila do HSBC. Ele tem o rosto simpático e o nariz torto para o lado, onde levou uma pancada. Provavelmente, rúgbi. Tem o biotipo ideal para isso. Ele me diz que há uma ambulância a caminho, mas vai começar com Kate, porque... Ele pausa e diz a próxima parte como se estivesse se desculpando:

— Será uma luta para chegarem até aqui.

— Quanto tempo acha que vão demorar? — pergunto, minha voz trêmula, e ele encolhe os ombros, sua expressão novamente pesarosa.

— Espero que não muito — diz ele.

Ele aponta para os frascos de comprimidos na mesa da cozinha. Pergunta se isso foi tudo o que ela tomou e me pede para verificar no andar de cima, nos banheiros, nos armários de remédios, para ver se encontro qualquer outra coisa que ela possa ter engolido. Eles realmente precisam saber, diz ele.

Os frascos de comprimidos na mesa continham antidepressivos. Amitriptilina e fenelzina. Conheço esses nomes, porque minha mãe tomava isso. Eu buscava as receitas para ela quando necessário. O que me surpreende é que Kate esteja tomando antidepressivos e tenha tomado por tempo suficiente para estocá-los e, em seguida, fazer isso. A data em dois dos vidros é agosto; no outro, é outubro.

Parece que cada vez que penso que alguém organizado é muito bem resolvido, cada vez que penso que alguém tem tudo sob controle e mantém uma vida equilibrada de maneira muito melhor do que eu jamais conseguiria, esse alguém acaba por ser dependente de antidepressivos. Parece que sou muito ingênua quanto a essas coisas.

Estou de pé na bela cozinha de Kate, olhando para seu corpo imóvel, pensando "Por que diabos Kate estava tomando isso? Por quê, quando ela tinha *tudo*?"

É claro que consigo entender por que ela tomou uma overdose, com as chances de Lucinda estar morta agora. Consigo compreender. Mas por que eles eram necessários para começo de conversa?

Estou começando a compreender que o que acho que sei sobre uma pessoa e o que é de fato verdade são polos opostos. E sim, sei que muitas mulheres tomam antidepressivos. Mas por que Kate?

— O que farão com ela? — pergunto ao paramédico antes de procurar mais frascos de comprimidos vazios pela casa.

— Se isso foi tudo o que ela tomou, eles lhe darão carvão vegetal através de um tubo nasogástrico. Geralmente, é isso... Se tivermos chegado a tempo, é só isso. Depende das complicações. Há alguém para quem você deva ligar?

— Preciso avisar ao marido dela, mas não tenho o celular dele. — Aperto minhas mãos com força, desamparada. — Ele deveria estar aqui... Não sei por que não está... Eles... — Eu começo a contar sobre Lucinda e tudo o que aconteceu a esta pobre família, mas paro. Preciso olhar lá em cima antes que a ambulância chegue e acabei de ter a brilhante ideia de ligar para o celular de Kate para descobrir em que parte da casa ele está. O número de Guy estará lá.

E é aí que o tempo passa voando.

Estou no banheiro da suíte de Kate ligando para o seu celular, mas não há nenhum toque vindo de lugar algum na casa. Procuro, vou o mais rápido que posso, porque sei que a ambulância chegará logo e preciso correr.

Abro o armário do banheiro e tenho uma desconfortável percepção instantânea de suas vidas. Assim como antidepressivos, Kate também estoca Canesten Duo para candidíase, supositórios de glicerina — algo que tive que dar para Sam uma vez quando ele estava constipado — e três frascos de restaurador capilar minoxidil.

Sentindo-me culpada, olho por entre os frascos para ver se há algo mais escondido, mas ainda estou perplexa por causa do minoxidil, porque o cabelo de Guy não está ficando nem um pouco ralo. Ele tem aquele cabelo volumoso, macio e deslumbrante e, muitas vezes, pode ser visto jogando-o para trás em um só movimento. Como Michael Heseltine fazia em seu auge.

É estranho ver a vida dessas pessoas revelada desta maneira, uma visão oculta sobre a realidade da família, mas suponho que é o que acontece depois de um evento catastrófico como o desaparecimento de um filho. Ou uma overdose. As camadas de respeitabilidade e decoro são removidas e, na tentativa de chegar à verdade, a família é despida. Deixada exposta para todos verem.

Pego um frasco na prateleira de baixo, algo para piolhos que usei nas crianças no passado, algo que não funciona nem um pouco e...

De repente, sinto um calafrio; meu corpo fica paralisado.

*Fergus.*

O filho de Kate, Fergus. Onde ele está?

Como pude me esquecer dele? Cristo, e se ele estiver aqui, e acordar e descer as escadas e encontrar a mãe no estado em que ela está?

Ao encontrar Kate, esqueci completamente que Fergus estava na casa. "*Por favor, que ele esteja com Alexa*", rezo enquanto ando pelo corredor na direção do quarto dele. Por favor, que ele esteja com o pai. Por favor...

Desligo a luz do corredor para não deixar a claridade entrar e assustá-lo, e abro a porta do quarto o mais silenciosamente que posso. Minha mão treme. Paro por apenas um segundo e suspiro, tentando me preparar.

Então empurro a porta devagar.

Lá está ele, adormecido em sua cama. Seu edredom conseguiu sair do lugar no colchão de solteiro, de modo que os pés dele estão descobertos. É tão quentinho aqui, porém, que ele nem percebeu. Fico parada na porta, sem saber o que fazer. Poderia entrar e acordá-lo, tentar mantê-lo aqui e protegê-lo da cena lá embaixo. Ou poderia fechar a porta novamente e torcer para que ele permaneça dormindo até que os socorristas a tenham levado.

Não sei o que fazer.

Fergus geme delicadamente e vira-se de lado, ficando de costas para mim.

Preciso tomar uma decisão.

Na falta de um plano melhor, tiro a chave do lado de dentro da fechadura e tranco a porta pelo lado de fora. Isso não é o ideal, eu sei. Se Fergus acordar nos próximos dez minutos, entrará em pânico quando não conseguir abrir a porta, e odeio pensar nessa criança tranquila e pensativa entrando em pânico.

De repente, estou tomada por uma raiva de Kate por me colocar nesta situação. Ela não poderia ter se matado quando Fergus estava na escola?

Então paro, dizendo a mim mesma que ela não devia estar raciocinando. Para chegar ao ponto do suicídio, imagino que não estivesse agindo racionalmente.

Mas ainda assim...

Kate, o que diabos você estava *pensando*?

Luzes azuis refletem na parede oposta e ando até a janela. Kate enfeitou esta área com um banco de janela, como um aconchegante canto para leitura. Há uma poltrona listrada estofada posicionada no canto com esmero, e uma estante ao lado. Alguém — provavelmente Fergus — está lendo *Andorinhas e Amazonas*, de Arthur Ransome; o livro foi deixado aberto e colocado virado para baixo para marcar a página. Tentei fazer James ler esse livro, mas ele desistiu depois de duas páginas e voltou para sua coleção de Diário de um Banana. Na época, eu me consolava com a ideia de que garotos não gostam dos clássicos, mas parece que estava errada.

Assisto de cima enquanto uma paramédica caminha pela entrada da casa. Preciso me apressar.

Estou no topo da escada quando ela entra pela porta da frente. Ela olha para cima. Tem um rosto encantador e, por um momento, penso em quantas pessoas devem ter olhado aquele rosto quando estavam assustadas, ou talvez morrendo, e sentiram algum conforto.

— Ela está lá dentro — digo a ela, apontando para a cozinha.

— Bela casa — observa ela distraidamente, e eu concordo.

— É mesmo, não é?

Tem algo na presença de paramédicos que torna uma situação de desespero quase normal. Eles fazem seu trabalho de forma tão controlada que, por um breve momento, você esquece que está lidando com vida e morte.

Eu a sigo até a cozinha e me afasto para não ficar no caminho. O homem no chão com Kate cumprimenta a bela paramédica:

— A estrada está um pouco complicada, não é, Megan?

— Só um pouco. Como ela está indo?

Ele a coloca a par da situação, quando outro paramédico entra carregando uma maca:

— Não é seguro para uma maca com rodas — comenta ele com ninguém em especial.

— Sou amiga dela — digo, e ele acena com a cabeça, sério.

— Você procurou pela casa qualquer outra coisa que ela possa ter tomado? — pergunta ele, e eu digo que sim e que não encontrei nada. Estou prestes a dizer que não posso ter total certeza, porém, porque não houve tempo para fazer uma verificação minuciosa, quando ouvimos batidas urgentes vindas do andar de cima.

Fecho os olhos.

Quando os abro, estão todos olhando para mim aguardando explicações.

— É o filho dela — sussurro tristemente —, alguma chance de vocês a tirarem daqui rápido?

No momento em que chego lá em cima, as batidas desesperadas de Fergus tornaram-se batidinhas metódicas e entediadas.

Odeio a ideia de Kate ir para o hospital sozinha, sem alguém que ela conheça, mas é assim que deve ser. Não sei o número de Alexa de cor, e como não sei como entrar em contato com Guy...

Destranco a porta de Fergus e coloco um sorriso no rosto, um sorriso do qual meus próprios filhos desconfiariam de imediato, mas terá que servir.

Decido seguir o caminho da meia-verdade. Não consegui tramar alguma mentira elaborada para poupar essa pobre criança de mais um trauma, então simplesmente digo:

— Fergus, sei que você não esperava me encontrar aqui esta manhã — dou um risinho nervoso —, mas sua mãe está indisposta... Na verdade, ela teve que ir ao hospital... Ela me pediu para cuidar de você um pouquinho. Tudo bem? Que tal tomarmos café da manhã? — Seu olho está inflamado de novo. O esquerdo. Está vermelho no canto e a pálpebra está inchada. Terei que colocar as gotas que Kate usa.

Às vezes, acho Fergus esquisito. Estranho. E estou acostumada com meninos. Houve muitos meninos em nossa casa ao longo dos anos. Estou acostumada com os hiperativos, que não conseguem parar quietos e destroem seu banheiro se você não ficar de olho. Estou acostumada com os que não comem nada além de cachorro quente ou bolachas ou jujubas. Estou acostumada com os que não falam, os que, se você colocar na frente de um DVD, entram em transe e não saem até os créditos. Estou até acostumada com os que dizem "foda" e "merda" e "porra" e "desgraçado". Por algum motivo, ouvir um garoto de 7 anos usar a palavra "desgraçado" sempre foi especialmente divertido para mim.

Mas, como eu disse, acho Fergus esquisito. Não sei o que fazer com ele.

Não consigo encontrar uma forma de me aproximar. É como se quanto mais tentasse me conectar com ele, mais ele me olhasse de maneira inexpressiva, como se eu estivesse entendendo tudo errado. Então meio que parei de me importar. Sam e Fergus provavelmente só eram amigos devido a pressão, agora percebo, porque Kate e eu somos amigas. Era conveniente para nós que os dois brincassem juntos. Mas, agora que chegaram aos 7 anos, as diferenças entre ele se tornaram mais óbvias e — bem, meio que posso entender por que Sam estava cobrando de Fergus uma taxa mais alta para brincar com ele. Porque ele é o que você chamaria de difícil.

Quando conto que Kate está no hospital, ele não diz uma palavra. Nada. Apenas me segue para fora do quarto e escadas abaixo. Entro na cozinha e percebo que ainda cheira um pouco azedo onde Kate passou mal... E tem o cheiro desagradável, imundo, da outra coisa... Mas Fergus não comenta nada. Ele se senta à bancada da cozinha, olha para a frente e espera que eu coloque algo na frente dele.

— O que você costuma comer? — pergunto gentilmente. — Cereais?

— Mingau de aveia.

— Todo dia? — franzo a testa.

Ele assente sem emoção.

— Saindo um mingau de aveia, então.

Estou abrindo e fechando armários. A cozinha de Kate tem cerca de quatro vezes mais espaço de despensa que a minha. Cada armário é lindamente organizado e perfeitamente limpo por dentro. Levo algum tempo até encontrar a aveia (estou procurando por uma caixa azul — Aveia Quaker ou Scott's — mas, em vez disso, descubro que está em uma sacola de papel marrom, um tipo orgânico, integral, do qual nunca tinha ouvido falar) e, então, tenho que lidar com a desconcertante quantidade de panelas.

— De quanto açúcar você gosta? — pergunto a Fergus enquanto mexo a coisa, que parece demorar bem mais do que deveria para ficar pronta.

— Mamãe adoça com mel e mirtilo.

Sorrio para Fergus, porque é óbvio que ela faz isso.

— Gostaria de pegá-los para colocar você mesmo?

Ele pula do banco, parecendo tão pequenino neste espaço imenso. Observo enquanto ele para em frente à geladeira e — você sabe quando ouve aquelas histórias de crianças ficando trancadas em geladeiras e fornos, e pensa "isso é possível?". Olhando para Fergus agora, vejo como. Ele é uma coisinha tão pequena e magra, que poderia facilmente entrar e passar despercebido. Seu cabelo castanho fica arrepiado no topo da cabeça depois de dormir. Isso acentua quão plana é a parte de trás de seu crânio, dando-lhe uma cabeça de elfo, quase pontuda desse ângulo.

— Fergus — digo cuidadosamente —, seu pai foi a algum lugar?

— Não sei. — Ele se encolhe.

— Ele estava aqui ontem à noite... quando você foi para a cama?

— Aham.

— Você o viu, então?

— Sim.

Paro, pensando se levo isso adiante, se é certo interrogar uma criança de 7 anos dessa forma.

— Fergus... Mamãe e papai brigaram ontem à noite?

Ele morde os lábios, estica a mão para dentro da geladeira para pegar os mirtilos, e, então, me lança um olhar desconfortável.

Suavizo meu tom de voz para soar compreensiva e volto a mexer a panela para não parecer agressiva.

— Você os ouviu gritando? — pergunto.

— Um pouco — diz ele relutantemente.

Sorrio e reviro os olhos, faço um som de estalo com meus lábios, como se dissesse "adultos, né?".

Após um momento, pressiono um pouco mais:

— Desculpe ser intrometida, Fergus... é que realmente seria bom encontrar seu pai... e não sei onde ele está. Ele disse que ia sair? Mencionou algum lugar onde tinha que estar ontem à noite?

Ele fecha a geladeira e diz "não" com firmeza.

Junto com o mel e os mirtilos, Fergus está discretamente carregando um pequeno pacote de chocolates — que, imagino, normalmente não fazem parte do café da manhã. Ele os coloca na mesa e, culposamente, cobre-o com a mão quando percebe que estou vendo.

Coloco o mingau em uma tigela e levo até ele.

— Está um pouco quente — digo gentilmente, e me inclino para assoprá-lo algumas vezes.

Fergus olha para mim e diz:

— Papai nunca nos conta quando vai dormir fora — diz ele. — Por isso que mamãe fica chateada.

Dou um passo para atrás, ciente de que meu rosto parece chocado, que estou boquiaberta. Não consigo pensar no que dizer.

— Você sabe aonde ele vai, Fergus? Ele diz para você aonde vai? — sussurro.

Fergus arregala os olhos antes de começar a falar. Então a porta da frente bate e ouço passos. Instintivamente, coloco meu braço ao redor dos ombros de Fergus, bem quando Guy aparece na entrada. Ele está com a barba por fazer e seus olhos parecem fundos e vermelhos. Ele tira o cabelo dos olhos de forma bem dramática e me encara com um olhar assustador.

— O que está fazendo aqui? — pergunta. — E onde diabos está Kate?

# 29

— VOCÊ TEM ALGUMA ideia do porquê sua mulher tentou se matar, Sr. Riverty?

Joanne está na casa há menos de um minuto, mas percebe que nada está como esperava encontrar. Para começar, por que Guy Riverty não está com a mulher no hospital? Segundo, por que Lisa Kallisto está aqui a essa hora, lavando uma panela de mingau de aveia como se sua vida dependesse disso?

Guy Riverty senta-se à mesa da cozinha, cabeça entre as mãos. Ele parece ainda estar com as roupas do dia anterior e é como se não dormisse há uma semana. Ele esfrega o rosto, solta um longo suspiro e responde à pergunta de Joanne:

— Ela pensa que nossa filha está morta. Ela não está em seu melhor. Como você estaria se sentindo?

Lisa se afasta da pia e seca as mãos em um pano de prato. Então começa a torcê-lo com força entre os dedos. Joanne olha para ela:

— Você a encontrou?

Ela faz que sim com a cabeça. Está desconfortável. Como se estivesse constrangida por estar aqui. Sua boca está fechada numa linha fina de tensão.

— Podemos continuar com as perguntas depois que eu tirar Fergus daqui? Ele não sabe ainda. Ele não sabe o que a mãe fez.

— Tem alguém que possa levá-lo para a escola... — pergunta Joanne.

— Eu irei — oferece-se Lisa rapidamente.

— Alguém mais? — Seria melhor para Joanne manter Lisa aqui. A mulher está extremamente nervosa, e Joanne pressente que não é apenas por causa da overdose. Ela pega o bloco de anotações.

Guy olha para Lisa:

— Já ligou para a irmã de Kate?

— Eu não sabia o número — responde Lisa, sacudindo a cabeça negativamente.

— É 35648. Pode ligar para ela? Pedir para vir aqui o mais rápido possível?

Lisa não responde, apenas sai rapidamente.

— Então, Sr. Riverty — começa Joanne.

— Pode me chamar de Guy.

— Guy, então. — Ela faz uma breve pausa. — Você esteve em algum lugar?

Ele não responde.

— Onde você estava ontem à noite? — pergunta ela.

— Aqui.

— E às três e meia da tarde de ontem? Onde você estava?

— Já dei um depoimento sobre isso — diz ele, irritado, e Joanne mantém seu rosto impassível, como se não fizesse ideia do que ele estava dizendo. — Se está me perguntando onde eu estava quando aquela outra menina desapareceu, eu estava aqui. Com Kate. Ela disse à polícia. Ela disse que eu estava aqui com ela.

— Alguém mais o viu?

— Sim... não... talvez. Tem pessoas entrando e saindo daqui o tempo todo. Caso não tenha percebido, nossa filha está desaparecida.

— Talvez você possa pensar um pouco, veja se consegue se lembrar de outra pessoa... *além da sua esposa*... que o tenha visto aqui.

Joanne anota rapidamente a data de hoje no bloco de anotações.

— Estou sendo acusado de algo?

— Ainda não — ela olha para ele e diz sorrindo.

— Então por que está me fazendo as mesmas perguntas de ontem?

— Porque a pessoa que deu o seu álibi, Sr. Riverty, acabou de tentar tirar a própria vida. — Ela inclina a cabeça para o lado. — Talvez ela não dê o mesmo depoimento quando se recuperar?

— Eu estava aqui — diz ele firmemente.

— Se importa se eu der uma olhada na casa?

— Fique à vontade, apenas não deixe Fergus ansioso. Ele está no quarto e, como eu disse, não sabe o que aconteceu com a mãe. Ele acha que ela está indisposta. — Ele esfrega novamente o rosto com as mãos e murmura "merda" enfaticamente em voz baixa.

— Serei discreta — sussurra Joanne.

Ela entra no hall e encontra Lisa Kallisto de pé olhando para o telefone como se não estivesse bem.

— Você está bem? — pergunta Joanne.

— Um pouco abalada — responde ela. — Não foi uma ligação fácil de fazer... para a irmã de Kate.

Joanne assente com a cabeça, solidária:

— Aposto que não. Ela está a caminho?

— Sim. Deus, coitada dessa família, devem estar imaginando o que vem a seguir.

— Como foi que você acabou encontrando ela? A propósito, recebi sua mensagem sobre o cão...

— Perdão? — diz ela e olha para Joanne sem entender. Então cai a ficha. — Ah, sim, Bluey. Cristo, eu tinha esquecido. Foi por isso que vim, para falar com Kate e saber se ela conhecia o cara que o levou. Sabe, para ver se soava familiar para ela. Eu pensei... talvez... apenas pensei que ele pudesse ser... — Suspira. — Não sei o que pensei — admite. — Com certeza, não imaginava que encontraria o que encontrei, isso é certo.

— Por que acha que ela fez isso?

— Kate?

— Uhum.

Ela se encolhe:

— Tudo isso foi demais para ela. Esse seria o meu palpite. Quer dizer, *como* suportar quando algo assim acontece? Acho que a resposta é que não suporta.

— Ela tomou antidepressivos, certo?

— Sim.

— Ela parecia deprimida para você?

— Nunca. Mas não se preocupe muito com isso. Parece que todo mundo toma essas coisas hoje em dia. Bem, todo mundo menos eu. Quando disse ao meu médico que achava que estava deprimida, ele disse que eu estava apenas chateada... Há uma diferença, aparentemente.

Joanne sorri.

— Parece que temos o mesmo médico. Talvez você deva me contar sobre o homem e o cachorro?

— Parece um pouco idiota agora, depois disso... — Lisa ergue o braço e gesticula para a cozinha de Kate Riverty.

— Conte mesmo assim.

Ela descreve as circunstâncias do Bedlington Terrier desaparecido para Joanne e como estava desesperada para realocá-lo, e como pensou que suas preces haviam sido atendidas pelo cara com calças risca de giz e...

Joanne para de fazer anotações e levanta a cabeça:

— Risca de giz, você disse?

— Sim, ele era muito elegante. Endinheirado. Não é o meu tipo de cliente.

— Quantos anos?

— Trinta e poucos.

— Atraente?

Lisa suspira:

— E *como era*.

— Pegou o nome dele?

— Charles Lafferty.

— Imagino que não pegou um endereço? Número de telefone?

Lisa baixa levemente a cabeça:

— Eu faria tudo isso quando ele voltasse com Bluey. Sei que provavelmente é coincidência e realmente inútil para você... mas pensei que se pudesse dizer a Kate sobre ele, ela poderia reconhecê-lo a partir da descrição ou algo assim. Tarde demais agora.

— Não é inútil. Qualquer ajuda é válida.

Joanne fecha o bloco de anotações e inclina-se em direção a Lisa. Acenando com a cabeça na direção de Guy Riverty na cozinha, ela sussurra:

— Ele contou para você onde estava ontem à noite?

— Não perguntei.

— O que acha que ele está aprontando?

— Não faço ideia.

Joanne, então, dirige-se para o andar de cima para falar com o menino.

O inspetor de polícia Ron Quigley encontra Joanne no hospital. Kate Riverty ainda não está consciente, mas está viva.

Ron dá a Joanne um chá forte em um copo descartável da loja da WRVS. Joanne sente que Ron ficou entretendo as duas senhoras atrás do balcão com histórias de policial machão, já que parecem bastante risonhas e coradas quando ela chega. Ambas estão facilmente na casa dos 80, e uma delas usa uma peruca puxada um pouco demais para a testa. A outra tem uma daquelas barrigas inchadas e macias que sacodem sob seu vestido de veludo quando ela fala.

— Obrigado, meninas — diz Ron, sorrindo, fazendo charme. — Continuem com o ótimo trabalho.

— Continuaremos, inspetor! — dizem elas em coro.

Ron e Joanne caminham até a área do saguão principal. É quente, sufocante, como são os hospitais, e Joanne tira o agasalho e o pendura sobre o cotovelo. Ela está consciente de que sua blusa está entreaberta e tenta fechar o cardigã apesar de sentir-se inebriada pelo calor.

— Qual é o seu palpite então? — pergunta Ron, referindo-se ao que ela pensa que levou Kate Riverty a tentar suicídio.

Joanne faz menção de falar, mas avista uma repórter que viu rondando a casa dos Riverty. A mulher levanta-se ao ver Joanne, um de seus sapatos de salto alto raspa o chão quando o faz, e corre até ela. Joanne já lidou com essa repórter antes. Ela é do tipo insistente, esquisita, que tirou de contexto uma declaração de Joanne sobre um incêndio criminoso uma vez, e Joanne não tem nenhum interesse em falar com ela agora.

Joanne faz sinal com os olhos para Ron e eles saem rapidamente pelo corredor, descendo para a sala de Raios-X antes que ela responda à pergunta dele.

— Acho que ela mentiu pelo marido, deu o álibi a ele e, depois, não pôde lidar com o fato de saber que ele estava envolvido. Guy não a encontrou depois que ela tomou os comprimidos; foi a amiga. E ele não voltou para casa ontem à noite... Então onde estava? Não quis me dizer, ficou bem na defensiva, na verdade.

— Então quer trazê-lo para o interrogatório?

— Acho que deveríamos.

— Com base em quê? Não há nada de que acusá-lo. Não há evidências de ele ter sequestrado a filha, mesmo sendo um canalha audacioso...

— Não sei, Ron. Algo cheira mal.

Eles ouvem um ruído, como uma ferramenta elétrica ligando e desligando, vindo da sala de ortopedia à direita. Estão retirando o gesso da perna de um garoto e parece que ele está prestes a desmaiar de medo. O técnico está tentando fazê-lo entender que a serra de gesso não corta a pele, mas a criança não está convencida. Tampouco a mãe.

— Você falou com os médicos? — pergunta Joanne enquanto eles caminham pelo corredor.

— Sim, avaliam que ela ficará bem. Os comprimidos não ficaram no organismo dela tempo suficiente para causar muito estrago.

— Quando poderemos falar com ela?

— Assim que acordar. Embora isso talvez ocorra só à tarde. Pode ser melhor voltar, levar Guy Riverty para interrogatório agora e falar com a mulher depois. Devemos aproveitar melhor o tempo assim.

Joanne termina o chá e olha para os lados ao longo do corredor, tentando encontrar uma lixeira.

— Acha que ela queria mesmo morrer, Ron, ou estamos lidando com um pedido de socorro aqui?

Ron dá de ombros:

— Sempre acho que é um pedido de socorro, exceto quando conseguem. Quando você quer se matar, você se mata. As pessoas que querem mesmo ir adiante com isso se certificam de que dará certo e se enforcam.

— Enforcamento é violento demais para mulheres, Ron.

— Mas é eficaz.

Joanne sacode a cabeça:

— Lembre-me de nunca procurar você quando eu estiver deprimida.

— O quê? — diz Ron, fingindo estar magoado. — Sempre disseram que sou um ótimo ouvinte.

# 30

ESTOU EM CASA, no chuveiro, tomando banho depois de ter saído da casa de Kate. Minhas roupas estão na lavadora em ciclo de água quente e Joe está no vaso (vestido, apenas sentado) especulando sobre o estado mental de Kate.

Ainda estou trêmula e agitada, sem confiar nos meus membros para fazer o que deveriam. Quando me abaixo para ensaboar as pernas, quase escorrego e caio.

Nosso chuveiro é junto com a banheira, o que, apesar de ser útil para limpar os cachorros depois de rolarem no cocô, significa que não temos aquelas partes antiderrapantes que tem em um box. E, agora, isso seria bem útil para mim. Joguei fora o tapete da banheira mês passado quando percebi que o lado de baixo estava começando a parecer um experimento de biologia.

— Fergus viu Kate inconsciente? — pergunta Joe.

— Consegui mantê-lo no andar de cima até os paramédicos a levarem.

— Coitado. Vai crescer mais esquisito do que já é.

— *Joe!* — reprovo.

— O quê? Você é quem sempre diz que ele é estranho.

— Bem, ele é... mas mesmo assim. — Desligo a água. — Me passe a toalha, por favor?

Joe se levanta, olha meu corpo nu de cima a baixo.

— Está bonita, Lise — diz ele em voz baixa, e segura a toalha aberta para eu entrar. Em seguida, ele me enrola nela e beija minha testa molhada. — Nunca faça algo assim. Eu morreria sem você, Lise. Todos morreríamos.

— Não está nos meus planos — digo e o beijo na boca. Seu corpo responde imediatamente, como sempre, e ele sussurra, inesperadamente — Está a fim?

— Não temos tempo...

— Temos sim.

— Eu me sentiria péssima por estar transando no banheiro enquanto Kate está fazendo lavagem estomacal.

— Nós não precisamos contar a ela — diz ele, sua respiração quente na minha boca. — Além disso, você salvou a vida dela essa manhã. Tenho certeza de que nos perdoaria... Sério, ela está devendo uma a você, se parar para pensar...

Ele desliza os dedos por debaixo da toalha. Eles descem até as dobras das minhas nádegas.

— Mas ela não teria *tomado* os comprimidos se Lucinda ainda estivesse aqui, e Joe, é tudo minha culpa, e...

Estou ficando cada vez mais sem fôlego, apesar dos meus protestos.

— Preciso disso, querida — diz ele, puxando-me com força na direção dele enquanto a toalha cai no chão. Ele desliza a língua por dentro dos meus lábios. Estou grudada nele.

— Certo — digo. — Certo, mas precisamos ser rápidos.

— Rápido — responde ele, abrindo o cinto da calça jeans. — Consigo fazer isso.

Ele me vira de modo que estou de frente para a banheira. Ele levanta minha perna direita e meu pé fica apoiado na beirada da banheira, e, por saber que não sou alta o suficiente para esta posição, jogo meu peso para trás. Então posiciono meu pé esquerdo sobre sua bota.

Eu o sinto dentro de mim e solto o ar. Suspiro e quase caio sobre ele. O alívio que sinto é irresistível, e gemo enquanto ele me segura firme. Graças a Deus Joe ainda me deseja. Graças a Deus Joe me deseja mesmo depois do que fiz com ele.

Um pouco depois, me ocorre que, de certo ângulo, devo parecer uma criança, uma criancinha aprendendo a dançar com os pés sobre os sapatos dos pais.

Bem, é meio assim, de qualquer forma.

Desço as escadas, com as coxas meio trêmulas, como se tivesse feito duas horas de cadeira extensora na academia, e o telefone toca. Atendo assim que minha voz começa a falar na secretária eletrônica "Olá, não estamos em casa agora, se quiser...".

— Alô? — digo, sem ar, atrapalhada. — Estou aqui...

— Lisa, tentei falar com você no trabalho, mas disseram que ainda não tinha chegado.

Minha mãe.

Ela não liga para o meu celular por causa do custo. Ela prefere ligar para todo mundo que conhece tentando me encontrar do que pagar vinte centavos o minuto para a British Telecom.

— Estou atrasada porque...

— Tanto faz — responde ela, interrompendo. — Você soube? Prenderam Guy Riverty, e...

— *O quê?*

— Eles... prenderam... — Ela fala lentamente como se a ligação estivesse ruim.

— Sim, sim, eu ouvi. Por quê? Por que o prenderam?

Mamãe dá uma longa tragada no cigarro. Suas primeiras palavras saem fracas, enquanto solta a fumaça e fala ao mesmo tempo:

— Não sei essa parte. Marjorie Clayton estava entregando meio porco para os vizinhos do outro lado da rua e o viu sendo levado. Se eu tivesse que adivinhar, diria que é porque acham que ele tem algo a ver com o desaparecimento da filha.

— Não, não pode ser, eu...

Ela interrompe novamente, bem quando estou prestes a contar sobre como encontrei Kate esta manhã:

— É *sempre* o pai — diz ela, com um tom triunfante na voz. — Não sei por que a polícia não o levou logo de cara, em vez de perder tempo quando eles poderiam prosseguir com... — Sua voz falha.

Ela não faz ideia do que a polícia poderia ter conseguido, mas isso não impedirá que tenha uma opinião a respeito.

— Meu Deus! — digo. Então ouço Joe descendo as escadas.

— O que aconteceu? — pergunta ele, ainda fechando as calças. Seu rosto tem aquele olhar deslumbrado de satisfação pós-sexo. Eu poderia pedir qualquer coisa agora e ele concordaria. Acho que já concordou.

Minha mãe está no meio de uma frase.

— Um segundo, mãe, Joe está aqui... — Cubro o bocal com a mão. — Prenderam Guy — digo para ele, e suas sobrancelhas se erguem.

Enquanto isso, minha mãe diz:

— Joe? O que ele está fazendo em casa? Por que não está trabalhando?

— Ele apenas não está — respondo. — O que mais Marjorie disse?

Marjorie cuida de uma fazenda em Troutbeck. Ela é uma dessas pessoas que está sempre reclamando sobre como é difícil ser fazendeiro hoje em dia, mas consegue facilmente manter um novíssimo Land Rover Discovery de sete assentos. São uma dupla esquisita, ela e minha mãe. Minha mãe *é* falida de verdade, mas acredita nas reclamações de Marjorie sobre viver na pobreza sem questionar.

— Marjorie disse que Guy Riverty parecia irritado.

— É claro... Cristo! — suspiro, sacudindo a cabeça.

— O quê? — diz Joe.

Cubro o bocal novamente:

— Ele está furioso — sussurro, e Joe revira os olhos como se dissesse "*não brinca, Lise*".

— Então aquela esposa dele não ficará muito satisfeita — diz minha mãe.

— Ela teve uma overdose de manhã. Fui eu que a encontrei.

Minha mãe engasga. Após um segundo, diz:

— Bem, deve ser verdade, então.

— O que deve ser verdade?

— Que ele sequestrou a própria filha. Por qual outro motivo ela tentaria se matar?

— Talvez porque outra menina tenha desaparecido ontem? Talvez porque tenha pensado que sua filha não voltaria? — Meu tom é áspero. — Não julgue tão cedo, mãe.

— Ela não deixaria seu filho sem uma mãe — responde ela com sarcasmo.

— Como você sabe o que ela faria? Como qualquer um de nós saberia?

— Ela simplesmente não faria isso.

— Eu sei que *eu* não faria, mas não sei o que *ela* faria, e nem você. Para ser bem sincera, as suas fofocas são a última coisa de que preciso agora.

— Por que foi você quem a encontrou e não o marido dela? — pergunta ela.

Paro de falar. Relutante, digo:

— Porque ele não estava lá.

— Onde ele estava?

— Não sei.

Minha mãe zomba:

— Bom, se quiser um conselho, eu não chegaria nem perto daquela casa. E, *com certeza*, eu não iria lá sozinha. Você não sabe o que eles podem estar escondendo. — Quando não faço nenhum comentário, ela acrescenta — Enfim, Marjorie diz que Guy Riverty é rude e arrogante.

— Marjorie é rude e arrogante.

— Vou desligar.

Ela desliga e eu fecho os olhos. Não consigo pensar direito, não consigo organizar meus pensamentos em pequenas partes separadas e coordenadas. Parece impossível.

Kate teve uma overdose.

Guy foi preso.

Lucinda continua desaparecida.

# 31

A DETETIVE JOANNE ASPINALL faz uma pausa para se recompor. Ela entra na sala de interrogatório, seu rosto inexpressivo, sua conduta eficiente e calma. O detetive Colin Cunningham já está com Guy Riverty, mas é ela quem conduzirá o interrogatório.

Ela se senta em frente a Guy e sente uma pontada de irritação, pois tem que ajustar a alça esquerda do sutiã. Está começando a friccionar uma parte da pele já machucada, cortando-a.

Ela sente que está quebrando o ar profissional que tentou imprimir — e está certa. Ao colocar seu dedo indicador direito por dentro da blusa, vê uma sombra de aversão cobrir o rosto de Guy Riverty. Ele desvia o olhar.

Joanne está prestes a tomar este insulto de forma visceral, mas, depois, lembra que *é claro* que Guy Riverty ficaria enojado com essa visão. Ele gosta de mulheres magras. Magras e com cerca de 13 anos de idade.

Pela primeira vez desde que a investigação começou, Joanne pensa se é coincidência que a esposa dele, Kate, também seja incrivelmente magra, com o corpo infantil.

Joanne coloca suas anotações em frente a ela e tem que esconder um sorriso. Ela se lembra de uma piada terrivelmente cruel que ouviu sobre Victoria Beckham outro dia, algo do tipo "Victoria é tão magra que não pode tomar banho muito quente senão vira sopa".

Guy Riverty senta-se na cadeira, um pé cruzado sobre o joelho oposto, fazendo seu melhor para parecer entediado e irritado.

Sua cabeleira está penteada para trás, caindo para um lado. É um penteado de galã que Guy é velho demais para usar, mas que Joanne imagina ainda ser eficaz para atrair certo tipo de mulher.

Ele está usando as mesmas roupas que Joanne o vira usando naquela manhã: calças de veludo cotelê creme, camisa de gola alta preta de malha fina e botinas pretas. Sua jaqueta está pendurada no encosto da cadeira. A imagem beiraria Simon Templar, "O Santo", se Guy não fosse um pouco desleixado com os detalhes. O olhar de Joanne para em algo vermelho e pegajoso na coxa direita dele, algo de cuja aparência ela não gosta.

O comportamento de Guy mudou totalmente desde dois dias atrás, quando Joanne o encontrou pela primeira vez. Naquele momento, ele estava inquieto, nervoso, mas totalmente disposto a ajudar. Qualquer coisa para encontrar sua filha. Joanne pensou na hora que se ela fizesse um barulho alto e repentino, Guy Riverty seria capaz de saltar três metros no ar como um gato assustado. Ele estava cheio de energia tensa.

Agora, enquanto olha para ele do outro lado da mesa, ele passa um ar relaxado e arrogante, um jeito incomum para uma pessoa prestes a ser interrogada. Isso alarma Joanne ligeiramente, deixando-a mais alerta.

— Então, Sr. Riverty, olá.

Ele levanta a mão em um reconhecimento sarcástico da presença dela, enquanto, ao mesmo tempo, mantém o rosto inexpressivo.

— Você bebeu algo, acredito?

— Um café — diz ele, bocejando. — Tomei uma droga de xícara de café.

— Queira nos desculpar — diz ela —, estamos sem café com leite desnatado no momento. Você não está preso, Sr. Riverty, mas entende que este interrogatório está sendo gravado?

Ele faz que sim com a cabeça e lança um olhar insolente:

— Por que estou aqui perdendo tempo com você enquanto minha mulher está lutando pela vida no hospital?

Joanne tira a tampa da caneta e folheia as páginas à sua frente. Sem levantar o olhar, ela diz:

— Acredito que já tenham dito que sua esposa, a Sra. Riverty, vá se recuperar completamente e não está *de fato* lutando pela vida. — Ela levanta a cabeça. — Tenho certeza de que ela ficará bem. — Sorri. — Agora, se pudermos começar com...

— O que acontece se eu me recusar a responder suas perguntas?

— Então não poderemos eliminá-lo desta investigação com a rapidez que você exige para ir ver sua mulher no hospital. Ou para retornar a sua casa para cuidar de seu filho. Seria uma pena se ele ficasse confuso novamente com uma mudança de planos, não acha? Ele passou por muita coisa nesses últimos dias... Um garoto quieto, não é?

Guy olha lentamente de cima a baixo para Joanne.

— Vamos logo com isso, então.

Joanne sorri, descontraída:

— Você tem alguma objeção quanto a pegarmos seu celular?

Ele coloca a mão no bolso da jaqueta e desliza o aparelho pela mesa.

— Para fins de registro em gravação — diz Joanne —, o Sr. Riverty está entregando seu celular para a detetive Aspinall.

— E nenhuma objeção a buscas em sua casa?

— Não — diz ele, sacudindo a cabeça.

— Ótimo. Certo. Vamos começar.

Guy abre suas mãos:

— Vá em frente.

Caneta a postos, Joanne pergunta:

— Você diria que tem um casamento feliz, Sr. Riverty?

— O quê?

— Um casamento feliz. Você e a Sra. Riverty.

— Não é da porra da sua conta. — Ele a encara.

— Você ama a sua esposa?

— O que isso tem a ver com qualquer coisa?

Joanne aguarda. Mantém o olhar fixo no dele.

— Sim, amo — dispara. — É claro que a amo.

— Por que razão você diria que sua mulher tentou se suicidar esta manhã?

Ele empurra a cadeira para trás, ficando de pé:

— Não vou responder essa palhaçada.

Joanne é implacável:

— Eu não estaria aqui perdendo meu tempo fazendo perguntas irrelevantes, Sr. Riverty. Meu tempo é tão precioso quanto o seu. Até mais, na verdade. Principalmente, quando a vida de duas meninas está em jogo... Agora, se você não se importa...

— O que isso tem a ver com encontrar minha filha?

— Responda à pergunta, por favor — diz Joanne, levantando uma sobrancelha para ele.

— Não faço ideia do porquê de ela ter feito isso — diz ele. — Ela não deixou um bilhete. Acho que você tem que perguntar a *ela* por que fez isso.

— Eu pretendo. Mas, primeiro, gostaria de suas opiniões sobre o assunto. Vocês andaram discutindo?

— Sim, mas não foi por isso que ela tentou se matar.

— Então você *sabe* por que ela tentou?

— Eu não disse isso. Disse que não foi porque estávamos discutindo. Somos casados, discutimos. Nossa filha desapareceu. É um inferno. Estamos loucos de preocupação. Seria estranho se *não* discutíssemos. Kate está no fundo do poço, ela não consegue lidar... — Então ele sacode a cabeça. — O que estou dizendo? É óbvio, ela não consegue lidar com isso. Quem conseguiria nessa situação? Ninguém.

— Por que você acha que o trouxemos para interrogatório?

Ele dá de ombros.

— Não faço ideia do que a polícia está pensando. Mas meu melhor palpite é que vocês não fazem a menor ideia de onde minha filha está, nem essa outra menina, e estão desesperados. Vocês precisam ser vistos fazendo alguma coisa...

Joanne vira duas páginas no bloco de anotações. Tenta encobrir o fato de que, sim, eles estão ficando desesperados.

— Sua esposa forneceu o álibi do seu paradeiro na tarde de ontem, não é?

— Você sabe que sim. Já passamos por isso... quantas vezes mesmo? Perdi a conta.

— Onde você estava ontem à noite?

— Em casa.

— Tem certeza?

— Sim, tenho certeza.

— Onde você estava esta manhã quando a Sra. Kallisto encontrou sua esposa inconsciente?

— Eu estava na rua.

— Onde?

— Não é relevante.

— Acho que é — diz Joanne, inclinando a cabeça.

— Tenho que responder?

— Não, mas...

— Então não respondo.

— Sr. Riverty. Deixe-me explicar novamente. No momento, você não está preso. Mas isso pode mudar neste minuto se decidir não cooperar com a investigação. Fica a seu critério. Agora, se fosse eu, me pouparia muito trabalho, sem falar da publicidade negativa, respondendo às perguntas que faço.

— Para me prender, você precisa me acusar. *Do que* está planejando me acusar, detetive?

— Podemos mantê-lo aqui sem acusação. Você está ciente disso?

Ele a encara, inabalável.

— Sim. E se essa for a atitude que você deseja tomar, então é melhor ter planos para o meu filho. Porque ele vai esperar que alguém vá buscá-lo na escola.

O rosto de Joanne não demonstra a tentativa dele de dificultar as coisas para ela. Ele está apelando para seu lado maternal, o que não é uma tática comum utilizada por suspeitos, mas que é usada mesmo assim.

A maioria das pessoas torna-se abusiva quando interrogada. Joanne está acostumada. Já espera isso. Ela já foi chamada de todo tipo de coisa. As piores geralmente vêm da boca de mulheres. Mulheres que você não imaginaria que pudessem odiar tanto outra mulher.

Nada mais surpreende Joanne. Nesse trabalho, você lida com o lixo da sociedade. As mesmas famílias, os mesmos rostos, os mesmos problemas, repetidamente. Nada disso a abala. Ao menos, é o que ela tenta passar.

Joanne coloca a tampa na caneta e endireita a coluna.

— Continua sendo sua responsabilidade planejar que alguém busque seu filho na escola, Sr. Riverty. Gostaria de um momento para fazer uma ligação? — Ela faz uma pausa, aguarda uma resposta. Quando nada vem, acrescenta — Um café cairia bem, na verdade, então talvez agora fosse uma boa hora para uma pausa.

Ainda assim, ele não fala, apenas aperta os olhos levemente na tentativa de mascarar sua irritação.

Joanne empurra o telefone da mesa na direção dele e se levanta:

— Leve o tempo que precisar — diz ela. — Não precisa se apressar, temos bastante tempo. Vou pegar uma droga de café. — Depois, como se fosse uma reflexão tardia, diz: — Ah, talvez você queira entrar em contato com seu advogado enquanto estiver no telefone, matar dois coelhos com uma cajadada só...

Ela reúne a papelada, troca olhares com o detetive Cunningham e dirige-se ao corredor, quase dando um encontrão em Cynthia Spence. Cynthia é membro da equipe civil trazida para aliviar a pressão do Departamento de Investigação. Ela é ex-policial e assume alguns dos interrogatórios de rotina da força policial de Cúmbria.

Joanne trabalhou com Cynthia em várias ocasiões. Ela é boa no que faz.

— Ele já está falando? — pergunta Cynthia, apontando com a cabeça em direção a Guy Riverty.

Joanne se afasta da pequena janela retangular de vidro resistente ao fogo na porta, fora do ângulo de visão de Guy Riverty:

— Está sendo cauteloso — diz ela. — Se recusa a contar qualquer coisa.

— Você está deixando-o cozinhar um pouco?

— Aprendi meus melhores truques com você, Cynth.

Cynthia dá uma olhada rápida para Guy.

— Dê a ele pelo menos meia hora lá dentro sozinho.

— Tudo isso?

— Ele já está se sacudindo todo. Acho que não é do tipo acostumado a esperar. Ele *certamente* não é do tipo que coloca a cabeça na mesa e finge dormir... tive uma série desses ultimamente. Deixe-o esperando por tempo suficiente e ele dará a você o que está procurando.

Há gargalhadas vindas do final do corredor, e Joanne e Cynthia voltam-se para ver duas jovens do administrativo que enfeitam o portal do escritório delas. Uma está na metade de uma escada portátil, rindo tanto que está com a mão entre as pernas. A outra está girando bolinhas de Natal como se estivessem presas a seus mamilos. Cynthia balança a cabeça para elas com bom humor e diz a Joanne que se falam mais tarde.

Depois de pegar um café, Joanne passa na mesa de Ron Quigley apenas para verificar se houve algum progresso em sua ausência.

Ron está no telefone, parecendo atormentado. Ele levanta a palma da mão para que Joanne não o interrompa, mas faz sinal para ela ficar onde está. Algo aconteceu. Algo grande. Ron está anotando um endereço e balança a cabeça conforme recebe instruções:

— Então a que horas foi isso? — pergunta ele. — Sim, sim... Entendo. Irei imediatamente.

Ele mexe o dedo indicador, sinalizando que está quase terminando a ligação. Ron Quigley não se agita facilmente e Joanne sente uma onda de emoção misturada com um pavor iminente. Os progressos nesta fase raramente são bons. Ela espera que outra criança não tenha desaparecido. Um, porque, obviamente, seria uma merda. Mas dois, ela não teria escolha a não ser liberar Guy Riverty, porque, desta vez, seu álibi de fato era sólido: ele estava sendo interrogado por ela.

Ron termina a ligação e arranca a folha de papel onde estava escrevendo do bloco de anotações.

Ele toma fôlego antes de falar:

— A menina número três apareceu. O mesmo esquema: largada em Bowness, sem ideia de onde está, acha que foi estuprada. Provavelmente, mais de uma vez. Ela não está em bom estado. — Ele aperta o maxilar quando fala. Falar as últimas palavras foi difícil para ele.

— Então o que aconteceu com a menina número dois? — pergunta Joanne. — E Lucinda Riverty? Se as meninas um e três estão de volta, onde está *ela*?

— Isso é um grande mistério — diz Ron, aborrecido. — Haverá uma reunião com o Departamento em cinco minutos, pode esclarecer alguma coisa.

— E, nesse meio tempo, o que faço com Guy Riverty?

— Ele ainda está na sala de interrogatório?

Joanne acena que sim com a cabeça.

— O que ele disse sobre onde esteva esta manhã? — pergunta Ron.

— Disse que era irrelevante para nossa investigação.

— Irrelevante? — Ron inclina levemente a cabeça para o lado. — Deixe o canalha esperar, então.

# 32

ESTACIONO NA RUA, próximo ao parquímetro.

Do outro lado, estão tirando uma maca da ambulância aérea. Permaneço no carro por um instante.

Quando paciente e equipe entram em segurança, caminho para o prédio do hospital, perguntando-me se Kate recuperou a consciência, imaginando se ela recordará de ter tomado os comprimidos. Ouvi histórias de pessoas incapazes de se lembrar, pessoas que acordam e ficam em choque ao saber que tentaram tirar a própria vida. Será esse o caso de Kate?

O sol derreteu o gelo em pedaços. Agora, é possível andar em alguns lugares sem correr o risco de quebrar o pescoço. Ou talvez não, eu acho, pensando na maca retirada da ambulância aérea.

Decido não confiar totalmente no chão e dou passos minúsculos, meus braços presos ao lado do corpo, prontos para amortecer uma queda. O estacionamento foi limpo, mas é uma tentativa desleixada. Existem grandes trechos sem aderência, partes onde você tem que torcer pelo melhor ao pisar.

Ouvi no rádio a caminho da enfermaria que os serviços de emergência estão no limite após a chuva congelante de ontem. Consolei-me com a ideia de que, se tivesse achado Kate mais tarde, os paramédicos talvez não tivessem chegado a tempo.

Embora eu suponha que, se a encontrasse mais tarde, ela já estaria morta.

Estou do lado de fora da entrada principal e há uma multidão. Alguns estão de roupões e chinelos, fumando. Há um adolescente de muletas que estica o pescoço na direção da porta, talvez aguardando ajuda.

Um pobre homem nos seus cinquenta e poucos anos está fazendo uma pesquisa. Com a prancheta levantada, ele tenta se fazer de forte, mas parece que está perdendo a vontade. Ele tem a aparência assombrada de um recém-desempregado.

As portas duplas automáticas se abrem quando me aproximo, e dirijo-me à recepção principal. Uma mulher roliça levanta o olhar, deixando seu trabalho:

— Pois não, querida? — diz agradavelmente. Ela tem os braços grossos de um atirador de dardos e cabelos cacheados grisalhos curtos.

— Estou à procura da Sra. Kate Riverty. Ela foi trazida esta manhã.

A recepcionista começa a digitar e vira a cabeça para ver a tela, que fica posicionada na lateral da mesa.

— Ah, sim, ela acabou de ser transferida para a enfermaria.

— Isso é bom? — pergunto, nervosa, com medo de que a condição de Kate tenha piorado.

— Normalmente, significa que estão melhorando — diz ela de modo natural, antes de apontar sobre meu ombro. — Volte pelas portas que entrou, atravesse o estacionamento... tente não quebrar nenhum osso... e vá até aquele prédio marrom. Ela está na enfermaria quatro. É no segundo andar.

— Obrigada — digo a ela, e vou até lá.

A enfermaria quatro tem seis leitos. Todas ocupados.

Vejo Alexa sentada ao lado da cama de Kate no fim da sala e meu estômago revira. Tremo, e um suor frio brota nas minhas axilas. Alexa me olha quando entro, mas não altera sua expressão. Seu rosto está imóvel.

Kate está dormindo — ou ainda está inconsciente. Ela está com soro no pulso direito e vestida com uma camisola de hospital branca. Isso lhe dá o ar de paciente psiquiátrica. Ou talvez seja só porque todos os outros na ala estão vestidos com suas próprias roupas de dormir, e ela está um pouco deslocada.

— Como ela está indo? — sussurro, e Alexa desvia o olhar. Ela ainda não decidiu se vai falar comigo ou não.

— Você tinha que vir? — chia. E eu digo, sim, é claro que tinha que vir. Eu a encontrei.

Isso parece suavizá-la um pouco. Posso vê-la amolecendo aos poucos enquanto pensa na situação, "e se ela não a tivesse encontrado...".

Ela fala sem olhar para mim.

— Fisicamente — diz ela —, disseram que ela deve se recuperar bem rápido. Os comprimidos não ficaram no organismo dela tempo suficiente para causar danos sérios. Já psicologicamente, bem, lógico, teremos que esperar para ver.

O tom de Alexa é o mais frio possível. Ela está soltando as palavras e está claro que, mesmo sem a complicação adicional de eu ter transado com o marido dela, por causa do desaparecimento de Lucinda, ela me considera totalmente responsável pelo que Kate fez a si mesma. Se eu não tivesse encontrado Kate, salvando-a, Alexa me expulsaria daqui neste segundo.

Pego uma cadeira empilhada no canto e sento-me ao lado de Alexa. Ela se afasta, incomodada. Sinto que não quer falar sobre o que aconteceu, então volto minha atenção para Kate.

Seu fino cabelo loiro está espalhado sobre o travesseiro, dando a ela uma característica etérea, a pele pálida de sua testa está azulada, como se estivesse manchada de creme. Acho difícil olhar para ela. Abaixando um pouco o olhar, percebo seus lábios. Estão finos. Parecem não ser seus. Há um pouco de carvão preto nos cantos da boca, que parece colocar seus lábios para baixo.

— Ela já falou?

Alexa balança a cabeça.

— Abriu os olhos uma ou duas vezes, mas só isso. Disseram que vai ficar sonolenta por um bom tempo, então não é para entrar em pânico se ela não se comunicar.

— Coitada — digo, e, de repente, sinto-me insuportavelmente triste com tudo isso. Dirigi até aqui no piloto automático, atordoada demais com a notícia da prisão de Guy para planejar o que diria a Kate se ela estivesse acordada. Rezo em silêncio e agradeço pelas pequenas benções, grata por ela ainda estar desacordada.

Alexa dobra a revista que lia — *Vanity Fair* —, tira um lenço de sua bolsa de mão e o passa levemente sob os cílios inferiores. Seu rímel está tão caprichado quanto quando aplicado pela primeira vez, não como na noite passada.

— Quando você falou com ela pela última vez? — pergunta Alexa.

— Falei com Guy na noite passada, mas não tenho certeza de quando eu...

Eu pauso. Quando falei pela última vez com Kate? De repente, nem lembro mais que dia é.

— Que dia é hoje? — pergunto a Alexa, que olha para mim como se eu tivesse enlouquecido. — Perdi a noção — explico. — Muita coisa aconteceu.

— Quinta-feira — murmura ela.

— Desculpe. Tudo está um pouco confuso.

Ficamos em silêncio por alguns minutos, Alexa acariciando a mão de Kate algumas vezes. Então inclino-me para Alexa e falo baixo:

— Vai contar a ela sobre Guy quando ela acordar ou acha que seria melhor não mencionar isso agora?

Ela me lança um olhar penetrante:

— O que tem Guy? Tentei ligar para ele, mas ele não atende.

Meus olhos se arregalam involuntariamente:

— Ele foi preso — digo. Sento novamente e mordo meu lábio, não sei o que pensar. Por que ele não ligou? Por que não avisou a ninguém onde está?

Alexa se vira na cadeira:

— Meu Deus — diz ela. — Preso por quê?

Encolho os ombros, envergonhada:

— Não tenho certeza.

Ela olha para frente, mas percebo que sua mente está agitada. A pulsação em sua têmpora está acelerada e aquela veia em sua testa surgiu; é como uma minhoca sob a pele. Depois de um silêncio constrangedor, ela empurra a cadeira e fica de pé.

— Tenho que dar um telefonema. Você fica com Kate?

Assinto.

— Não a deixe — adverte ela.

— Claro que não.

Visivelmente abalada, Alexa agarra a bolsa:

— Vou tentar não demorar — diz ela, afastando-se.

Seus saltos fazem barulho no piso envernizado de resina, sua bunda magra, reta e sem forma mal balança no jeans de marca. Quando ela desaparece na porta da enfermaria, solto o ar.

Que confusão.

Não consigo imaginar o que Alexa deve estar sentindo.

Sua irmã tem uma overdose; naturalmente, você está louca de preocupação, mas, ao mesmo tempo, incomensuravelmente aliviada por ela não ter tido sucesso. Você também está cheia de perguntas sobre seus motivos.

Imagino que Alexa tenha concluído — como eu, no começo — que Kate não conseguiu lidar com a notícia da terceira garota desaparecida. Seu desaparecimento trouxe consigo uma quase certeza de que Lucinda não voltaria. As pessoas se matam por muito menos.

Agora, ela tem que processar a notícia de que Kate talvez tenha tentando se matar porque deparou-se com algo que liga Guy às garotas desaparecidas.

Dou uma olhada na enfermaria pela primeira vez desde que cheguei.

Foi pintada em um rosa-salmão feio, cor de pomada antisséptica. Cortinas listradas turquesa pendem ao lado de cada leito, prontas para serem puxadas quando se precisa de privacidade. É a ideia de um velhote sobre o que as mulheres gostam. Lembra a decoração de um local para recepção de casamentos ruim.

Os visitantes do leito ao lado começam a se despedir, dizendo à senhora que voltarão amanhã, com mais revistas, mais energéticos. Por um momento, fico nostálgica com os energéticos de antigamente, quando costumavam vir envoltos naquela embalagem especial que dizia ao mundo que você estava *realmente* mal.

Na falta de algum lugar para focar — que não seja Kate ou o resto dos pacientes da enfermaria —, pego a edição da *Vanity Fair* de Alexa. Não é a minha escolha habitual de leitura, mas minha mente está acelerada e preciso de algo para fazer com as mãos. Depois de uma folheada rápida, decido que *Vanity Fair* é um lixo. Tem texto demais. Preferiria ler a *Now* ou a *OK!*

Começo a ler um artigo sobre uma celebridade elegante que mora nas Bermudas. É uma pessoa de quem nunca ouvi falar e que está vagamente ligada à Família Real. Ela toda é cabelo loiro e pernas, trinta e poucos anos, e acabou de ter o primeiro bebê. "É incrível", ela irradia. "É a coisa *mais* incrível. É tão lindo, é surpreendente. Há *tanto* amor.".

Fecho a revista com repulsa, limpando mentalmente minhas mãos.

Apenas uma vez — *uma vez* —, gostaria de ver em uma revista uma mãe moderna que diga: "Estou achando difícil demais. Não é como eu pensava que seria. Não acho que terei outro... E..." — ela diz essa próxima parte fungando em um lenço — "... meu marido tem sido praticamente inútil. Pensei que ele seria um pai maravilhoso, mas está deixando tudo para mim. Está sendo um grande babaca, na verdade."

Olho para Kate, distraída, e imediatamente me jogo para trás, quase caindo da cadeira.

Os olhos dela estão abertos e ela está me observando.

— Como está se sentindo? — pergunto rapidamente, tentando me recompor. Minha voz sai ofegante e desesperada.

Os olhos dela estão úmidos, as marcas de expressão, em evidência. Ela tenta sorrir.

— O que está fazendo aqui? — pergunta.

— Vim ver você.

— Obrigada.

— Ah, está tudo bem — divago. — Alexa também está aqui, mas acabou de sair para fazer uma ligação. Ela voltará em um minuto.

Kate fecha os olhos e eu pego sua mão, apertando suavemente.

— Estamos felizes por você ter passado por essa, Kate.

Olho para a entrada da enfermaria desejando que Alexa volte, querendo que ela se apresse. Eu me sinto um pouco deslocada aqui e não tenho certeza se lidarei com isso da maneira certa.

Nenhum sinal.

Com os olhos ainda fechados, Kate sussurra:

— Onde estou? — E isso me choca.

Presumi, momentos antes, que ela estava lúcida. Que sabia o que tinha acontecido e não mencionou os comprimidos, de primeira, porque estava com vergonha. Ou, talvez, porque eu não era a pessoa certa para conversar.

De repente, sinto-me lamentavelmente incapaz, como se eu *certamente não* fosse a melhor pessoa com quem ela deveria estar falando. Mesmo que eu a tenha encontrado.

— Você está no hospital — digo hesitantemente — Hospital de Lancaster.

— Oh.

— Sabe por que está aqui?

— Na verdade, não.

— Tudo bem... Apenas descanse por enquanto — digo, e suas pálpebras tremulam um pouco. Ela parece uma dessas fotos cruéis que se veem de celebridades saindo de boates de manhã cedo. Aquelas com os olhos meio fechados, parecendo totalmente embriagadas.

— Lisa, Guy está aqui?

— Ainda não.

— Ele está vindo?

— Espero que sim — digo constrangida, porque não consigo pensar em nada melhor para dizer a ela quando colocada na berlinda.

Ele *está* vindo?

Improvável.

Ele está em uma cela na delegacia ou está sendo interrogado sobre sua filha desaparecida.

Enquanto penso nisso, passa pela minha cabeça que Kate ainda não perguntou sobre Lucinda. "*Ela voltou? Alguma notícia?*", isso seria de se esperar... não é?

Essa evidente falta de perguntas fortalece em minha mente a certeza de que Kate suspeita que Guy seja responsável. Sei que seria a primeira coisa a sair da minha boca, dopada ou não: "*Onde está minha filha?*", eu estaria gritando ao acordar, "*Onde está minha...*".

De uma só vez, e do nada, Kate estremece de forma violenta e involuntária. Pulo em direção a ela.

— Kate? Kate? Você está bem?

Ela assente, aparentemente incapaz de falar, e não sei o que fazer. Pressiono o botão da emergência? Corro e trago a enfermeira?

Estou prestes a alertar a equipe quando vejo uma lágrima escorrer pela bochecha de Kate. Ela abre a boca, mas nenhuma palavra sai. E é só então que percebo que está muito angustiada para se comunicar. A imensa estremecida que deu foi o prenúncio disso, seus agora angustiados soluços.

— Ah, Kate — digo, e tento colocar meus braços ao redor dela. Mais uma vez, percebo como ela é magra. Consigo sentir as costelas nas suas costas. É como se estivessem diretamente posicionadas sob o tecido da camisola, sem nenhuma carne no meio.

Meu rosto está próximo ao dela, e eu beijo seu cabelo suavemente. Cheira a um fraco azedo de vômito, mas não é totalmente desagradável; é mais como o cheiro ácido de uma garrafa térmica muito usada. Não me afasto. Em algum lugar ao longe, ouço o rápido e duro som das botas de Alexa, mas não noto sua presença até ela falar.

— Contou para ela? — exige ela do pé da cama. — Já contou sobre Guy?

— Não — viro-me rapidamente e digo com os olhos arregalados.

Kate deve suspeitar, porém, com certeza. Se Kate suspeita dos podres do marido, deve saber que não demorará muito para que a polícia descubra.

— Me contou o que sobre Guy? — pergunta Kate, tropeçando nas palavras. — Ele está... ele está bem?

— Ele foi preso — diz Alexa, lançando um olhar firme para Kate.

Instintivamente, Kate leva a mão até a boca em consternação, mas sente uma pontada de dor da cânula do soro. Ela solta um gemido. Todo o seu rosto está contorcido e, agora, estou mais confusa do que nunca. Mais uma vez, ela tenta falar, mas não consegue.

Ela olha para mim, sussurrando "por quê?", e eu penso "*achei que você soubesse*".

Achei que tinha descoberto que Guy estava mentindo para você e, por isso, tentou se matar. Se não foi por esse motivo, então... Qual foi?

Paro com a especulação quando percebo que os olhos suplicantes de Kate ainda estão sobre mim.

— Por quê? — diz ela novamente, silenciosamente, mas não tenho resposta.

Afinal, o que diabos eu deveria dizer?

# 33

DESLIGUEI O CELULAR dentro do hospital. Há avisos espalhados por todo o lugar dizendo que o sinal interfere em desfibriladores ou respiradores... ou algo assim, o que tenho certeza que é mentira, mas consigo compreender. A última coisa que você quer quando está em um leito de hospital é um idiota berrando para o mundo quão importante ele é.

Quando chego ao carro, ligo o celular novamente e vejo que tenho uma mensagem de texto. É de Lorna, uma das garotas do canil do abrigo. Diz simplesmente:

*Bluey voltou.*

Dou um pequeno grito de alívio e entro no carro. Ligo o aquecedor e telefono imediatamente para Lorna. Assim que ela atende, pergunto:

— Onde ele estava?

— Amarrado à cerca do coletor de garrafas ao lado do Booths — diz ela sem ar. Ela deve estar no meio da limpeza. — Jackie Louca Wagstaff encontrou-o às sete da manhã, quando reciclava suas embalagens. Ela o trouxe dizendo que ele deve ter sido abandonado, porque o estacionamento estava vazio àquela hora. Pediu desculpas por ter trazido outro cachorro para você, a propósito, mas disse que não poderia simplesmente deixá-lo lá.

— Quanto tempo você acha que ele ficou lá? — pergunto.

— Não faço ideia. Ela disse que ele estava bem triste. O coitado estava com a cabeça baixa, como de costume, esperando que alguém fosse buscá-lo. Provavelmente, ficaria lá a semana toda se fosse necessário.

Sinto um choro a caminho e tenho que respirar um pouco para sufocá-lo.

— Lisa — pergunta Lorna —, ainda está aí?

— Sim — fungo —, estou apenas aliviada que ele esteja bem... Ele *está* bem?

— Parece que sim. Ele não comeu, mas isso não é incomum para ele. Posso misturar um pouco de comida de gato com a ração para ver se ele come. O que você acha que o sujeito queria com ele, afinal? Por que fugir com ele para abandoná-lo depois?... Eu disse a Shelley: "Qual é o sentido disso?".

— Tenho uma teoria, vou falar sobre isso quando chegar. Não devo demorar muito, depende de como estão as estradas.

— Estão melhores do que ontem. — Então, seu tom muda. — Lisa?

— Sim.

— Joe nos contou sobre sua amiga no hospital. Ela vai ficar bem?

Pedi a Joe para ligar para o trabalho por mim e informá-los sobre o ocorrido, disse para contar sobre Kate para que eu pudesse ir direto ao hospital para ver como ela estava.

— Ela vai se recuperar — digo à Lorna. — Acabei de vê-la, e ela estava sentada e conseguia falar. A irmã está com ela, deixei que ficassem algum tempo juntas.

— Ela, tipo, tinha problemas ou algo assim?

— É a filha dela que está desaparecida.

— Ah — diz ela enfaticamente. — Ah, isso é terrível.

— Eu sei — digo, e complemento que chegarei em meia hora.

Enquanto dirijo, minha cabeça está uma bagunça. Tento ouvir o rádio, mas só consigo pegar a Rádio 2 nesta área, e não consigo suportar os chorões que ligam para Jeremy Vine a essa hora, então desligo.

Meu escapamento está mais barulhento que nunca e, quando piso no acelerador, assusto uma jovem mãe no sinal com um carrinho de bebê. Olho pelo espelho e vejo que ela está gritando algo para mim com raiva. Espero não ter acordado o bebê dela, espero...

*O que diabos Kate está fazendo tentando se matar?*

É o que não consigo tirar da cabeça.

Queria gritar com ela. Queria sacudi-la desacordada e fazê-la me dizer exatamente que raios estava acontecendo.

Agora, não consigo pensar direito. Agora, sinto como se alguém estivesse atirando em minha cabeça à queima-roupa, e toda vez que tento pensar racionalmente, toda vez que tento repassar algo do início ao fim, o pensamento some antes que eu possa chegar a qualquer conclusão.

Por que ela não perguntou por Lucinda quando acordou?

Por que ela se desesperou tanto quando soube que Guy foi preso?

E este é um ponto menor, mas vou seguir em frente e falar porque está me irritando: por que nem Kate, nem Alexa, ou pensando bem, nem mesmo Guy, me agradeceram por salvar a vida de Kate?

Sei que eles estão confusos no momento, mas imaginei que um deles poderia pelo menos ter dito "graças a Deus você veio, Lisa".

Mas não. Nada.

Os nós de meus dedos estão brancos, sem sangue, no volante e eu digo a mim mesma "ok, pare. Só por agora, pare de pensar. Porque Bluey está de volta". Foi a *única coisa boa* que aconteceu hoje.

Bluey voltou e tomei a decisão de que esta noite ele irá para casa morar conosco.

# 34

JOANNE ESTÁ NA sala de reuniões, junto com outros quatro detetives, esperando a chegada do detetive-inspetor McAleese. É uma sala de vidro, construída ano passado depois que um dos detetives mais antigos de Cúmbria — detetive Russ Holloway — morreu de câncer no pâncreas.

Uma foto de Russ tirada em seu primeiro dia de uniforme está pendurada no canto; há uma pequena placa comemorativa abaixo. Joanne olha para ela agora e lembra-se de ter parado o carro quando Russ mencionou dor no abdômen, dor da qual reclamara pela terceira vez naquela semana. Joanne se recusou a continuar dirigindo até que ele ligasse para o médico para marcar uma consulta, mas já era tarde demais. Infelizmente, ele faleceu apenas três semanas depois.

McAleese entra e fecha a porta atrás dele. Ele está vestindo uma camisa vermelho-escuro e uma gravata discrepante; a camisa está cheia de manchas de suor, algo que Joanne nunca viu em McAleese antes. Ele é um homem meticuloso, com mais educação formal que a maioria na sala. Estudou para ser atuário e, quando se juntou à força, foi logo promovido. Chegou ao posto de detetive-inspetor em tempo recorde.

McAleese parece atormentado, o que, como oficial de investigação sênior, é natural, mas não para ele.

— Então presumo que a notícia tenha corrido e que todos vocês estejam cientes de que nossa terceira garota apareceu. — Ele faz uma rápida avaliação dos rostos diante dele; há um murmúrio de "sim, senhor". Confirmação que, sim, todos sabem. — Francesca Clarke voltou para a família, e conduziremos o interrogatório na casa dela em breve. Ela não está em condições de ser trazida para cá. O médico a examinou e tem o que precisamos.

Ele pigarreia antes de continuar. Afrouxa ligeiramente a gravata.

— Nosso homem ficou mais brutal desta vez — diz ele, como se fosse meio esperado. — Vou poupar-lhes da nojeira por enquanto. Basta dizer que ela não vai superar rapidamente. Temos alguns assistentes sociais com ela, e uma psicóloga está vindo de Preston. Ela tem experiência em lidar com vítimas de estupros violentos. — Expira de forma cansada e diz — Ela parece ser muito boa... — Mas, como o resto de nós, ele está pensando que a verdade é que não importa que ela seja boa. É outra vida arruinada.

McAleese mastiga a extremidade da caneta, todos ficam calados porque ele está riscando coisas de uma lista em sua mente. Ele morde a bochecha por dentro e diz:

— O pai de Francesca Clarke está enlouquecido, nada feliz com o andamento do caso etc... etc... Preciso de um voluntário para lidar com ele... Alguém?

Uma vez que ninguém está ansiosamente se oferecendo para o que certamente será um trabalho de merda, Joanne diz que não se importa em fazê-lo. Às vezes, ela é melhor em atenuar situações que os colegas do sexo masculino; ela tem uma maneira de fazer com que o queixoso sinta que a polícia realmente sente muito seja lá pelo que esteja sendo acusada... sem que realmente seja responsável.

É uma habilidade que ela desenvolveu quando adolescente, trabalhando em alguns dos hotéis mais bonitos dos Lagos como camareira. Quando hóspedes indignados se queixavam por ter encontrado um fio de cabelo entre os lençóis ou um bule com ferrugem, Joanne achava incrivelmente fácil se desculpar, sair por cima, não importa quão insatisfatória fosse a situação. Porque isso era tudo o que os hóspedes realmente queriam: um pedido de desculpas. Ninguém nunca disse que tinha que se desculpar de verdade. E, ainda assim, Joanne percebe a frequência com que as pessoas se esforçam para não se desculpar.

O detetive-inspetor McAleese diz a Joanne "obrigado, mas não, obrigado". Ele quer que ela permaneça com Guy Riverty por enquanto. Arranque qualquer informação que ele tenha sobre qualquer coisa. "A mulher do desgraçado não tentou se matar por nada."

Melhor para ela. Ela não queria abandonar o interrogatório, de qualquer forma. Ela tem a sensação de que acabariam trazendo-o de novo, e ainda quer saber onde ele esteve na noite passada. Algo diz que isso é *incontestavelmente relevante* para a investigação, mesmo que Guy Riverty diga que não.

McAleese continua com a reunião, designando o interrogatório de porta em porta, e há algumas imagens de câmeras de vigilância que devem ser investigadas. Quando começam a discutir a forma como o comunicado de imprensa deve ser feito, o telefone de Joanne vibra duas vezes no bolso. Ela o retira e lê uma mensagem de Lisa Kallisto que diz:

*Desculpe pelo inconveniente. Cão desaparecido voltou. Muito barulho por nada!*

Joanne lê o texto novamente e interrompe o chefe:

— Senhor, o público já sabe que a menina número três reapareceu?

— Não oficialmente. Não foi divulgado. Por quê?

— Acabei de receber uma mensagem da mulher do abrigo de animais... ela me telefonou ontem para dizer que alguém roubou um cachorro. O velho cão cinzento, lembra?

— Igual ao que foi visto com o cara vagando próximo à escola?

Joanne acena com a cabeça:

— Bem, o cão voltou. Uma coincidência, não acha?

— Talvez — diz ele —, mas vale a pena verificar.

Ela se volta para Ron Quigley:

— Alguma vez, já tiramos DNA de um cachorro antes, Ron?

— Não que eu me lembre — responde ele, sorrindo.

No caminho de volta para a sala de interrogatório, Joanne liga para Lisa Kallisto.

Lisa atende.

— Ah, Deus, desculpe-me por aquilo. Você deve pensar que sou completamente louca. Bluey voltou, e ele parece bem, então não houve nenhum mal.

— Está com o cachorro agora?

— O quê? Não. Estou no escritório organizando as malditas contas, ele está no canil.

— Não dê banho nele. Nem escove-o. E mantenha-o isolado até que alguém o busque.

— O que ele fez? — Lisa dá um pequeno grito.

— Ele não fez nada — Joanne sorri para si mesma. — Trata-se mais de onde ele poderia ter *ido*, precisamos testá-lo para...

— Ah, meu Deus, — diz Lisa — você está dizendo que Bluey é uma *evidência*.

Joanne provavelmente não teria colocado isso de forma tão drástica, mas...

— Sim — responde ela. — Precisamos do cachorro para colher provas.

— O que preciso fazer? — pergunta Lisa.

— Você não precisa fazer nada. Como eu disse, não deixe ninguém lavá-lo ou escová-lo. Pode ser melhor não levá-lo para passear também. — Joanne expõe essa reflexão tardia não tendo certeza se vai fazer diferença ou não. — Vou entrar em contato com a perícia, ver se consigo alguém para ir até aí imediatamente. Mas pode haver um atraso... Até que horas você ficará aí?

— Perícia? — Lisa suspira.

— Sim.

— Ah, vou aguardar o tempo que for preciso para que cheguem aqui. Meu marido está com as crianças porque preciso cuidar das coisas...

— Entrarei em contato mais tarde se eu precisar de algo, mas isso é tudo por enquanto.

— Detetive?

— Hum?

— Guy Riverty está aí com você?

Joanne está prestes a dizer "sim, ele foi detido sob custódia", mas, em vez disso, diz:

— Por que pergunta?

— É só que... — E Lisa faz uma pausa, aparentemente relutante em continuar. Finalmente, ela diz — Algo está errado.

— Com quem?

— Com todos eles — responde ela sem rodeios. — Hoje, me senti muito desconfortável. Tive a sensação de que estavam escondendo algo. Todos eles: Kate, Guy, a irmã de Kate, Alexa. Agiam de forma estranha, diferente de como eu esperaria nessas circunstâncias.

— De que maneira?

— Realmente não consigo explicar. Mas esta manhã, Fergus me contou algo. Ele disse que a mãe fica chateada quando o pai não volta para casa, e tive a impressão de que não é incomum ele desaparecer assim. Que acontece com frequência. É estranho, não é?

Joanne termina a ligação pensando "sim, é estranho". Ela arrancaria a cabeça do marido se ele desaparecesse durante a noite. Mas, uma vez que não é casada, quem sabe o que ela faria? As mulheres aturam coisas que nunca imaginariam quando começaram o relacionamento. Por que ela seria diferente?

Joanne abre a porta da sala de interrogatório. Ela já se preparou para a avalanche de insultos que, sem dúvidas, receberá de Guy Riverty. Ele está cozinhando aqui há mais de uma hora e deve estar pronto para uma discussão de verdade.

Mas quando entra, para, assustada por um momento pela cena com que se depara.

Guy está caído sobre a mesa. Ele tem a postura de um homem que já está destruído. Joanne pigarreia para falar e ele ergue a cabeça. Há uma mistura de muco e saliva escorrendo por seu queixo.

Guy está chorando feito criança. Emoção despudorada, crua demais para esconder. Ele a olha tristemente e diz:

— Eu tenho uma mulher.

— Eu sei — responde Joanne com dificuldade. — Mas ela ficará bem, Sr. Riverty. Sua mulher *ficará* bem.

E ele sacode a cabeça. Limpa o nariz no casaco, deixando uma trilha de muco em sua cara camisa de gola alta preta.

— Eu tenho *outra* mulher — diz ele, e mantém o olhar firme em Joanne. — Outra mulher... e um filho. Um bebê.

Joanne arregala os olhos sem querer. Para ser sincera consigo mesma, não é exatamente o que esperava.

# 35

— A SRA. RIVERTY SABE? — Então acrescenta rapidamente — A Sra. Kate Riverty, quero dizer.

— Sim.

— Isso deve ser complicado.

Ele suspira.

— O que a faz ficar com você? — Uma pergunta pouco profissional que não tem nada a ver com o que Joanne realmente precisa saber sobre a situação, mas que qualquer mulher estaria explodindo para fazer.

— Eu gostaria de saber. Queria que ela concordasse com uma separação, mas não concorda. Tentei muitas vezes convencê-la de que seria melhor para todos, mas ela não concorda com o divórcio.

Joanne está perplexa com isso.

— Então ela prefere compartilhar você? — Seu tom é mais incrédulo do que ela gostaria, as palavras saem não tão confusas pelo fato de Kate Riverty estar disposta a compartilhar um marido, mas por estar disposta a compartilhar um marido como *ele*. Como se Guy Riverty fosse um tipo de troféu que Joanne não conhecia.

A rejeição aparece no rosto de Guy.

— É muito mais complicado do que parece — diz ele, e Joanne, notando que ainda está de pé, puxa a cadeira de baixo da mesa e se senta.

Sem querer, ela está avaliando Guy Riverty, tentando descobrir o que faria uma mulher sensata comprometer a si e sua família dessa maneira.

Por que não simplesmente mandá-lo para o inferno com a nova mulher?

Por que não fazer o que qualquer mulher normal faria? Por que não enxotá-lo, por que não *jogar fora as roupas dele*, difamá-lo para cada pessoa que encontrar, depois fazer o cabelo, comprar uma tonelada de lingeries novas, dormir com alguém mais atraente e continuar com a vida? É isso o que Joanne faria.

Ela sorri, solidária, para Guy.

— Ela deve amar mesmo você.

— Essa é a questão — diz ele, suspirando. — Ela não me ama.

— Então por que quer você?

— Não faço ideia — diz ele. — Não, não é verdade. Eu sei o motivo. Kate tem sentimentos muito claros sobre casamento e família. Se você se casar, será por toda a vida, e não fará seus filhos passarem por uma separação por capricho ou simplesmente porque o amor não é tão forte quanto já foi um dia. As crianças vêm em primeiro lugar.

Joanne olha para além de Guy, refletindo sobre a situação algumas vezes. Depois de um momento, ela diz:

— Então por que *você* não vai embora? Por que não vai morar com sua outra mulher? — Ele está prestes a responder quando outro pensamento ocorre a ela. — Você é um bígamo no verdadeiro sentido da palavra, então? Você é realmente casado com duas mulheres?

Ele assente.

— Eu me casei com Nino...

— Nino?

— Minha mulher, ela é da Georgia. Eu me casei com ela lá quando...

— Espera aí. Eu não entendi...

— Nino veio para cá para trabalhar. Eu a empreguei para limpar as casas para aluguel de temporada e, sem realmente ter a intenção, me peguei na companhia dela cada vez mais. Percebi que estava se transformando em algo especial... E antes de seguir em frente e, você sabe...

— Dormir com ela?

— Sim, antes de levar o relacionamento adiante, disse a Kate que queria o divórcio. Eu disse que queria ir embora e começar uma vida com Nino... Vai me prender por ser bígamo?

— Mais tarde, não agora. Explique por que você não deixou Kate.

— Porque ela sempre ameaçou se matar.

— Entendo. Então como acabou casado com as duas?

Ele expira.

— Meu relacionamento com Nino evoluiu nos meses seguintes... Mesmo tentando o meu melhor para manter distância, descobri que simplesmente não conseguia, e a coisa toda realmente abalou Kate. Mais do que pensei ser possível.

— Então você ficou entre a cruz e a espada.

Guy a olha com esperança:

— Digamos que a vida não tenha ido exatamente como eu esperava. — Joanne pensa "*senhor, bem-vindo ao clube*".

— Nino ficou grávida inesperadamente. Novamente, implorei a Kate pelo divórcio; novamente, ela insistiu que se mataria antes que deixasse isso acontecer. E acreditei nela. Não posso sequer expressar como acreditei nela. Eu jamais continuaria com isso se não tivesse acreditado. Mas, então, nos deparamos com o problema de Nino ser mãe solteira e ser rejeitada por sua própria família se assim permanecesse. E achei que, por mais compreensiva que tivesse sido sobre a situação com Kate, ela realmente não merecia isso. Ela não merecia não ter *nada*. Nino morria de medo que eu ficasse com Kate e ela ficasse aqui no Reino Unido sem garantia, nenhuma prova de nosso relacionamento. Então escolhi o caminho mais fácil e me casei com ela na Geórgia. Na frente da família e dos amigos dela.

— Quem mais sabe disso?

— As crianças sabem que há um problema, mas não o que ele significa. A irmã de Kate, Alexa, sabe sobre Nino.

— Então, ontem à noite, você estava com... ?

— Nino, sim — responde ele. — Temos um apartamento em Helm Priory, em Bowness. É um local central. Nino não dirige, então é prático. Ela pode comprar o que precisa sem depender totalmente de mim.

— E foi por isso que Lisa Kallisto encontrou sua mulher esta manhã. Você estava lá.

Ele assente.

Joanne lembra que seguiu Guy Riverty duas noites atrás, que, ao sair da clínica, ele virou à esquerda na Brantfell Road em vez de ir para casa. Brantfell Road dá um volta em direção a Helm Road. Os remédios que ele pegou devem ter sido para seu filho. Seu filho com Nino.

Os pensamentos de Joanne, então, voltam para Kate.

— Por que escolher agora para cometer suicídio... quando isso já acontece há... quanto tempo?

— Estou com Nino há quatro anos.

— Então por que escolher agora?

Relutante, ele diz:

— Porque ela não conseguiu lidar comigo deixando-a sozinha, com Lucinda desaparecida.

Joanne inspira. Isso é uma merda mesmo.

— Sei o que você está pensando — diz Guy, e Joanne inclina a cabeça. — Você está se perguntando que tipo de homem poderia fazer algo assim com outra pessoa.

Na verdade, Joanne está pensando que, se fosse uma série de TV policial, o detetive responderia: "Não importa o que eu penso. Meu trabalho é tentar entender o desaparecimento de sua filha e trazer o responsável para a justiça". Mas, como esta é a vida real, Joanne diz:

— Que coisa mais canalha de se fazer. Quem ensinou você a tratar as mulheres desse jeito?

Ele olha para ela tranquilamente:

— Você não entende. Kate tem... Kate tem problemas. Problemas complicados. — E Joanne olha para ele como se dissesse "*sim, você, seu desgraçado. Você é o problema dela*".

— Deixe-me adivinhar, — diz ela, recostada na cadeira — sua esposa russa te entende muito melhor.

— Georgiana — corrige ele.

— Perdão.

Guy inspira longa e profundamente.

— Kate vem se tratando com um psicoterapeuta há muitos anos no hospital de Bupa. Quando falei pela primeira vez sobre Nino, ela não reagiu bem. Dedicou-se a ser uma mãe coruja.

Joanne assente, sinalizando para que Guy continue, mas, agora, ele não consegue. É como se o que está prestes a revelar fosse muito doloroso, e leva um tempo para ele reunir as forças e continuar.

— Naquela época, Fergus desenvolveu um problema no olho. Tentamos de tudo — diz ele. — Levei-o a todo lugar. O olho ficava extremamente inchado e com casquinha, e sempre havia uma pequena infecção da qual nunca conseguíamos nos livrar. Houve um momento em que pensamos que ele poderia perder a visão completamente. Kate foi muito boa, levando-o para o hospital do olho de Londres sempre que necessário, mas não conseguiram identificar a causa. Até... — Guy pausa, aperta os lábios e incha as bochechas, com uma expressão de triste resignação — até que um novo médico canadense achou que tinha encontrado a resposta.

Joanne olha para Guy na expectativa.

— Ele entrou em contato comigo, diretamente, para dizer que encontraram uma série de filamentos na córnea.

— Que filamentos? Como foram parar lá? — Pergunta Joanne, sacudindo a cabeça.

— Kate estava esfregando o olho de Fergus com a ponta de seu xale de paxemina.

Joanne fica boquiaberta.

— Por quê?

— Boa pergunta. Eu sabia que ela estava mal por causa do meu relacionamento com Nino, mas fiquei completamente perplexo com isso. Pouco depois, ela foi diagnosticada com Síndrome de Münchhausen por procuração. Descobrimos que ela também usava uma pipeta para pingar água sanitária no olho dele. Embora não fosse sempre, ela disse. Somente quando ela sentia que sua vida estava perdendo o controle.

— Água sanitária? Jesus! — diz Joanne, pensando que precisa verificar isso o mais rápido possível. — Então ela está curada? — pergunta Joanne.

— Evidentemente, não — diz Guy, com tristeza. — Ou acho que ela não estaria no hospital.

*Ele faz o caminho de volta, parabenizando-se pelo trabalho bem feito. Está ficando melhor nisso, ficando cada vez melhor em apagar seus rastros, em ser invisível.*

*Ele dirige por Windermere e pensa em dar uma rápida parada na Windermere Academy. Ele poderia dar mais uma olhada na garota que tem em vista. Talvez consiga até falar com ela hoje. Ele sabe que ela o viu. Ela gosta dele. Ele a viu olhando.*

*Por fim, decide que duas em um só dia provavelmente é forçar as coisas, mesmo para ele. Então dirige para casa. Ele precisa manter controle sobre isso se quiser manter o estímulo. Se quiser continuar. Ele sempre pode voltar pela manhã, conclui. Ver se consegue chamar sua atenção quando ela sair do micro-ônibus.*

*Ele a imagina caminhando em direção ao seu carro, e sua pele se eriça com o anseio. Sua pele morena, seus cabelos escuros, seus olhos castanhos cor de chocolate...*

# DIA QUATRO

## Sexta-feira

# 36

É DE MANHÃ. Trinta e seis horas se passaram desde que Alexa esteve aqui me chamando de puta, e Joe levantou-se primeiro. Ele está naturalmente quieto e magoado perto de mim, como se alguém tivesse morrido, e estou apenas rezando para que ele não mude de ideia e decida desistir de mim.

O clima está mudando. Na noite passada, a previsão era de nuvens espessas e céu cinza para o Noroeste. A alta pressão responsável pelas quedas de temperatura e todo o ar seco e frio vindo do Norte está indo embora. Entraremos em um período mais ameno. Talvez não tenhamos neve no Natal no fim das contas.

Ouço Joe abrir e fechar armários na cozinha.

— Lise?

Ele grita do pé da escada, e murmuro algo — não uma palavra de verdade, mais para um gemido baixo — para ele saber que estou acordada e posso ouvi-lo.

— Um dos cães vomitou uma gosma amarela — diz ele.

— Vou resolver isso — digo, cansada, e coloco minha cabeça novamente sob o edredom.

Não é que Joe esteja fazendo uma retaliação. Não é "você dormiu com outra pessoa, então terá que fazer todos as tarefas de bosta de agora em diante". Joe não é assim. Não, ele sabe que prefiro cuidar disso por conta própria, porque tudo o que Joe usa para limpar, como pano, esfregão, lã de aço do lado da pia da cozinha, acaba destruído no processo.

Os panos de cozinha ficam marrons e cobertos de grama (limpeza dos sapatos de golfe), o esfregão fica preto e não tem salvação (limpeza do teto do táxi), e assim por diante.

Eu me viro e tento organizar meus pensamentos para o dia que está por vir. Kate é uma grande preocupação, mas, agora, é Bluey que vem na frente.

Ontem à noite, uma jovem foi ao meu trabalho em uma van branca sem nomes, pronta para buscar Bluey. Antes de ela chegar, eu estava um pouco zonza por ele ser levado para a análise da perícia. A ideia de Bluey ser o elo perdido, a peça que falta no quebra-cabeça da caça ao sequestrador das três garotas — bem, nem preciso dizer que fiquei um pouco empolgada com isso.

Mas quando ela realmente apareceu com a jaula vazia na parte de trás da van, fui apanhada por um pânico terrível de que fossem fazer experimentos com ele. Isso não teve um motivo de verdade, e a jovem assistente forense não soube o que fazer quando comecei a gritar. Quando percebi que estava assustando-a, parei. Com carinho, entreguei a coleira e disse a ela que tinha sido uma semana difícil e que lamentava muito pelo meu ataque. "Normalmente, não sou histérica", disse, e ela saiu o mais rápido que pôde. Pobrezinha.

Eu me pergunto agora como está Bluey. Eu me pergunto se ele está bem. Ela assegurou que cuidariam bem dele e que ele provavelmente iria para casa com ela para passar a noite. "Provavelmente?", eu disse em tom acusatório, e ela disse "Não, com certeza."

Espero que ele volte. Acho que não conseguiria suportar se algo acontecesse com ele, além de tudo, sendo o velho saco de ossos que é. Eu não me perdoaria.

Joe grita novamente que preciso descer e limpar a bagunça agora, antes que os outros cães comecem a lamber tudo. Então jogo minhas pernas para o outro lado da cama, deslizo meus pés para dentro dos chinelos e, quando chego à cozinha, Joe já fez o café e encheu o balde do esfregão com água fervendo.

— Colocou um pouco de água sanitária dentro? — pergunto a ele, levantando o balde da pia, e ele diz "sim, só um pouco".

Ele já vestiu sua roupa de trabalho: jeans limpos, uma camisa branca por baixo de um moletom de algodão ou lã e botas polidas.

— Você está bonito — digo, mas há algo no rosto dele que me faz olhar duas vezes. — Você está bem? — Pergunto, e ele responde que sim, mas há algo estranho. — Seu rosto está diferente — digo, e ele encolhe os ombros. É como se suas marcas de expressão não estivessem nos mesmos lugares que a noite passada. Como quando as fissuras que se agrupam na boca de uma pessoa são preenchidas com Restylane e ela fica meio estranha.

— Tem certeza? — pergunto a ele, e vejo um lampejo momentâneo de aborrecimento.

— Não vou estar exatamente maravilhoso agora, Lise, vou?

— Suponho que não. Desculpe. Amo você — digo, bocejando. — Estou acabada?

— Você está linda — responde ele, vindo me beijar na boca —, mas está com bafo.

Olho para ele enquanto se encolhe para entrar na jaqueta, seu cabelo ligeiramente úmido — apenas um pouco comprido demais — e enrolando-se para dentro do colarinho.

— O que quer para o jantar? — pergunta ele, e digo que vou comprar alguma carne.

— É sexta-feira — digo. — Vamos assistir a um filme, ficar bêbados e fazer sexo quando as crianças forem para a cama. Tentar fingir que esta semana nunca aconteceu.

— Que paraíso — diz ele, e me beija na testa desta vez. Então pega suas chaves e sai.

Limpo a bagunça na área de serviço. É impossível dizer qual dos cães passou mal, já que todos devoraram a comida com igual entusiasmo, então paro de me estressar com coisas que não posso fazer nada a respeito e sento-me à mesa com meu café. Desde ontem, adotei a mentalidade de que sempre há um motivo para tudo e, embora eu saiba que isso é baboseira, diria que está ajudando.

Tomo um gole de café. David Bowie e Bing estão cantando "Little Drummer Boy" baixinho no rádio, que fica no canto, e decido que seria melhor montar a árvore de Natal este fim de semana ou as crianças vão encher minha paciência sem parar.

Eu os escuto lá em cima agora. Desligaram os alarmes, e há uma pancada seguida de passos rápidos. Desde que Sam começou a andar, aos 9 meses de idade, ele corre para onde quer que esteja indo.

Ouço a luz do banheiro sendo ligada e, então, desligada; depois, uma corrida rápida de volta porque ele se esqueceu de dar a descarga; em seguida, ele desce as escadas em menos de dez segundos e senta-se em frente a mim.

— Bom dia, mãe — diz ele, otimista. Sorrio, animada por seu entusiasmo matinal, sabendo que, dentro de alguns anos, isso se limitará à uma série de resmungos e reclamações que recebo dos outros dois.

— Dormiu bem, Sam?

— Tive um sonho muito ruim — diz ele de forma dramática. — Sonhei que Mario e Luigi estavam em uma, tipo, montanha-russa gigante e...

Estou concordando vagamente, fazendo cara de assustada quando necessário, parecendo preocupada com os Super Mario Brothers enquanto o sonho é contado (ou melhor, inventado naquele momento).

Mario e Luigi têm grande presença em nossas vidas há alguns anos. Sam tem, assim como todas as versões de games disponíveis, pelúcias dos dois personagens principais com que brinca o tempo todo. Na semana passada, ouvi Luigi dizer a Mario "vou dar uma cagada" e, por um momento, me perguntei se a Barbie já se pegou dizendo isso a Ken.

Despejo o leite sobre o cereal de Sam e coloco na frente dele. Enquanto ele come, continua falando. A feira de Natal é na segunda-feira após a escola, e eu deveria enviar prêmios para os sorteios. Pediram que ele me perguntasse se eu poderia servir chá ou cuidar de um dos estandes.

Aceno com a cabeça no piloto automático e digo que vou falar com a professora, porque me distraí. Sam está esfregando os olhos, livrando-se do sono que está preso sob seus cílios, e, de repente, há uma coceirinha na parte de trás do meu cérebro que não consigo alcançar.

É uma coceira que está lá desde ontem à noite, fazendo cócegas nos limites dos meus sonhos, dando-me a sensação de que, se eu pudesse ir um pouco mais longe, se eu pudesse *pensar* um pouco mais, descobriria o que precisava saber.

Mas não adianta. Quanto mais eu tento, mais fica fora do meu alcance. Então, por enquanto, esqueço.

# 37

SÃO 8H30 DA MANHÃ e Joanne está fazendo anotações enquanto o detetive-inspetor McAleese os atualiza sobre a situação.

Ele diz à equipe que a perícia retirou uma amostra razoável debaixo das unhas de Francesca Clarke, a terceira vítima. Embora não esperem encontrar a pele do agressor sob elas — ele tem sido meticuloso demais, cuidadoso demais para isso. É de DNA canino que eles estão atrás — células da pele do Bedlington Terrier.

Se conseguirem ligar o cachorro a Francesca Clarke e, *então,* obter uma identificação positiva de Lisa Kallisto de Charles Lafferty — o escroto que levou o cachorro — haverá o suficiente para ligá-lo à garota. E, possivelmente, o suficiente para uma condenação.

Eles só precisam encontrá-lo.

Mas não há nada para seguir adiante, exceto o nome Charles Lafferty, e a única coisa que aparece sobre ele é um ataque brutal sofrido por uma corretora imobiliária de 40 anos em Windermere. Fora isso, não há registro de emprego e nada aparece no banco de dados do ViSOR.

McAleese não quer que isso se transforme em um jogo de espera. Ele não quer se sentar e contar as horas até o sequestrador atacar novamente. Eles precisam de uma imagem, uma placa de carro... qualquer coisa.

Então eles retornam com os interrogatórios de porta em porta e com a investigação de horas de gravações de câmara de vigilância que foram recolhidas em um raio de três quilômetros de todas as escolas em South Lakeland. Eles sabem que estão à procura de um homem bem-apessoado e bem vestido na faixa dos trinta e poucos anos.

— Não deve ser muito difícil encontrá-lo — diz McAleese, e todos suspiram. — Suspeitem de qualquer um que apareça duas vezes — instrui ele, terminando a reunião.

Ron Quigley se volta para Joanne:

— Vai ser um longo, longo dia — diz ele, e ela concorda, embora ainda esteja pensando em Guy Riverty, liberado sem acusações na tarde anterior.

No fim, eles não tinham nada para mantê-lo preso e, depois de ter quase certeza de que ele tinha algo a ver com o desaparecimento da filha, Joanne realmente acabou sentindo pena do pobre coitado.

Duas horas, quatro xícaras de chá e meio pacote de biscoitos recheados depois, Joanne não encontrou nada nas gravações — salvo algumas aparições de Joe le Taxi e um 4×4 branco que ela pensa em acompanhar quando alguém bate na porta. É o sargento de plantão do andar de baixo.

— Desculpe incomodá-la, Joanne, mas há uma mulher pedindo para falar com alguém que esteja trabalhando no caso das meninas raptadas. Ela diz que quer falar com *uma* oficial. Dá para você descer?

— Você deu uma conferida nela? Não é só uma paranoica que desperdiçará meu tempo, é? Porque já falei com gente assim o suficiente. Estou bem no meio disso.

Ele abre a porta um pouco mais:

— Ela é inflexível. Diz que tem alguma informação. Parece legítima.

— Tudo bem. Já vou lá.

Joanne se aproxima da mulher, que está sentada em uma das cadeiras de plástico próximas às janelas. A mulher está olhando para os pés, evitando contato visual com qualquer outra pessoa no recinto. Um pedaço de fitas de papel de Natal, feitas para a delegacia pela escola primária vizinha, desprendeu-se do teto. Está pendurado a poucos metros da cabeça dela.

— Você queria falar com um oficial de polícia? — Joanne pergunta enquanto a mulher levanta a cabeça. — Sou a detetive Aspinall. Estou trabalhando no caso.

Ela é uma coisinha tímida. Uns 40 anos, cabelo loiro escuro, tipo físico pequeno. Está vestindo uma roupa típica de mães, com calças de caminhada, tênis e uma jaqueta Regatta azul-claro.

— Podemos conversar em algum lugar mais reservado? — pergunta a mulher.

— Ok. Apenas me dê um minuto para encontrar uma sala vazia — responde Joanne.

Cinco minutos depois, a mulher tímida diz a Joanne que o nome dela é Teresa Peterson.

— E sobre o que queria falar comigo?

— As meninas.

Joanne espera que ela continue, mas, por enquanto, é tudo o que Teresa Peterson parece ser capaz de dizer.

— Você tem alguma informação sobre as meninas que foram sequestradas, é isso?

Teresa pisca forte, olha para baixo.

— Sim — diz ela.

Joanne respira algumas vezes, pensando "isso não vai dar em nada". Mais uma vez, ela espera. Mas, quando pensa que a mulher vai ficar assim o dia todo, diz gentilmente:

— O que a perturba, senhorita Peterson? O que está deixando você angustiada?

— Senhora — diz ela, então —, Sra. Peterson. Olha, não sou daqui. Não estou aqui há muito tempo, então não tenho certeza, não tenho certeza...

Joanne acha que deveria ter chamado Cynthia Spence para lidar com isso.

— Tudo o que você disser será mantido em completo sigilo. Está preocupada que possa ter problemas por falar?

— E se eu estiver errada?

— E se você me der a informação errada?

— E se eu lhe der a *pessoa* errada?

Joanne relaxa os ombros. Ela explica:

— Temos alguém que pode identificar positivamente o suspeito uma vez que o localizemos. Se a pessoa que você indicar não for o suspeito, saberemos imediatamente.

Joanne se aproxima e toca o pulso de Teresa Peterson, apenas brevemente:

— Você não tem nada a temer. Na verdade, ninguém vai ser acusado de algo que não fez. Por que não começa me dizendo o que a leva a suspeitar dessa pessoa?

Teresa Peterson coloca a mão no bolso de sua jaqueta impermeável e tira um lenço. Ela assoa o nariz e, depois, fecha os olhos. Seus lábios começam a se mover, mas nenhum som sai. Joanne percebe que ela está orando ou entoando algum tipo de mantra, tentando se preparar.

Então seus olhos se abrem de vez:

— Eu precisava de uma fotografia — sussurra ela —, uma fotografia dos meus sapatos. Eles são Kurt Geigers e são muito altos para mim... Não sou do tipo que consegue ficar bem de salto alto. Pareço boba. Não deveria ter comprado, mas comprei iludida e, bem, eles estão no guarda-roupa parados.

Ela olha para Joanne como se dissesse "continuo?", e Joanne faz que sim.

— Quando encontrei a câmera, não estava onde deveria, onde geralmente a guardamos.

Ela está torcendo as mãos de uma maneira louca agora, e Joanne olha para o relógio dela.

— De qualquer forma, isso não importa — diz ela. — Eu a encontrei. Mas quando fui tirar a foto... Ah, desculpe, eu me esqueci de dizer que ia anunciá-los no eBay, por isso precisava da foto...

— Eu meio que presumi...

— Quando fui tirar a foto, não funcionou. O cartão de memória tinha desaparecido e achei estranho. Não havia motivo para isso. E foi quando isso me veio à mente.

— Foi aí que o que veio à mente?

— Que é meu marido. É ele que tem raptado essas jovens.

Joanne sorri para a mulher na frente dela e suspira.

— Sra. Peterson, acho que você pode ter se precipitado um pouco aqui.

Ela sacode a cabeça.

— Não. Encontrei o cartão de memória no bolso interno do casaco dele.

Joanne levanta as sobrancelhas.

— Foi por isso que nos mudamos para esta região — diz Teresa Peterson rapidamente. — Tivemos que sair de nossa casa porque ele já havia feito isso antes. Nunca foi provado, mas Merv diz que a reputação fica manchada, então viemos para o norte quando vimos o anúncio procurando por um casal para gerenciar o hotel.

— Qual hotel?

— The George, em Grasmere.

— De onde você é, Sra. Peterson?

— Ipswich. Distrito de Suffolk.

— E o nome do seu marido é Merv?

— Mervyn Peterson. Se verificar, verá que ele foi levado para interrogatório quando uma amiga da nossa filha afirmou que ele a fotografou.

— Quantos anos ela tinha?

— Doze.

Joanne se esforça para manter o rosto inexpressivo.

— Ele negou, jurou que não era verdade, e eu acreditei. Mas, agora, encontrei isto. — Ela tira um cartão de memória SanDisk de 4GB da bolsa e passa para Joanne.

Joanne a olha com seriedade:

— O que há nisto, Sra. Peterson?

A mulher começa a tremer.

— Fotos. Fotos de meninas... Tem imagens sexuais de adolescentes nisso... e há algumas fotos da mãe dele. Ela fez 70 anos no mês passado, então fomos a uma reunião familiar.

— As imagens aqui, você tem certeza de que não são da sua filha? Não são fotografias pessoais que ela poderia ter tirado de si e não queria que você visse?

Teresa balança a cabeça.

— Não é ela — responde. — Tenho certeza.

# 38

DEIXO SAM NA ESCOLA, falo com a Sra. Corrie, a professora, sobre a feira de Natal e concordo em fazer algumas fornadas da única coisa em que sou boa — bolo de abobrinha. Não sou cozinheira, sabemos disso. No entanto, é basicamente a mesma receita de bolo de banana, mas, por algum motivo, as pessoas ficam muito mais impressionadas com ele.

A professora de Sam pergunta discretamente, com tato "Como Kate está indo?", ao que devolvo um "Ok".

Liguei para o hospital noite passada e me foi dito que, tudo correndo bem, Kate iria para casa em algum momento hoje. Quando expressei minhas preocupações com seu estado mental, disseram que ela havia sido avaliada e uma enfermeira psiquiátrica comunitária ficaria com ela em seu retorno.

A Sra. Corrie pergunta quando acho que Kate *estará de pé novamente*, sendo as entrelinhas: será que ela vai poder ajudar com a feira de Natal? O que é ridículo sugerir com Lucinda desaparecida e o estado em que Kate se encontra no momento. Mas sei que ela está perguntando apenas porque ficarão totalmente perdidos sem ela.

Kate é a espinha dorsal dos angariadores de fundos da escola, do que tudo depende. Sem ela, a feira de Natal será um desastre. Ninguém fará o que prometeu. Ninguém trará os prêmios, o vinho, os bolos, os jogos. Nada será feito sem os lembretes gentis de Kate. Como as coisas estão agora, provavelmente acabará custando à escola dinheiro até mesmo para fazer a festa.

O dia está nublado como prometido. E tão ameno quanto. Há um aumento perceptível na temperatura e não preciso usar minhas luvas nem meu gorro. O escapamento do carro ainda está furado, mas ignoro. Isso vai ter que esperar.

Quando chego ao trabalho, Lorna diz que atualizou o site e que há uma mensagem na secretária eletrônica dizendo que Bluey será devolvido ainda esta manhã. Eles conseguiram coletar as amostras de que precisavam. E há outra mensagem. Uma mensagem louca de uma mulher histérica (que parece estar bêbada) em Grasmere. Ela precisa que resgatemos um cachorro com urgência por causa de uma mudança em sua situação e não pode trazer o cão até nós porque o carro dela foi rebocado. O cão é um Dobermann.

— Você ligou de volta? — pergunto a Lorna.

— Ninguém atende. Ela provavelmente desmaiou. Mas deixou um endereço. Você vai até lá?

— Vou ver como vai ser a manhã.

— Você parece cansada, sem querer ofender.

— Não foi a melhor semana da minha vida.

— Quer que eu vá? — pergunta Lorna.

— Está tudo bem — digo e sorrio. — Prefiro dirigir a limpar canis... Desculpe.

— Valeu a tentativa.

Lorna pintou o cabelo com hena de novo e o corante manchou a pele atrás das orelhas e na nuca. Não digo nada. Suas unhas também estão marrons.

— Como está sua amiga? — pergunta Lorna. — Já encontraram a filha dela? —Balanço minha cabeça negativamente. — Deve ser horrível — acrescenta, e sinto uma suave agitação interna.

Estou olhando para a porta, mergulhada em pensamentos, Lorna dizendo "Lisa, você está bem?", um tom solidário em sua voz.

— O quê? Sim — respondo rapidamente. — Apenas preciso me manter ocupada. Como estão indo aqueles gatinhos?

— Só restou um. Batizei-o como Buster.

— Buster é um bom nome — digo a ela, e vou até a sala dos fundos para começar. Ver se consigo dar um pouco de comida na seringa para ele.

Quando entro, vejo que Lorna ensacou os últimos dois gatinhos que não sobreviveram à noite, para a coleta, e ouço o miadinho de Buster.

Estico o braço para dentro da gaiola e o pego. Ele é preto nas costas, com peito e parte inferior brancos e uma pequena mancha preta triangular sob o queixo. É como se estivesse vestindo um terninho, como um pequeno James Bond. Ele ronrona enquanto o levanto. Começo a procurar pulgas nele e logo encontro duas. Pego o pente para livrar-me delas antes de começar com a seringa. Ele sobreviverá, decido.

Examino suas gengivas — estão com um tom de rosa bom e saudável — e seus olhos brilham.

— Certifique-se de viver — digo a ele, e ele me olha com olhos arregalados e travessos.

Em seguida, meu celular apita no bolso e olho a tela. Meu coração salta quando vejo que é de Kate.

"*Obrigada. Você é uma salvadora!*", diz a mensagem, simplesmente.

E eu respondo "*Às ordens*" e suspiro.

Ela deve estar a caminho de casa.

# 39

TRÊS VIATURAS ESTÃO a caminho do George Hotel, em Grasmere, para pegar Mervyn Peterson. Joanne está em uma delas e, no momento, enquanto abrem caminho ao longo das margens do Lago Windermere, está presa atrás de um Escort de quinze anos com um adesivo de peixe na janela traseira. "Péssimo exemplo de direção cristã", diz para Ron, e batuca com os dedos no volante.

Este é o momento pelo qual ela vive. O momento em que ela consegue pegar o filho da mãe pelos testículos e entregá-lo para a justiça pelo sequestro e estupro repetido de três jovens.

Ela sabe que é ele. Ela pode sentir que é. Teresa Peterson detalhou as alegações anteriores contra ele, além de dizer que ele saiu sem avisar na noite de quarta-feira — quando Francesca Clarke foi sequestrada. Há pouca dúvida na mente de Joanne. Ela mal pode esperar para levá-lo para a sala de interrogatório.

Ron Quigley está ao lado dela, engolindo comprimidos de antiácido como se fossem balinhas, o joelho direito pulando e sacudindo na expectativa.

— No que está pensando? — pergunta ele.

— Estou me imaginando algemando e imobilizando o desgraçado com o joelho.

Uma fina garoa começou a cair quando Joanne olha sobre o lago. Mais além, os Picos Langdale estão obscurecidos pelas nuvens e o lago em si está cinza-granito. Ainda há muita neve na ribanceira por enquanto, mas, em breve, derreterá. Todo o lugar está monocromático.

— Seria bom ter uma condenação antes do Natal — pondera Ron, e Joanne concorda.

Ela perguntou a Teresa Peterson sobre o que mais a confundiu sobre esse caso. Aonde ele poderia ter levado as meninas? Aonde poderia tê-las levado sem ser visto?

Teresa encolheu os ombros. Disse que não fazia ideia. Então Joanne contou a ela sobre Molly Rigg. "Molly disse que sentia cheiro de lençóis lavados e o quarto era cor creme. Ela disse que as paredes não tinham nada."

E Teresa Peterson tinha empalidecido antes de responder:

— O hotel tem alguns chalés no térreo. Eles não são alugados há um tempo, só os abrimos quando estamos lotados.

— Você pode vê-los do hotel? — perguntou Joanne, e Teresa sacudiu a cabeça.

— Na verdade, não. Eles ficam ao lado do edifício principal. Não há motivo para chegar perto deles quando não estão sendo usados.

Joanne havia relatado suas descobertas para o detetive-inspetor McAleese, e os peritos que cuidam de cenas de crimes estavam a caminho.

Eles dirigem através de Ambleside, e Joanne pisca os faróis para o Escort na frente tentando sinalizar que ele encoste — está dirigindo a trinta quilômetros por hora —, mas a mulher que dirige está indiferente. Ela aperta forte a buzina enquanto Ron acena no banco do carona e, finalmente, a mulher encosta na direita, em direção à Rydal Mount — a casa de William Wordsworth quando escreveu "Os narcisos". Finalmente, Joanne pode pisar fundo.

Dez minutos depois, há o som de cascalho sendo triturado e batendo nos para-lamas do Mondeo conforme encosta do lado de fora do George Hotel, seguido das outras duas viaturas.

— Vamos torcer para que o adorável Mervyn esteja em casa — diz Ron, saltando do carro.

Eles se agrupam na recepção. É um enorme espaço com painéis de carvalho, uma cabeça de veado na parede mais afastada, uma grande escadaria de carvalho.

Joanne se aproxima da jovem magricela com cabelo preto azulado que está atrás do balcão. Os distintivos são mostrados, as vozes são mantidas em baixo tom e a garota informa-os, com um sotaque espanhol, que o Sr. Peterson está com o oficial dos bombeiros no terceiro andar.

— Se quiser, eu o chamo para você — diz ela com calma, e Joanne diz "não, obrigada", que eles vão subir e encontrá-lo por conta própria.

O detetive-inspetor McAleese vai à frente e Joanne o segue de perto, com Ron e alguns policiais atrás dela. O hotel está superaquecido, e o ar está pesado com o cheiro de carpete recém-colocado e lustra-móvel. As escadas viram em um ângulo reto, e um homem calvo carregando uma pasta para e deixa-os passar.

— Aconteceu alguma coisa? — pergunta ele a McAleese, que está prestes a prosseguir, mas muda de ideia.

— Você é hóspede? —McAleese quer saber.

O cara diz que não, ele é o oficial dos bombeiros.

— Você estava com Mervyn Peterson?

Ele assente:

— Estou indo inspecionar a área da piscina. Peterson está terminando de fazer algumas anotações no quarto onze. No topo das escadas, vire à direita, final do corredor.

McAleese sobe rapidamente as escadas, dois degraus por vez. A adrenalina toma conta do sangue de Joanne enquanto faz o mesmo. Eles estão tão perto agora. Ela consegue ouvir a afobação dos corpos atrás dela conforme se movem. No topo, ela começa a ficar sem fôlego. Pensa em tirar o agasalho, mas não há tempo. McAleese está caminhando a passos largos à frente dela.

Quarto onze. A porta está fechada. McAleese encosta a orelha para ouvir, faz uma expressão para sinalizar que não há som lá dentro e bate na madeira.

— Polícia. Sr. Peterson, abra a porta.

Nada.

— Preparem-se — sussurra McAleese.

O coração de Joanne quase sai pela garganta.

McAleese gesticula para Joanne empurrar a maçaneta para baixo. Em silêncio, ele conta com os dedos: um, dois, três.

Eles invadem, McAleese vai para dentro do quarto, Joanne vai direto para o banheiro. Então checam o guarda-roupa.

— Está vazio, chefe — diz ela.

— Próximo quarto.

Ron é enviado para verificar a saída de incêndio enquanto um dos policiais avisa pelo rádio para os oficiais que ficaram no andar de baixo cobrirem as saídas. Estranho, Joanne não esperava que Mervyn fugisse. Ela criou uma imagem dele em sua mente como o tipo de canalha convencido que ficaria parado, tentando se safar. Ela não o tinha imaginado como fugitivo.

Ela bate na porta do quarto nove.

— Polícia! — grita, sem aguardar resposta.

A primeira coisa que ela vê é um par de mocassins de pele de bezerro dispostos aos pés da cama.

Joanne dá quatro passos e vê o rosto dele pela primeira vez.

— Mervyn Peterson?

Logo fica claro para Joanne como ele conseguiu fazer aquelas garotas entrarem em seu carro. Ele tem um rosto muito bonito, mas seus olhos não se fixam nele por muito tempo.

Ele sorri para ela, sentando-se:

— Você me pegou em flagrante — diz ele, bocejando. — Eu estava prestes a... tirar uma soneca.

— Chefe, ele está aqui! — grita Joanne para a porta. — Quarto nove.

Ela ouve o bater dos pés, e Mervyn parece estar surpreso.

— Droga, — diz ele enfaticamente —, qual é o problema? Algo terrível aconteceu? — Seus olhos estão brilhando e ele está sorrindo como se fosse Terry-Thomas pego em uma situação complicada com a lei.

— Poupe-nos — diz Joanne, com o detetive-inspetor McAleese chegando ao seu lado.

Ele joga seus olhos sobre Mervyn e sua expressão fraqueja.

As calças de Mervyn estão enroladas em torno dos tornozelos e seu pênis semiereto está deitado sobre sua barriga. Ele tosse e observa a reação de Joanne enquanto o pau se contrai duas vezes, pulando de forma brincalhona em seu abdômen reto e firme.

— Mervyn Peterson, estou prendendo você por suspeita de...

Segundos depois, Joanne diz a Mervyn Peterson que se cubra e se vista para que ela possa algemá-lo. Ela prende as algemas mais apertadas do que deveria e conduz Mervyn para fora do quarto pelo cotovelo.

Enquanto atravessam o corredor em direção à escada, com a cobertura na frente e atrás de seus colegas oficiais, Mervyn se inclina.

— Vi você olhando — sussurra na orelha de Joanne, sua voz cantando com prazer. — Vi seu rosto quando me encontrou.

E Joanne responde, inexpressiva:

— É mesmo?

# 40

— NADA A DECLARAR — responde Mervyn de maneira presunçosa. Ele olha para seu advogado, que acena positivamente com a cabeça em resposta. Mervyn veste uma camisa italiana limpa de algodão grosso, que ele insistiu em trazer com ele para a delegacia, bem como meias e cuecas limpas.

— Para o caso de eu ser revistado — disse ele.

Joanne ajeita-se em seu assento.

Ela implorou a McAleese por esta oportunidade, por este interrogatório. Ela precisa tirar algo dele. Mas eles estão nessa há mais de vinte minutos, e Merv, o Pervertido, não está falando.

Joanne decide ignorar as perguntas e simplesmente se sentar. Seria bom se pudesse passar outro lenço sob as axilas, por debaixo da armação de metal do sutiã. Não demorará muito para que o suor goteje em sua camisa. A sala está quente demais.

Mervyn está sorrindo maliciosamente para ela.

— O quê? — diz ele, em reação ao silêncio dela. — Vamos ver quem aguenta encarar por mais tempo agora, detetive? Ficou sem ter o que perguntar?

— Sua mulher deu um depoimento alegando que você tirou fotos de meninas adolescentes, Mervyn. Você não quer responder minhas perguntas, consigo compreender isso. Você acha que só vai criar mais problemas falando, então entendo que queira ficar calado. Eu provavelmente faria o mesmo em seu lugar.

— Minha mulher está delirando.

— Pareceu bem sã para mim. Deparei-me com uma mulher sensata e com a cabeça no lugar.

— Nada a declarar — zomba ele.

— Embora eu deva dizer que não imaginaria vocês dois juntos.

Ele levanta as sobrancelhas para Joanne.

— Vocês são um casal estranho — explica ela.

— Se você diz — responde ele.

— Como vocês se conheceram?

— Nada a declarar.

— E sua filha? Quantos anos ela tem, onze?

— Doze.

— Apenas um ano a menos de sua idade favorita, Mervyn. Onde você está escondendo Lucinda?

Ele se inclina para frente em seu assento e a encara com um olhar frio.

— Não raptei aquelas garotas. Eu sou pai. Eu sou marido. Não sou pedófilo, como está insinuando. Você não tem evidências, detetive, para provar que estou envolvido nisso e, se está esperando algum tipo de confissão sentimental de mim, então esperará por um longo tempo. Eu já disse. Eu não fiz isso.

— O que o nome Charles Lafferty significa para você?

— Nunca ouvi falar — ele dá de ombros.

— Eu acho que sim.

Mervyn revira os olhos.

— É um nome que você usa, não é, Mervyn?

— Você é ridícula.

— É um pseudônimo que usa quando finge ser outra pessoa.

— Por que eu iria querer ser outra pessoa?

— Talvez tenha vergonha por ser quem é — responde Joanne.

Mervyn ri com desdém.

— Não tenho nem um pouco de vergonha *de* quem sou, detetive — diz ele, corrigindo-a. — Talvez esteja falando de si mesma. Talvez seja *você* quem tem vergonha de quem *você* é. — Ele faz uma pausa e dá uma olhada geral nela. — Não é casada, é?

Joanne encontra seu olhar. Ela não responde.

— E por que isso? — pergunta ele.

— Os homens bons andam escassos, você não diria?

— Talvez seja mais um caso de sapatona encalhada.

Joanne se inclina na direção dele. Em voz baixa, ela diz:

— Nós sabemos que é você, Mervyn. Temos DNA.

Ele não fala, mas ela vê sua expressão tremer brevemente.

Joanne continua:

— Por que você não se ajuda e nos diz por que faz o que faz? Pode ajudar na sua defesa. Se continuar dizendo "nada a declarar", não teremos para onde ir. Ninguém vai se compadecer de um cara como você, que não admite o que fez. Especialmente, não por dentro. Você começa me dizendo o que o motiva, talvez seja necessário fazer uma avaliação psiquiátrica. Ouvi que elas podem ser bastante úteis quando o momento da sentença se aproxima.

— Que DNA? — pergunta ele.

— Ah, Mervyn. Não posso sair contando para você todos os meus segredos, posso?

— Você está blefando.

— Não tenho permissão para blefar.

Ele recosta-se na cadeira. Inspira uma vez e expira de forma pesada.

— Não acredito em você — diz ele.

— Não estou mentindo, Mervyn. Podemos ligá-lo a uma das vítimas. E agora que o temos aqui, prevejo que o reconhecimento de testemunhas seja o próximo item da lista. Sempre há uma boa chance de uma delas escolhê-lo assim que colocarem os olhos em você.

Mervyn olha para o advogado. Joanne observa. O rosto do advogado é impassível. Ele abaixa o olhar e balança a cabeça para os lados.

— Nada a declarar — diz Mervyn com firmeza.

Joanne estende a mão sobre a mesa como se estivesse se aproximando dele.

— Mervyn — diz ela suavemente, quase com tristeza —, nós temos o cachorro. Aquele cachorro que você usou para atrair sua última vítima? Nós o encontramos. E adivinha? Ele acabou sendo um belo pacote de evidências.

Joanne coloca as mãos sob a água fria da torneira e enxagua o rosto. Suas bochechas estão avermelhadas, e sua camisa está grudando. Ela pega uma toalha de papel e a molha antes de passá-la na pele das costas e da barriga. Quase lá, diz a si. Quase lá.

McAleese, que estava assistindo por um monitor ao lado da sala de interrogatório, autorizou o intervalo. Mervyn havia solicitado algum tempo sozinho com o advogado, e McAleese permitiu. Ele teve o pressentimento de que Mervyn voltaria ao interrogatório com um tom diferente, mas Joanne não tinha tanta certeza. Tinha a impressão de que Mervyn manteria a farsa até a morte. Era um mentiroso de carteirinha. Joanne acredita que nunca conheceu um tão brilhante antes. Como se ele acreditasse em cada palavra que saísse da própria boca. Ele seria uma daquelas pessoas que dizem poder enganar um polígrafo.

A equipe se reagrupa na sala de reunião antes de Joanne e McAleese se dirigirem para as celas para buscar Mervyn para a segunda rodada.

O sargento de plantão abre a porta, e a primeira coisa que Joanne vê são as riscas de giz. E o torso nu de Mervyn. Seu rosto pálido olha fixamente para ela enquanto ele se enforca com a camisa nas barras de ferro da janela da cela.

Joanne corre para a frente.

Ele já está ficando azul quando ela o segura — ela o agarra pelos quadris, levantando o peso dele em seus braços.

— Merda — ela ouve alguém dizer, mas não tem certeza de quem porque está completamente focada em manter o canalha o mais levantado possível.

Joanne não vai deixá-lo morrer. O rosto desolado de Molly Rigg vem a sua cabeça enquanto ela coloca força em seus braços. Ela não o deixará morrer.

O peso dele apertou o nó. O corpo se sacode em espasmos enquanto McAleese corta o tecido, tentando libertá-lo. Joanne sente outro par de braços em torno da cintura de Mervyn Peterson, reduzindo o peso pela metade.

Então o corpo dele dobra-se na cintura enquanto a camisa é cortada da barra de aço.

Seu torso cai para frente e Joanne cambaleia, junto com o sargento de plantão, para colocar Peterson no chão sem deixá-lo cair.

— Chame uma ambulância — grita McAleese para uma pessoa na porta.

Joanne se ajoelha e coloca os dedos no pescoço dele.

— Pulso fraco, precisamos tirar isso.

A manga restante da camisa continua a apertar a garganta dele. Ela também apertou com o peso. Joanne tenta deslizar os dedos por baixo do tecido, mas só consegue passar um.

— Jesus! — diz McAleese. — Vamos perder o filho da mãe. Joanne, faça respiração boca a boca nele.

Ela lança um olhar para McAleese, hesita, então faz o que lhe foi pedido. Não há tempo para pegar o kit de ressuscitação. Enquanto isso, McAleese está cortando a camisa com a lâmina de seu canivete suíço.

Joanne sente-se enjoada quando segura o nariz de Peterson e cobre seus lábios com os dela. Ele tem gosto de café. Doce. As imagens do cartão de memória que a mulher dele trouxe inundam rapidamente sua mente.

Inalar. Exalar. Fotos das garotas nuas. Inalar. Exalar.

Cristo, ela poderia enfiar os dedos na parte de trás das órbitas oculares dele e arrancar esse cérebro de merda em vez de fazer isso.

Inalar. Exalar.

Inalar.

McAleese cortou o tecido e diz para Joanne parar. Diz que a cor de

Peterson está retornando.

— Vamos ver se o babaca consegue respirar — diz McAleese, e eles observam enquanto seu peito começa a subir. Segundos depois, suas pálpebras tremulam.

McAleese dispara um olhar para Joanne manter-se em guarda caso o louco vá para cima dela.

— Achei que tínhamos perdido você por um segundo, Peterson — diz McAleese.

Os olhos de Mervyn se abrem. Ele está desorientado. Talvez ache que está no paraíso, pensa Joanne por um momento.

— Não posso deixar você estrebuchando assim quando estuprou três menininhas, posso? — pergunta McAleese.

Mervyn olha para eles, confuso.

— Três?

# 41

ESTOU PARADA NA SOLEIRA de um chalé de cartão-postal nos arredores do vilarejo de Grasmere, pensando em cachorrinhos. Por que tantas pessoas escolhem um filhotinho em vez de um cão adulto? Por quê, quando estão tão mal preparadas para lidar com eles?

Toquei a campainha, mas as cortinas da frente estão fechadas. Não há movimento lá dentro. O Dobermann deve estar nos fundos. Se estivesse do lado de dentro, eu já teria ouvido latidos.

Filhotes dão muito trabalho. Eles cagam, mastigam, custam caro. Os cachorros adultos que realocamos chegam castrados, vacinados e com chip. É uma economia de cerca de 160 libras. Mas todo mundo quer um filhote. Porque, *como saber que não está levando o cão problemático de outra pessoa*?

Elas não percebem que são elas que estarão produzindo outro cão problemático.

Olho ao redor enquanto espero. O chalé é um de uma série de quatro. Eles são bem posicionados; bem afastados da estrada. É um bom local. Clematites crescem próximas a cada porta, marrons e feias agora, mas imagino que fiquem lindas no verão. Não há movimentação nos outros chalés, exceto pela van de um eletricista estacionada em frente à casa ao lado. Cada uma tem aquele vazio das casas de veraneio.

Toco novamente e uma pessoa aparece por detrás do vidro embaçado. A porta se abre e eu, instintivamente, dou um passo para trás, porque a visão que tenho é particularmente alarmante. São cerca de 13h15, e a mulher para quem olho está vestindo um robe. Seu cabelo amarelo está uma bagunça, e ela tem manchas de batom na bochecha, quase por todo o caminho até a orelha esquerda. Daria uns quarenta e poucos anos para ela. Atraente, mas exaurida.

— Vim buscar o cachorro. O Dobermann.

— Entre.

Não há hall de entrada; já estamos na sala de estar.

— Você foi roubada? — pergunto, porque há coisas espalhadas por todo o lugar.

— O quê? — diz ela, olhando brevemente o cômodo. — Ah, não... Apenas não tive tempo de arrumar.

Há um cinzeiro com pontas de cigarro empilhadas no chão ao lado do sofá. Manchas cinza no tapete próximo, onde ela tropeçou algumas vezes. A mesa de centro está coberta por roupas usadas, canecas, documentos, garrafas de vinho, DVDs, roupas íntimas.

Está passando *Loose Women* na TV, mas está no mudo. Acho que talvez ela estivesse dormindo no sofá quando bati, porque há um edredom dependurado nele.

— Desculpe pela bagunça — diz ela, tirando roupas do outro sofá para que eu possa me sentar. — Tive uma semana ruim.

— O cachorro está lá fora?

— No galpão.

— Vou precisar de alguns dados antes que eu possa levá-lo... levá-la?

— Ele. Diesel — responde ela.

— Ele pertence a você? — pergunto.

— Não, é do meu marido... Em breve, *ex*-marido.

Dou um sorriso fraco.

— Vou precisar do consentimento do seu marido, então — digo, e ela deixa a cabeça cair para trás no sofá como se isso fosse um problema.

Decido preencher o que posso agora e me preocupar com essa parte mais tarde. Ela me diz que se chama Mel Frain. O nome do marido é Dominic.

— O cachorro foi castrado?

— Não.

— Quantos anos ele tem?

— Dezoito meses. Ele era bom no início, depois começou a destruir a casa, então tivemos que mantê-lo lá fora ultimamente. — Ela aponta para os fundos da casa.

— Algum problema de saúde?

— Não. Escute — diz ela, levantando-se, com o roupão aberto —, preciso de uma bebida. Quer uma?

— Chá, por favor.

— Eu quis dizer uma bebida de verdade. Estou bebendo vinho.

— Está um pouco cedo para mim.

— Ok. Bem, com licença, sim, enquanto me sirvo.

Ela sai, ouço a geladeira abrindo e ela retorna com uma garrafa enorme de Pinot Grigio e duas taças com marcas de batom nas bordas e impressões digitais nas hastes.

— Trouxe uma taça para você caso mude de ideia. Não tenho chá.

Ela se inclina para a frente para servir. Distraída, percebo que ela tem um par de seios falsos que são estranhamente duros, mesmo que ela esteja sem sutiã, e me pergunto se é uma daquelas pobres mulheres que inadvertidamente receberam implantes com silicone industrial. Ela provavelmente precisará removê-los depois do Natal.

Mel Frain toma um interminável gole de vinho, suspira e se senta novamente.

— Desculpe por isso. Estou tendo dificuldades de enfrentar o dia a dia no momento.

Aceno com a cabeça, não querendo ouvir a história de adultério que está claramente vindo por aí.

— Cheguei em casa semana passada — diz ela sem emoção — e encontrei meu marido na cama... com o meu pai.

— Ah, querida — digo. — O que você fez?

— Vomitei.

— Compreensível.

Ela assente.

— Então onde estão eles agora? — pergunto.

— Fugiram para Sitges, na Costa Dorada, para passar Natal.

— E sua mãe?

— Ela está fingindo que não aconteceu.

Solto a respiração em um sibilo.

— Sinto muito por não conseguir ficar com o cachorro — diz ela —, mas trabalho o dia todo. Ele precisa passear, e não tenho essa energia com as coisas do jeito que estão.

— Vamos encontrar um bom lar para ele — respondo, pensando que não faz sentido entrar em contato com o marido para autorizar a remoção de Diesel.

— Ok — digo, entregando-lhe o formulário. — Basta assinar embaixo e vou lá conhecê-lo.

Colocamos Diesel na gaiola na parte de trás do meu carro. As unhas deviam ser cortadas; apesar disso, ele está em boa saúde. Cão de aparência bonita com um lindo pelo brilhante. Tenho grandes esperanças.

Enquanto fecho o porta-malas, a van do eletricista vai embora e vejo outro carro estacionado mais adiante, próximo ao chalé seguinte. Eu me viro para Mel Frain. Ela está chorando um pouco depois de dizer adeus a Diesel.

— Vê esse carro? — digo. — Você já o viu aqui antes?

— Algumas vezes — responde ela. — É uma casa de veraneio. Acho que esse é o carro do dono.

— Quando o viu pela última vez?

— Há alguns dias, talvez.

Aquela coceira voltou, a da parte de trás do meu cérebro. A diferença é que agora consigo alcançá-la.

Olho para a placa.

É o carro de Kate.

# 42

NÃO TENHO IDEIA de quanto tempo estive parada aqui. Devem ser apenas minutos, mas parece mais tempo. Mel Frain desapareceu no interior da casa para voltar ao seu vinho, e as janelas traseiras do meu carro começaram a embaçar com a respiração ofegante de Diesel. Abro a porta do motorista, coloco a chave na ignição e baixo um pouco as janelas traseiras. Cães podem morrer em carros quentes, é o que devo estar pensando.

Mas meus olhos estão naquela casa. A última da série de quatro.

Por que o carro de Kate está aqui? Ela acabou de sair do hospital.

Ando até lá e paro na porta da frente. É um sentimento estranho. Como a calmaria antes da tempestade. Poderia me virar agora e não enfrentar isso. Poderia entrar no carro, dirigir de volta ao abrigo e fingir que não vi nada. E talvez a pessoa que eu era fizesse exatamente isso. Porque ela evitava o confronto, ela não desafiava a autoridade.

Estou prestes a bater, mas, no último segundo, paro. Em vez disso, dou alguns passos para a direita e espio pela janela. Vejo Kate e Lucinda no chão com uma grande caixa de papelão. Eles estão desembalando decorações para a árvore de Natal. Por um momento, imagino que Kate e Guy devam ter uma reserva de Natal — as pessoas não gostam de chegar com o lugar não parecendo festivo.

E, então, o alívio me inunda, quase me derrubando. Lucinda está aqui. Viva. Contenho um soluço enquanto a observo. Ela está a salvo. Graças a Deus ela está a salvo.

Então meus olhos se movem para Kate e meu sangue fica frio.

Eu me afasto da janela e volto para a porta. Silenciosamente, tento girar a maçaneta.

Está trancada.

Minha respiração está vacilante. Tento me acalmar, mas, enquanto reviro as memórias dos últimos quatro dias, a raiva começa a crescer. Eu me sinto a tola pela qual me tomaram, e agora sei que tenho que parar de pensar e *fazer* algo.

Ando pela lateral da casa e tento o portão dos fundos. Está aberto. Suave e silenciosamente, eu o empurro.

Estou no jardim. Foi pavimentado para facilitar a manutenção com vasos estranhos aqui e ali. No canto, há uma churrasqueira coberta por causa do inverno e um banco de piquenique pintado com uma cor feia de clara de ovo que é a cara de Kate. É a marca registrada dela. Ela pintaria tudo com essa cor se pudesse.

A porta dos fundos é uma porta holandesa. Está destrancada, então entro lentamente e olho ao redor da cozinha, atordoada. Há uma baguete recém-comprada na bancada. Kate deve ter comprado na padaria no caminho até aqui. O cheiro do pão enche o cômodo. É o almoço delas, que será comido quando terminarem de enfeitar a árvore de Natal, e consigo imaginá-las, mãe e filha — *melhores amigas*, como Kate sempre disse — comendo alegremente.

Escuto vozes. Não consigo entender bem as palavras, mas o tom é leve, feliz, normal. O ódio que sinto agora é quase paralisante.

Ao lado da baguete, há uma faca de pão. Eu a pego. Parece leve na minha mão. É barata. O tipo que se compra na Poundstretcher ou na B&M Bargains, porque você receia gastar com um item caro se não for para você. Eu a movo no ar. Por um momento, sou a mulher louca. A mulher que veio se vingar.

Fecho meus olhos por um segundo, me recomponho, então ouço o movimento por detrás da porta da sala da frente. Avançando, abro rápido.

Kate está do outro lado. Ela não fala quando me vê, apenas me encara.

Ela não é mais a visão assombrada dos últimos dias. Agora, parece saudável, robusta, e me pergunto como isso é possível: como se finge aquele tipo de dor?

Seus olhos se movem para a faca ao meu lado e ela pisca rapidamente.

Lucinda ainda não percebeu. Ela está de costas para nós duas, pendurando enfeites nos galhos da árvore, conversando com a mãe. Seus movimentos são mais lentos do que deveriam, sua fala um pouco arrastada.

Ela está vestida com um suéter e calças de moletom rosa. Seu cabelo curto e bem arrumado balança para a frente enquanto se curva.

Kate fala sem se virar para a filha. Ela não quer tirar os olhos da faca:

— Lucinda, sente-se no sofá, florzinha.

Lucinda se vira e fica boquiaberta quando me vê em pé, parada na entrada.

Olho para ela.

— Sua mãe disse que foi *a mim* que culparam pelo seu desaparecimento?

Lucinda não responde, olha para a mãe buscando orientação.

— Ela disse? — exijo.

Lucinda assente com a cabeça. Seu rosto mostra medo, mas seus olhos estão vidrados; ela não está de acordo com isso.

Kate tenta dar um passo em minha direção, mas levanto a faca.

— Não — eu aviso, e ela recua.

Estou tremendo. Sei que estou tremendo, mas é isso que devo fazer. Fui dominada pela certeza de que, se eu não parar esta mulher, ela vai destruir outras pessoas. Mantenho a faca levantada na minha frente, brandindo-a como um facão.

— Lisa — diz Kate —, o que você está *fazendo*?

E eu rio.

— Por que eu? — pergunto a ela. — Por que achou que poderia fazer isso comigo?

Ela fica em silêncio. Ainda encarando a faca.

— Responda!

— Porque eu sabia que você se culparia. Eu sabia que você se culparia e... — Ela para, sorri levemente na minha direção.

— E?

— Qualquer outra pessoa teria lutado contra isso — explica ela. — Ela teria encontrado furos na história, mas eu sabia que você não. Sabia que você se culparia sem questionar... E você sempre esteve tão pressionada pelo tempo, nunca podia comparecer às coisas como precisava.

Olho além dela, para Lucinda, que está enrolando a bainha do suéter entre os dedos.

— Você sabe que sua mãe é uma louca do caralho, não sabe?

— Lisa! — adverte Kate severamente. — Olhe o linguajar, por favor.

— Você sabe que ela é louca?

Lucinda não olha para mim.

— Quem diabos sequestra a própria filha? — grito para ambas.

Kate abre as mãos.

— Alguém que está desesperada para salvar seu casamento — responde ela com seriedade.

— E você concordou com isso? — Eu me viro para Lucinda. — Você simplesmente concordou com tudo?

— Pensei que isso faria papai voltar para casa. — responde ela.

— De onde?

— Papai tem outra família — diz Lucinda. — Isso nos deixa tão triste. Pensávamos que se pudéssemos fazê-lo enxergar, ele pararia.

— Que família? — pergunto, desconcertada. — Que outra família?

Nenhuma responde, então me volto para Kate.

— Isso é abuso infantil, porra. Olhe o que fez com ela. Ela acha que isso é normal. Ela acha que isso é...

— Ela quer o pai de volta, o que há de errado nisso?

— O que há de *errado* é que vão prender você por isso, então ela não terá nem uma mãe *nem* um pai. E por que ela está falando assim? Desse jeito arrastado? Você a drogou ou algo assim?

— Lisa, acalme-se. Posso ver que está com raiva. Eu entendo, ficaria brava em seu lugar. Mas nós realmente não tivemos escolha. Tentamos fazê-lo ficar conosco, e ele não quis.

Não consigo aceitar o que ela está dizendo. Não consigo acreditar que ela tenha mesmo feito isso de propósito.

— Como você pôde? — questiono, perplexa. — Como pôde ficar lá chorando quando implorei seu perdão, sabendo o que estava fazendo comigo?

Ela dá de ombros como se quisesse dizer que não havia outra opção. Ela fez o que tinha que fazer.

— Mas éramos amigas — digo, e ela se afasta.

Penso em como Sally se sentiu destruída por causa disso, culpando-se pelo desaparecimento de Lucinda.

Penso em como nós duas nos sentimos culpadas pelo que resultou do nosso erro. Um erro que nunca cometemos de fato. Nós duas nos sentimos fracassadas — eu, como mãe; Sally, como amiga.

De repente, consigo enxergar claramente. Vejo como foi fácil para Kate colocar esse peso em mim. Porque ela está certa. *É claro* que eu não questionaria. É claro que seria *tudo culpa minha*. A mulher que se dispersa demais, a mulher que não se sente boa o suficiente, que age como se fosse *inferior*. Ela sempre será um alvo fácil.

Olho para Kate agora e estou amargurada por ter permitido que isso acontecesse com minha família. Então me ocorre um pensamento:

— Como você ia levá-la de volta para casa? — pergunto. — Há duas forças policiais à procura de Lucinda. O que ia fazer, levá-la escondida de volta e fingir que isso nunca aconteceu?

— Lisa, por que você não baixa a faca para que possamos conversar direito?

— Vá se foder!

— Eu ia dizer que tinha fugido — Lucinda fala do sofá.

— Para onde?

— Para cá — diz Kate. — Lucinda conhece esta casa. Ela vem junto comigo e Guy quando estamos checando os imóveis. Ela poderia pegar um ônibus depois da escola e chegar até aqui despercebida se soubesse onde as chaves estavam guardadas. O que ela sabe. Nos ganchos no escritório de Guy. Temos mais de dez imóveis vazios no momento; por causa da época do ano, Guy não notaria se um molho de chaves não estivesse onde deveria.

— Provavelmente, estaria com a cabeça em outras coisas — digo, sarcástica —, com a filha desaparecida e a mulher... — Não termino a frase.

Estudando o rosto de Kate, digo:

— E a overdose? Por que fez aquilo? Que mãe deixaria seus filhos sozinhos... Independentemente de ter um casamento ou não...

— Sabia que você me encontraria.

— O quê?

— Sabia que você me encontraria — repete ela, e meu queixo cai.

— Como?

— Você me enviou uma mensagem — diz ela simplesmente. — Enviou uma mensagem dizendo que estava a caminho. E pensei que era agora ou nunca... Não tomei tantas pílulas quanto você pensou. Não foi tão arriscado como fizeram parecer...

— Você fez isso para ter Guy de volta?

Fico estupefata enquanto ela acena a cabeça como se quisesse dizer "é o que qualquer um teria feito, Lisa. É mesmo".

— Você é louca.

— Todos nós temos segredos, Lisa.

Engulo em seco.

— Cada um de nós está escondendo algo que não queremos que o mundo saiba. Lembra? Todos queremos que todos pensem que nossa família é perfeita, que temos tudo no lugar. Bem, eu *tinha* tudo no lugar. Fiz tudo certo. E, ainda assim, deu errado. E, sinto muito, Lisa, mas eu simplesmente não estava disposta a aceitar. Lutei pela minha família. Fiz o que precisava fazer.

— Você precisa ser internada.

— É isso o que você pensa mesmo?

— Claro que é o que penso. Acha que isso é *normal*?

Ela suspira como se não pudesse acreditar que estou achando isso tão difícil de compreender.

— Por que não contou a Joe sobre o caso que teve? — pergunta ela.

— O que isso tem a ver com qualquer coisa?

— Por que você não contou? — repete.

— Porque, basicamente, você me disse para não contar.

— Não sou sua mãe. Não sou sua consciência. Você não contou a ele porque olhou para o que tinha e sabia que, apesar de errado, faria o que precisasse fazer para manter sua família unida.

— Sim, bem, não é mais segredo, então...

— Sim — diz Kate gravemente —, desculpe-me por isso.

— Pelo quê?

— Tive que dar em Adam o empurrão que ele precisava. Disse para ele contar a Alexa ou eu contaria. Como Joe reagiu a tudo isso, por sinal? Eu me senti mal por aquilo. Sempre gostei de Joe.

— Você fez isso?

Ela suspira.

— Eu precisava de algo para tirar sua mente de Lucinda por um tempo, algo para me dar tempo.

Fico lá, atordoada. Eu ia falar algo, mas percebo que não consigo.

E é quando ela avança para cima da faca. Ela é tão rápida que sua mão está na lâmina em um segundo.

Puxo para trás e sinto a resistência na borda serrilhada. Está cortando-a. Está cortando a carne da mão dela, mas ela não larga.

— Kate, pare! — digo, atormentada com o que está acontecendo. Mas ela não para.

Eu balanço, na esperança de tirar a faca dela em um movimento rápido, mas, ainda assim, ela segura.

— Jesus, Kate!

Olho para ela sem acreditar que ela esteja fazendo isso, mas ela olha para mim de volta. Seus olhos estão esbranquiçados e esbugalhados.

— Não vou deixar você levá-la! —grita ela. — Não vou deixar você levar Lucinda!

— Não vou levá-la, sua vaca doente! Solte a faca!

Ela deve estar sangrando. Ela tem que estar sangrando.

— Mamãe! — grita Lucinda, chorando. — Mamãe, pare, você está se machucando. Por favor...

Kate, olhos fixos em mim, grita:

— Mamãe tem que fazer isso. Apenas dê um minuto para mamãe.

Ela é forte. Tão forte. De onde tirou essa força?

Enfurecida, grito com ela, puxando a faca selvagemente:

— Por que você sempre faz isso? Por que se refere a si mesma na terceira pessoa? Ela tem 13 anos, Kate. Não é um bebê! Pare de tratá-la como a porra de um bebê, isso não vai fazê-la *amar* você mais!

Não sei dizer o que isso desencadeia, mas, de repente, seus olhos estão cheios de lágrimas e sinto sua mão afrouxar. É como se, mesmo por um segundo, ela duvidasse de si. É como se pudesse ver quem ela é pelo lado de fora e sua força vai embora.

Então a chuto. Eu a chuto com força na canela.

Estou com minhas botas e a chuto violentamente, como eu realmente queria. E ela grita.

Ela tropeça para trás e cai. Ela começa a se arrastar para longe, o sangue escorrendo de sua mão, e sou transportada de volta para aquele inverno de quando eu tinha 8 anos. A mulher do meu pai cortando os pulsos. Não deixei passar a ironia. Uma segunda família. Outra segunda família que ferrou uma mulher até o ponto da loucura.

Kate está olhando para mim, prevendo outro chute. Lucinda está tirando o suéter para envolvê-lo na mão da mãe. E é aí que o meu telefone toca.

Cada uma de nós olha uma para a outra, sem saber o que fazer.

— Não se mexa —alerto. — Mexa-se, e vou esfaqueá-la.

Tiro o celular do bolso traseiro e dou um passo atrás.

— Sra. Kallisto?

— Sim.

— Polícia de Cúmbria — diz a voz. — Temo que tenha havido um acidente...

# Véspera de Natal

# 43

A NEVE ESTÁ VOLTANDO, bem a tempo. O vilarejo de Windermere está bem movimentado enquanto Joanne se dirige ao açougue para buscar o peru.

Esta manhã, Jackie está no trabalho, mas por causa do dia em que o Natal caiu este ano — um domingo —, Joanne tem o dia de folga. E, de repente, ela se sente toda natalina. Este ano, não será apenas *mais um dia*. Este ano, ela está ansiosa por um jantar de Natal decente com Jackie, todos os enfeites, as duas adormecendo no sofá depois do discurso da Rainha, barrigas cheias de castanhas-do-pará com chocolate.

Ela compra algumas pastinacas na floricultura — eles fazem um extra com tubérculos nesta época do ano — e dá um pulo no Booths para resolver umas coisinhas de última hora.

Nenhuma delas ganha muitos presentes. O filho de Jackie não enviou nada nos últimos dois anos, então acostumaram-se a mimar uma à outra um pouco. Joanne coloca uma manteiga de karité caríssima na cesta e, ao pensar melhor, um hidromassageador para pés Dr. Scholl's.

Ela observa a embalagem e tem uma visão de Jackie sentada com seu uniforme de cuidadora, meia caneca de Baileys na mão, vapor subindo pelos tornozelos. E Joanne decide que, sim, este é o presente certo.

As nuvens estão baixas e pesadas quando Joanne sai da loja. Há iminência de outra nevasca esta tarde, então há uma euforia no vilarejo de querer chegar em casa, fechar a porta e deixar o mundo lá fora. Esperar o Natal chegar.

Músicos tocando tuba, trombone e trombeta estão amontoados em um local coberto ao lado do Abbey Bank; é possível ouvir as últimas notas de "Joy to the World" quando Joanne se aproxima do açougue.

Há uma fila lá dentro, mas ela anda rapidamente. Todos já encomendaram e pagaram por suas aves, então é apenas para buscá-las. Joanne queria peito de peru — já que serão apenas as duas —, mas Jackie não queria saber disso. "A carne dourada é a melhor parte", disse ela.

Joanne está prestes a atravessar a rua e ir para casa quando vê alguém entrando de ré em uma das vagas bem na sua frente. Ela para, reconhecendo o motorista. Não consegue ver dentro do carro muito bem — as janelas estão embaçadas pelo vapor, já que o carro está cheio de gente — mas sabe quem é.

Joanne se aproxima e bate na janela. Lisa Kallisto desliga o carro e abre a porta do motorista. Joanne se aproxima e vê os três filhos de Lisa no banco traseiro, apertados, a óbvia emoção natalina em seus rostos.

Joe está no banco do carona, o Bedlington Terrier que a perícia examinou sentado no chão entre os joelhos dele. As duas pernas de Joe estão engessadas.

— Olá, Lisa — diz Joanne. — Como vai?

— Bem. E você?

— Bem, obrigada. — Joanne olha atrás de Lisa para Joe. — Eles lhe deram alta do hospital para o Natal, então?

Joanne ouviu rumores que o táxi de Joe saiu da autoestrada e acabou em uma vala. Ele sobreviveu, mas fraturou os dois pés.

— Saí na quarta-feira — diz Joe. — Tenho uma cadeira de rodas para me locomover. — Ele aponta para o porta-malas.

Joanne sorri.

— Eles já têm ideia de por que você apagou?

Joe olha furtivamente de um lado para o outro.

Quando ele não responde, Lisa revira os olhos, inclina-se para Joanne e baixa a voz para as crianças não ouvirem.

— Ele andava tendo AITs... ataques isquêmicos transitórios... mini--derrames. — Ela olha para Joe. — E, sei lá por que, decidiu esconder essa pequena informação de mim e das crianças.

Joanne ergue as sobrancelhas.

— Ele achou que seria melhor se eu não soubesse — diz Lisa, e Joe parece arrependido.

— Você sabe o porquê — diz ele calmamente.

Lisa dá uma cutucada suave nas costelas dele.

— O tonto pensou que eu o deixaria se descobrisse... Enfim, ele está sendo tratado com varfarina, então deve ficar bem. — Ela se estica por trás do assento de Joe para pegar a bolsa. — Quais são as novidades sobre Kate? Tem mais notícias?

— Ela foi acusada.

— De quê?

— Sequestro, cárcere privado e obstrução da justiça.

Lisa respira fundo:

— Merda — diz ela. — Merda, é pior do que eu pensava.

— Você fez a coisa certa, Lisa.

— Fiz?

— Você não teve escolha. Ela estava machucando os filhos. Você não podia deixar aquilo continuar, sabe disso.

Lisa balança as pernas, faz o movimento de sair do carro.

— Se fiz a coisa certa, por que me sinto tão mal com isso?... Acha que ela vai perder as crianças?

— Uma condenação é mais que provável.

Lisa digere isso e suspira tristemente.

— Ela não vai tentar alegar... Será que não alegará ser mentalmente incapaz ou seja lá como se diz?

— Talvez, mas haverá menos chances de ela manter a guarda dos filhos a longo prazo se for assim que decidirem agir. Temos que esperar para ver.

— Que confusão — diz Lisa, levantando-se e fechando a porta do carro.

Ela olha por cima do ombro de Joanne para as luzes de Natal suspensas pela rua. Joanne observa enquanto Lisa tenta ignorar o que acabou de ouvir. É Véspera de Natal, Joanne pode senti-la pensando, as crianças são o mais importante agora.

Lisa se volta para Joanne.

— Mas você pegou o cara, não é? — pergunta, mais alegre agora. — Pegou o que raptou as outras garotas?

— Pegamos.

— Isso é bom. *Era* o mesmo cara que conversava com Lucinda depois da escola? Era ele?

— Ele não admitiu, mas sim, temos certeza. Pelo que descobrimos, Lucinda chegou em casa e contou para a mãe sobre ele, e Kate traçou o plano do falso sequestro... Então ficou apenas esperando a oportunidade certa...

— Esperando por mim — interrompe Lisa resignadamente. — Kate estava esperando que eu pisasse na bola para que pudesse fingir que Lucinda tinha desaparecido.

Joanne pode sentir a dor ainda recente em Lisa.

Depois de um tempo, Lisa pergunta:

— Os filhos dela estão bem? Sei que provavelmente deveria entrar em contato, mas não consigo.

— Eles estão com o pai. — Joanne toca o cotovelo de Lisa brevemente. — Vão ficar bem... Não seja tão dura consigo mesma, hein, Lisa? Com o estado mental de Kate do jeito que está, quem sabe o que ela poderia ter feito depois?

# 44

DESEJO UM FELIZ NATAL para a detetive Aspinall e deixo Joe, as crianças e Bluey dentro do carro enquanto dou uma passada no açougue. Este é o nosso último compromisso da manhã. Depois de buscar o peru, poderemos ir para casa, acender a lareira, nos enrolar e assistir a um filme bobo. Aguardar o Natal chegar a Troutbeck.

O açougue está cheio de coisas boas. Faisões, galinhas-d'angola e algumas perdizes já recheadas estão do lado esquerdo da vitrine; uma pilha de tortas de aves, terrines e patês estão à direita. Paro por um instante antes de entrar.

A notícia sobre Kate me atingiu mais do que imaginava. E, sim, sei que ela enlouqueceu completamente. E, sim, sei que alguém perturbado não pode ficar com a família. E não me leve a mal, ainda estou com raiva. Há uma fúria dentro do meu estômago desde a semana passada. Estou tão furiosa com isso tudo. Mas também estou triste por ela.

Estou com o coração partido porque ela se esforçou tanto para que sua família ficasse unida que acabou perdendo todos eles. Ela perdeu tudo.

Olho de volta para o carro. Toda a minha vida está dentro daquele carro. E não consigo imaginar perder sequer uma parte dela. Nem um pedacinho.

Abro a porta do açougue e entro na fila, que serpenteia ao longo da parede dos fundos. Dou uma olhada nas pessoas esperando para serem atendidas, e, então, vejo Alexa.

Ela é a segunda da fila. Está de costas para mim, mas sei que é ela.

Fecho os olhos. Deixo meu peso cair contra a fria parede de azulejos. Por um segundo, penso em sair de fininho para evitá-la, mas de que adiantaria? Este é um lugar pequeno. Vou esbarrar com ela mais cedo ou mais tarde.

O filho do açougueiro está atendendo hoje. Ele tem 15 anos, um rapaz quieto. Você diz a ele seu nome e ele busca os perus no frigorífico nos fundos.

Ele entrega uma pequena embalagem em papel encerado a uma senhora idosa na frente, e ela dá a ele uma garrafa de Black Label. "Para o seu pai", diz ela, e o menino aceita a garrafa timidamente, agradecendo.

Alexa anda para a frente e pigarreia.

— Sra. Willard — diz ela de um jeito impertinente. — Pedi um peru bronze grande de criação livre.

O rapaz empalidece e desvia o olhar. Depois do que parece uma eternidade, ele gagueja:

— Desculpe, mas não temos um peru para você, Sra. Willard.

— Como assim? — Ela ri. — Encomendei em novembro. Claro que você tem.

Ele balança a cabeça.

— Fui instruído a dizer à senhora que não temos.

A angústia dele é visível. Ele se movimenta de um pé para o outro. Um silêncio mortal desce sobre a loja enquanto todos observam. Endireito minha coluna. Quase consigo sentir daqui a raiva crescendo dentro de Alexa.

— Chame seu pai — surta ela. — Não vou aceitar isso.

Ele assente, engole em seco e sai. Segundos depois, sua mãe, Kath, aparece. É uma mulher robusta, com braços gordos, um avental ensanguentado e um olhar pragmático. Ela estudava um ano à frente de mim na escola. Jogamos hóquei sênior juntas. Eu, como lateral direita; ela, como goleira.

— Sra. Willard —reconhece ela, sem emoção.

— O que está acontecendo aqui? — exige Alexa. — Seu filho me diz que vocês se esqueceram de fazer o meu pedido.

— Não esquecemos. Cancelamos.

— Cancelaram? Por quê? Não autorizei nenhum cancelamento.

— Você não. Eu.

Eu me desloco um pouco para dar uma boa olhada em Alexa pelo espelho que fica atrás do balcão.

Sua boca está aberta.

— Não entendo — diz ela.

— Não há nada *para* entender. Apenas cancelei.

— Por qual motivo?

— Vou explicar — diz a esposa do açougueiro, direto ao ponto —, mas, para ser sincera, acho que você é cara de pau de vir aqui. Dando as caras depois do que você e aquela sua irmã lunática fizeram a esta comunidade... Nossos maridos colocaram as vidas em risco procurando aquela menina, naquela neve e no gelo. As lojas perderam *vendas* por culpa de vocês, porque ninguém queria vir aqui fazer compras, e isso quando já estamos com dificuldades no comércio. Se eu fosse você, pensaria muito sobre me mudar. Ninguém por aqui vai querer se envolver com vocês...

— Mas não fui eu! — exclama Alexa. — Não tive nada a ver com o que minha irmã fez, eu não sabia...

— O que dizem por aí é que *você sabia sim.*

— Eu não sabia... — diz Alexa. — De verdade. Não sabia mesmo.

Alexa olha ao redor da loja, desamparada, talvez esperando que alguém fale contra tal injustiça, mas todos desviam o olhar.

A esposa do açougueiro limpa as mãos no pano de prato que ela tem enfiado no cinto do avental.

— Você vai ter que me desculpar — diz ela —, mas preciso ir. Há muito a se fazer hoje. — Mas ela fica de pé exatamente onde está.

Alexa dá meia-volta e ficamos cara a cara.

Ela me encara por um bom tempo e observo enquanto ela pensa em gritar alguma agressão contra mim. Mas os olhos de todos na loja estão sobre ela. Ela percebe e sai batendo os cascos.

Quando ela se vai, volto minha atenção para a esposa do açougueiro. Ela faz um rápido aceno com a cabeça em minha direção e volta para os fundos da loja.

Cinco minutos depois, saio em direção ao carro, arremessando o peru no colo de Joe.

— Segure isto — digo a ele, e me viro para olhar as crianças.

Sam está no meio, bochechas avermelhadas e ressecadas por causa do frio; Sally está de um lado; James está do outro. Eles estão quase explodindo de tanta empolgação para chegar em casa.

— Acabei de ver Alexa — diz Joe. — Ela não parecia muito feliz.

— Nem tinha como — digo a ele, colocando o cinto de segurança. — Disseram que não iriam atendê-la. Disseram para ela ir comprar em outro lugar.

Joe fica muito satisfeito com isso.

— O quê? — pergunto.

— Nada — responde ele, mas está com um largo sorriso no rosto.

Quando passo a marcha, ele se inclina e dá uma leve bagunçada no topo da cabeça de Bluey. Eles se tornaram quase inseparáveis desde que Joe saiu do hospital na quarta-feira.

Olho o meu espelho e dou partida, dirijo na direção de casa assim que a neve começa a cair de novo.

Dou uma olhada em Joe.

Você vai ver só, o bendito cachorro estará dormindo nos pés da nossa cama antes do fim de semana.

# Nota da autora

Este livro surgiu depois de assistir a um episódio do *The Oprah Winfrey Show*. Um dos temas recorrentes da Oprah é obter equilíbrio na vida, e, depois de tratar inúmeras mães exauridas que trabalham fora na minha prática de fisioterapia, isso também ficou na minha mente.

O programa mostrou a administradora de escola Brenda Slaby. São 6 da manhã e Brenda leva os dois filhos para babás diferentes, e, em seguida, segue para o trabalho. É o primeiro dia depois das longas férias de verão e uma época especialmente movimentada está por vir. Oito horas mais tarde, um colega de trabalho corre até o escritório de Brenda para dar a notícia de que seu bebê ainda está dentro do carro. Brenda tinha tantas coisas na cabeça que se esqueceu de deixar a filha mais nova na babá, e a pequena Cecilia morreu de insolação sob o sol quente de agosto.

Fiquei com o coração partido pela história dessa mulher. Na época, Brenda descreveu-se como "a mãe mais odiada dos Estados Unidos"; ela recebeu ameaças de morte, e mães indignadas a queriam julgada por assassinato.

Enquanto assistia, tudo o que conseguia pensar era: *poderia ter sido eu.*

Eu também já tinha estado tão sobrecarregada equilibrando crianças e trabalho em tempo integral que poderia ter esquecido a única coisa que ninguém quer esquecer.

Isso ficou na minha mente e tive certeza de que queria escrever a respeito — simplesmente, não sabia como. Escrevo suspenses. Sabia que não poderia fazer justiça à história de Brenda. Apesar disso, com o passar do tempo, não pude deixar de pensar sobre como as mulheres pressionam a si mesmas hoje em dia. Como se pressionam para serem mães perfeitas e funcionárias perfeitas. Muitas vezes, em detrimento da saúde e do relacionamento com o marido; muitas vezes, colocando outras mulheres para baixo por não funcionarem em um nível tão alto.

Algumas semanas depois, eu estava no estacionamento do supermercado e esbarrei com uma mulher que não via havia um tempo. Quando me afastei dela, fiquei me sentindo ligeiramente mal pela minha vida — ela é uma daquelas mulheres que, sutilmente, colocam você para baixo e também os seus filhos, tendo a chance. Sentei-me no carro pensando: *Quem é amigo daquela mulher*? Ela deve ter *alguns* amigos. Mas, sinceramente, não conseguia compreender por que alguém iria querer aguentá-la.

De repente, isso me ocorreu: e se você perdesse o filho *dela*? E se você estivesse tão sobrecarregada com o trabalho e a vida, que se distraiu e foi o filho *dela* que desapareceu?

Isso me aterrorizou.

Possivelmente, a única coisa pior do que o seu próprio filho desaparecer seria ser responsável pelo desaparecimento do filho de um amigo.

Comecei a escrever imediatamente, alimentada por esse medo. *Que tipo de mãe é você?* é o resultado.

Paula Daly, janeiro de 2013

# Agradecimentos

Gostaria de agradecer às seguintes pessoas:

Minha irmã, Debbie Leatherbarrow, e minha amiga, Zoë Lea, pelo apoio inabalável, ajuda e incentivo desde o início. Obrigada por *tudo*.

Minha maravilhosa agente, Jane Gregory, e a equipe da Gregory and Co. — Claire Morris, Stephanie Glencross e Linden Sherriff.

Minha editora maravilhosamente competente, Rachel Rayner, bem como Corinna Barsan, Nita Pronovost, Jenny Parrott, Kate Samano e Sarah Day.

Alison Barrow, Claire Ward e todos na Transworld. Ste Lea, Katharine Langley-Hamel, Dra. Jacqueline Christodoulou, D. Anderson, Tony e Babs Daly, Christine Long, Amanda Gregson, Jackie e Iain Garside, Paula Hemmings e Adrian Stewart. Todos em We Should Be Writing e YouWriteOn.

E todas as adoráveis senhoras da Windermere Library.

Acima de tudo, amor e gratidão a James, Grace, Harvey e Patrick. Sou tão sortuda.

Impresso no Brasil pelo
Sistema Cameron da Divisão Gráfica da
DISTRIBUIDORA RECORD DE SERVIÇOS DE IMPRENSA S.A.
Rua Argentina, 171 – Rio de Janeiro, RJ – 20921-380 – Tel.: (21)2585-2000